Wir wär'n dann so weit

Für Mary!

Alles Gute und

das

nicht vergessen,

Tine Wittler

Wir wär'n dann so weit

Roman

Scherz

Gegen Vorlage dieses Buchs gibt es
in Tine Wittlers Bar »parallelwelt« in Hamburg
einen Lakritzschnaps aufs Haus!

(ab 18 Jahren)

www.fischerverlage.de

Zweite Auflage 2009
Erschienen bei Scherz, ein Verlag der
S. Fischer Verlag GmbH, Frankfurt am Main
© S. Fischer Verlag GmbH, Frankfurt am Main 2009
Illustrationen: Greve Büro für visuelle Kommunikation, Karlsruhe
Satz: H & G Herstellung, Hamburg
Druck: GGP Media GmbH, Pößneck
Printed in Germany

ISBN 978-3-502-11054-5

Für den Katze, den ich sehr vermisse.
Es war das erste Buch ohne Deine Gesellschaft und Dein Schnurren.
Aber auch in dieser Geschichte lebst Du weiter!

Wir wär'n dann so weit: die Akteure

Marnie Hilchenbach – Bar-Betreiberin mit Neustart-Energie
und ihrem Liebsten Eule sowie den Freunden Lüttje,
Berit & Bernd
Special Support: der »marmorne Elvis«

Mona Rittner – Bar-Teilhaberin mit Zusatzjob
und Freund Guido, den Getreuen Jan, Eske & Behnke junior
sowie ihrem Haustier »Der Katze«
Special Effects: Managerin Susa, Maskenbildner Bobo
Attila Boizenburg und Kollege Mags von
»Renovieren Um Vier« samt fleißiger Handwerker

»parallelwelt« – Bar mit Glückstresen
und der handfesten Stammclique um
Thomas, Rocko, Manni, Steueraddi und Alf
Special Guest: Mimi

»Land und Lust« – Fernsehcamp mit Mecker-Misthaufen
und den Landbewohnern Otto, Clara und Willi Herzig;
den Vierbeinern Brutus vom Burgbarg, Kumpel und Koksnase, den
Kandidaten Steven Dong, Patsy de Luxe und Jacqueline Schnieder
sowie den Machern A. König und Kristin Maier
Special Agent: Ferfried Bockelt von der »Boulevard«

Rotlichtszene Hamburg – Welt voll Licht und Schatten
mit Benita da Silva und der »Luke«, den Zwielichtern Hasso Hohen-
feld und Igor dem Schrecklichen, den Polizisten
Reinke & Bremer sowie dem Elvis-Fanclub »Die Tollen Tollen«
Special Disapperance: »parallelwelt«-Vermieter
Kurt von Schlasse

Soundtrack – zum Selbersingen:
Elvis Presley

No animal was harmed in the making of this novel.

Auch wenn es mir nie jemand glauben will: Prominent zu sein ist manchmal echt doof. Jetzt gerade zum Beispiel.

Ich liege hintenübergekippt im Folterstuhl von Dr. Buchkrämer, dem Zahnarzt meines Vertrauens. Mein Mund steht sperrangelweit offen, während sich darin eine ekelhafte gräuliche Paste ausbreitet wie ein Hefeteig und langsam antrocknet, damit Dr. Buchkrämer mir mit Hilfe des Abdrucks später eine schöne Knirschschiene anfertigen kann. Der Sabber läuft mir fröhlich aus dem linken Mundwinkel. Derweil hat sich eine Schülerpraktikantin oder etwas Ähnliches, jedenfalls ein Wesen mit dem Feingefühl einer Quarktasche, von der Seite an mich herangeschlichen, steht mit weit aufgerissenen Augen so dicht neben mir, dass ich ihren Atem ertragen muss, und kräht so laut, dass die Opis im Wartezimmer vermutlich vor Schreck vom Stuhl rutschen:

»Boarh, geil ey, ich hab noch nie einen Fernsehstar aus der Nähe gesehen!!!«

Danach bleibt sie einfach da stehen, wo sie nun mal steht, und starrt und pustet mich weiter an. Pfff-chhhh. Pff-chhh. Waaaaaah!

»Hrghmpfmhh!«, mache ich hilflos, ruckele ein wenig auf dem Stuhl herum und wünsche der missratenen Göre, dass sie auf meiner Sabberpfütze ausrutschen möge, die sich langsam auf dem Fußboden bildet, aber es nützt nichts, das Miststück bleibt standhaft.

»Krass ey, das schreibe ich sofort in meinen Praktikumsbericht. So was hat bestimmt von den anderen keiner da drin«, informiert es mich lautstark und rückt noch ein wenig näher, unerträglich nah,

9

und ich schließe die Augen und wünsche mich woandershin, irgendwohin, wo es keine Gören gibt und keine Zahnärzte und erst recht
kein Fernsehen, aber als ich die Augen wieder aufmache, hat sich an
der Situation leider überhaupt nichts geändert.

Dr. Buchkrämer sollte mir vielleicht noch schnell die wenigen
verbliebenen Nerven rausnehmen, wo ich schon mal da bin.

Erst die Sprechstundenhilfe, die vermutlich durch die offen ste-
hende Tür des Behandlungszimmers sieht, dass eine Überprüfung
der Situation nicht schaden könnte, rettet mich schließlich und zerrt
das sich heftig wehrende Pubertätsmonster leise zischend an seinen
langen wirren Haaren aus dem Raum.

»Ey, du siehst in echt noch viel komischer aus als im Fernsehen!
Machst du nachher noch schnell mein Zimmer???«, brüllt das Mons-
ter noch, während die Tür endlich zuklappt, und ich könnte Leucht-
kugeln kotzen und atme tief durch, um das Schlimmste, sprich: einen
spontanen Selbstmord mit Dr. Buchkrämers direkt neben mir verfüh-
rerisch angerichteten Folterinstrumenten zu verhindern.

Ruhig bleiben, Rittner, ganz ruhig bleiben.

Fernsehstar! Du lieber Himmel. Gut, ja, ich bin im Fernsehen,
das lässt sich nicht wegdiskutieren. Es ist nun mal so: Aufgrund der
fragwürdigen Verkettung zahlreicher erstaunlicher Zufälle mode-
riere ich tatsächlich eine Einrichtungsshow namens »Renovieren
Um Vier« bei einem großen deutschen Privatsender namens TV3.

Aber deshalb bin ich noch lange kein Star, und ganz ehrlich, das
will man auch gar nicht sein, was einem aufgrund der Erlebnisse, die
man hat, wenn man erst mal von anderen so bezeichnet wird, auch
niemand mehr verübeln würde.

Na ja, gut, man muss natürlich auch die positiven Seiten sehen:
Schließlich machen wir mit der Sendung eine Menge Leute glück-
lich. Die handwerklichen Kenntnisse, die ich bei »Renovieren Um
Vier« allein durchs Zugucken gewinne, sind auch nicht von schlech-

ten Eltern. Ich meine, wer weiß schon, dass man eigentlich nur Fuß-
leistenklebeband braucht, um seinen Haushalt ohne weitere Mate-
rialien oder Werkzeuge komplett funktionsfähig zu erhalten? Und
außerdem verdiene ich mit »Renovieren Um Vier« so viel Geld, dass
ich als gleichberechtigte Teilhaberin in eine Bar einsteigen konnte,
die »parallelwelt«. Und das wiederum bedeutet, dass ich jetzt nicht
mehr nur Moderatorin, sondern auch Kneipenwirtin bin. Zumindest eine halbe.

Die andere Wirtinnenhälfte heißt Marnie, ist einen halben Kopf
kleiner als ich, aber mindestens genauso trinkfest, und hat den Laden
ganz gut im Griff, was wohl auch besser ist, denn wirklich viel Zeit,
mich zu kümmern, habe ich im Moment nicht.

Kein Wunder, wenn ich meinen einzigen freien Tag jetzt auch
noch beim Zahnarzt verbringen muss, weil das Moderatorinnen-
dasein ja auch stresst und dafür sorgt, dass man sich nachts beim
Schlafen die Zähne kaputtknirscht. Aber damit ist bald Schluss,
wenn ich endlich meine schicke Knirschschiene habe, die mich im
Schlaf bestimmt noch mal so sexy macht. Grmpf.

Ganz ehrlich: Eigentlich wäre ich im Moment lieber Marnie als
Mona. Die hat's gut!

Wurschtelt da tagsüber in unserer kleinen Bar rum zwischen den
wunderbarsten Getränken, von denen sie sich immer eins einschen-
ken kann, und abends gibt es immer was zu feiern, was ja hinter dem
Tresen fast genauso viel Spaß macht wie davor.

Morgens oder meinetwegen auch mittags wacht Marnie dann aus-
geschlafen und frisch wie die junge Fa auf, mit rosiger Haut, denn
Wodka konserviert, und mit ihrer neuen pflegeleichten Strubbelfri-
sur, die irgendwie immer niedlich aussieht, und springt einfach in
ihre Jeans und dann in den Laden, um einen Schnack mit dem kna-
ckigen Bierkutscher zu halten oder vielleicht auch einfach mit der
Nachbarin. Und abends geht die Party dann von neuem los.

11

Ich hingegen benötige morgens nicht nur zwei Stunden Zeit, sondern auch die fremde Hilfe eines Zivis, sprich: meines Maskenbildners, bevor ich überhaupt auf der Arbeit – oder vielmehr: auf der Baustelle – erscheinen kann. Und das wohlgemerkt auch ganz ohne Feier am Vorabend. Nein, bei mir reicht das ganz normale Leben, um mich zu einem echten Wrack zu machen, das eigentlich zur Generalüberholung ins Trockendock gehört statt vor eine Fernsehkamera.

Marnie hingegen sieht immer irgendwie entspannt aus. Beneidenswert! Aber ihr quatscht ja auch niemand rein. Na ja, fast niemand jedenfalls. Schließlich gehört die »parallelwelt« zur Hälfte mir, und da habe ich ja auch ein Wörtchen mitzureden. Aber im Grunde ist Marnie ihr eigener Boss. Wenn die was zu erledigen hat, dann – fupp! – macht sie's halt einfach. Zack, erledigt, und weiter geht's.

Marnie muss nicht stundenlang auf den Badewannenrändern fremder Wohnungen hocken und auf ihren nächsten Einsatz warten, während sie sich aus lauter Langeweile die Knöpfe an ihrer Bluse losfriemelt, um sie dann wieder anzunähen, sich dabei im Faden zu verheddern und schließlich einen Wutanfall zu kriegen, der sich gewaschen hat.

Wenn Marnie etwas einzukaufen hat, dann geht sie halt einfach los und kauft es, oder besser noch, sie lässt es sich liefern, was ja als Gastronomin ihr gutes Recht ist und eine lässige Sache, wenn man denn vor Ort sein kann, um so eine Lieferung überhaupt entgegenzunehmen. Ich hingegen war das letzte Mal vor drei Wochen in einem Supermarkt, was aber auch egal ist, weil ich ja eh nie zu Hause bin und meinen Kühlschrank eigentlich auch abschaffen könnte oder zumindest vermieten.

Ach ja: Obwohl ich derzeit kaum zum Essen komme, heißt das übrigens nicht, dass sich mein Körperumfang in der Zwischenzeit verringert hätte. Eher im Gegenteil. Ich habe von Natur aus schon eine Konfektionsgröße, die für deutsche Fernsehmoderatorinnen eigentlich nicht zugelassen ist (noch dazu ist es eine Zwischengröße), aber im Moment nimmt das Problem im wahrsten Sinne des Wortes auch noch stetig zu, weil ständiges Rumsitzen nun mal nicht zu den figurförderndsten Maßnahmen gehört und das Catering am Set in der Regel zu wünschen übriglässt, denn meistens besteht es aus Kaffee, Bier und Bestellpizza. Skandalös eigentlich, aber was will man machen. Handwerker stehen nun mal nicht so auf Salatbuffet. Dafür sind Handwerker wenigstens lustig und manchmal sogar sexy, das macht einiges wett. Das Team ist spitze, aber davon werde ich leider auch nicht dünner.

Marnie hingegen hat in den letzten Monaten laufend abgenommen. Sie ist mittlerweile so schlank geworden, dass sie es ganz ohne Baucheinziehen hinter unseren marmornen Tresen schafft, und das will was heißen, denn der Durchgang ist reichlich schmal. Das kommt wahrscheinlich daher, dass sie derzeit nur von Luft und Liebe lebt, na ja, und von Schnaps natürlich, aber Marnie ist nun mal seit der »parallelwelt«-Eröffnungsparty glücklich verliebt, und das sieht man ihr an.

Das ist auch noch so ein Punkt, weshalb ich derzeit ganz gerne mit ihr tauschen würde: Marnie hat Eule. Eule ist toll! Echt ein guter Typ, man weiß ja, wie selten so etwas ist, und er vergöttert Marnie und hilft ihr, wo er kann.

Ich hingegen habe Guido, der irgendwie nicht damit klarkommt, was ich beruflich mache und dass jeder uns anstarrt, als hätten wir drei Köpfe, wenn wir zusammen auf der Straße sind, und der dadurch noch zusätzlich rumstresst. Hauptsächlich gerade dann, wenn ich eigentlich schlafen will, was leider Gottes nur logisch ist, weil wir uns, wenn überhaupt, nur sehr, sehr spät nach Drehschluss sehen können, und das hilft auch nicht gerade.

Außerdem, und das kommt ja noch dazu, ist »Renovieren Um Vier« gar nicht mehr so erfolgreich. Die Quoten sinken seit neuestem laufend, und Herr König, der Wadenbeißer von TV3, hat sich schon mehrfach beschwert, dass das so nicht weitergehen könne und dass die nächste Staffel gefährdet sei, was zwar in Sachen Seelenfrieden vielleicht gar nicht so schlecht wäre, auf der anderen Seite aber wiederum meine Teilhaberschaft an der »parallelwelt« gefährden würde und meinen festen Wohnsitz noch dazu. Denn schließlich läuft die Bar noch nicht so gut, dass man gleich zwei davon ernähren könnte.

So, und jetzt nochmal, ganz ehrlich: Wer will unter diesen Umständen schon ein »Fernsehstar« sein?

Ich jedenfalls nicht. Und deshalb werde ich mich heute Abend endlich mal wieder ordentlich betrinken müssen, natürlich in der »parallelwelt«, am marmornen Tresen, der immerhin zur Hälfte mir gehört. Irgendwas muss ich ja auch davon haben. Journalisten haben dann heute halt Hausverbot, ätsch.

Außerdem könnte mein bekloppptes Handy jetzt auch mal aufhören zu klingeln. Ich kann nicht, verdammt! Und deshalb stecke ich mir jetzt erst mal die Finger in die Ohren und mache ganz laut »lalalalalalalala«. Oder vielmehr »lmlmlmlmlmmmh«. Hoffentlich befreit mich Dr. Buchkrämer bald von diesem widerlichen Zeug in meiner Schnatterluke.

War klar, dass Mona sich ausgerechnet jetzt dazu bequemt, mich endlich mal zurückzurufen. Wenn sie es denn überhaupt ist. Ich kann es leider nicht genau sagen, denn jetzt kann ich ausnahmsweise mal nicht an mein Handy, da kann es klingeln, solange und so laut es will. Aufhören!!!

14

Ich klebe reichlich genervt in der Miniküche der »parallelwelt«, eingeklemmt zwischen Spüle, Kühlschrank und der gegenüberliegenden Wand, und versuche herauszufinden, weshalb die Eismaschine nicht mehr funktioniert. Leider komme ich nur dann an ihre Rückseite heran, wenn ich sie etwas vorziehe und gleichzeitig anhebe, was aber bedeutet, dass ich eigentlich gar keine Hand mehr frei habe, um jetzt nachzufühlen, ob an der Verkabelung etwas nicht stimmt. Noch während ich versuche, die Maschine irgendwie so auszubalancieren, dass sie mir nicht von der Oberfläche des Kühlschrankes rutscht, flitzt ein kleines graues Etwas auf flinken dünnen Trippelbeinchen zwischen meinen Füßen hindurch und verschwindet fiepend hinten im Personalklo.

Mimi, du Miststück!

»Mimi!!!!«, brülle ich wütend und versuche nachzutreten, aber natürlich ist es längst zu spät, und jetzt kippt die Eismaschine vornüber und ergießt etwa fünf Liter Wasser, die eigentlich längst Eiswürfelform haben sollten, auf meine Beine und den Küchenfußboden.

Manno!!! Irgendwann dreh ich noch durch.

Es ist ja ganz schön, ein Haustier zu haben, aber in einer Bar ist ein Tier eindeutig fehl am Platze, erst recht, wenn es eine Maus ist. Ich verfluche mein gutes Herz und dass ich Mimi auch noch einen Namen gegeben habe, statt sie mit Schimpf und Schande aus dem Laden zu jagen. Aber nein, ich musste mich ja wieder mal von Mona überreden lassen. Mona meinte, es sei doch süß, ein Maskottchen zu haben, und da es bei uns eh kein Essen gibt, sondern nur Getränke, sei das kein Problem.

Ist es aber wohl, denn jetzt ernährt Mimi sich mangels Alternativen offenbar von unseren Kabeln, und ich muss es mal wieder ausbaden, im wahrsten Sinne des Wortes.

Wütend schiebe ich die Eismaschine wieder an ihren Platz und suche erst mal nach dem Wischmopp, den ich jetzt gerade auch einfach mal Mona über den Kopf hauen könnte. Aber sie ist ja nicht da, wie so oft.

Klar, wir hatten ausgemacht, dass ich den Löwenanteil übernehme an den Arbeiten in der Bar, solange sie noch so im Drehstress ist, aber dass sie mir überhaupt nicht mehr hilft, war so wirklich nicht gedacht. Ich kann bald nicht mehr. Chaos!

Die Eismaschine ist ja bei weitem nicht mein einziges Problem. Der Beamer macht seit gestern komische Flecken an die Wand, und der bekloppte Spritlieferant mit dem Bart bis zu den Knien hat heut früh mal wieder schön einfach allen Schnaps auf dem Tresen abgestellt, statt sich kurz von der Nachbarin den Vorratskeller aufschließen zu lassen. Wahrscheinlich, weil er keine Treppen laufen kann, ohne ständig auf seine Gesichtsbehaarung zu treten. Bis ich das alles runtergebuckelt habe, hab ich einen fetten Bandscheibenvorfall. Oder drei Meter lange Arme.

Na ja, auch nicht schlecht, dann komme ich wenigstens oben an die Glühbirne, die die Discokugel beleuchtet, die ist nämlich auch schon wieder durchgebrannt und will ausgewechselt werden. Würd ich ja gern machen, aber leider ist die Leiter verschwunden. Ich bin gespannt, wo ich sie diesmal finde; letztes Mal, als sie weg war, habe ich sie draußen vom Bürgersteig geklaubt, weil ein paar besoffene Gäste meinten, sie mitten in der Nacht für ein Hüpfspiel verwenden zu müssen. Wir brauchen einfach noch einen Abstellraum; es ist auf Dauer keine Lösung, den ganzen Klöterkram, der nicht mehr in die enge Miniküche passt, auf den Gästeklos aufzubewahren.

Und wenn ich das alles dann irgendwie geregelt hab, geht die eigentliche Schicht überhaupt erst mal los!

Eule ist auch sauer, weil wir heute endlich mal ausschlafen und zusammen spätstücken wollten, aber dann hat der Fensterputzer mich rausgeklingelt, weil er entweder heute Morgen kann oder sonst die ganze Woche nicht mehr, also steh ich doch wieder seit zehn Uhr vormittags hier und habe noch nicht mal was gegessen. Hunger!!! Kein Wunder, dass ich immer weniger werde, bei der Keulerei. Wenn das so weitergeht, vertrage ich bald überhaupt keinen Alkohol mehr.

Laut der Anrufliste in meinem Handy hat mich eben übrigens nicht Mona versucht anzurufen, sondern – ebenjener Fensterputzer. Vermutlich hat er plötzlich und unerwartet einen Pups quersitzen und kommt jetzt ganz spontan doch nicht mehr. Heureka!

Ich versteh das ja, dass bei Mona auch Alarm ist, aber sich wenigstens mal kurz melden und mir die Nummer vom Bankberater geben könnte sie wirklich. Leider ist da nämlich was schiefgelaufen mit den Überweisungen der Telefonrechnung, und deshalb ist jetzt das Festnetz tot, was für eine Bar natürlich prima ist, denn die Leute bringen ihre Reservierungen ja gern auch persönlich vorbei, weil sie sonst nichts Besseres zu tun haben.

Das geht alles so nicht weiter. Ich brauche Unterstützung! Von meiner Teilhaberin am besten, dafür ist sie ja Teilhaberin, aber irgendwie kommt da im Moment so gar nichts. Ich glaube, ich muss sie mir mal zur Brust nehmen. Ich mag Mona, wirklich, und ohne sie und auch ohne ihre Finanzspritze hätten wir es sicherlich nicht geschafft, den Laden hier wieder einigermaßen auf Vordermann zu bringen, aber so langsam werde ich doch etwas unleidlich.

Ich hoffe nur, dass Berit und Bernd nicht recht hatten mit dem, was sie vor ein paar Monaten zu mir gesagt haben: dass das nicht gut ist, wenn man ein Geschäft mit einer Freundin macht, und dass es in Monas und meinem Fall besonders kompliziert werden würde, weil wir uns viel zu ähnlich sind.

Aber zumindest auf das, was Bernd sagt, gebe ich in der Regel nicht viel. Bernd ist nämlich ein Spinner und ein Geizhals noch dazu. Neulich hat Berit ihn dabei erwischt, wie er in der Küche eine Fertigteigmischung in eine halb aufgetaute Billigpackung Vanilleeis gerührt hat, und als sie ihn dann gefragt hat, was das solle, sagte er, er würde es gar nicht einsehen, fünf Euro für eine Packung »Ben & Jerry's Cookie Dough« hinzulegen, wenn er das mit den Teigstückchen zum halben Preis doch einfach selbst machen könne.

Ich kann nur hoffen, dass Berit sich das mit der Hochzeit gut überlegt hat. Die beiden wollen nämlich bald heiraten, natürlich nur gesetzt den Fall, dass Bernd sich dazu herablässt, einen Ring zu kaufen und ihn nicht aus dem Kaugummiautomaten zu ziehen.

Außerdem finde ich gar nicht, dass Mona und ich uns sehr ähnlich sind. Auf den ersten Blick mag es zwar so aussehen: Wir sind beide Anfang dreißig, wohnen in Hamburg-Altona, genaugenommen in Ottensen, und haben mittlerweile nicht nur eine Bar zusammen, sondern natürlich auch viele gemeinsame Bekannte, das liegt in der Natur der Sache. Aber ansonsten sind die Unterschiede doch eklatant.

Mona ist zwar dicker als ich, aber wie ich finde auch hübscher, obwohl sie sich für meinen Geschmack in letzter Zeit zu stark schminkt. Mona behauptet, für sie sei das so eine Art Schutzschild, weil sie sich sonst nackt fühle, wenn alle sie ständig anstarren, und da mag sie durchaus recht haben. Ich an ihrer Stelle wäre jedenfalls schon längst Amok gelaufen bei den ganzen Leuten, die sie ständig fotografieren und anfassen und sonst was von ihr wollen. Dummerweise hat Mona aber auch wirklich einen Wiedererkennungswert wie die lila Kuh; durch ihre leuchtend blonden Haare und ihre Figur fällt sie eh schon überall auf, und jetzt, seit sie diese Fernsehsendung moderiert, natürlich nur noch mehr.

Ich hingegen bin eigentlich eher unscheinbar und längst nicht so schillernd. Ich denke auch immer viel länger über alles nach als Mona. Wenn Mona ein Gedanke kommt, dann dauert es keine zwei Minuten, bis sie ihn auch umgesetzt hat – oder aber wieder verworfen, und dann aber auch ein für alle Mal. Ich hingegen bin viel zögerlicher und zerfleische mich manchmal selbst, bevor ich eine Entscheidung treffe. Und ich brauche meistens einen Schubs von außen. Mona hingegen wirkt immer ein wenig aufgezogen, wie ein kleiner Brummkreisel, der erst dann zur Hochform aufläuft, wenn er gegen Hindernisse brummt.

Das ist an sich ja toll, aber in letzter Zeit macht Mona mir manchmal ein bisschen Sorgen. Ihre Energie scheint nachgelassen zu haben, und proportional dazu ist ihr Alkoholkonsum gestiegen. Es gab Zeiten, da konnten wir gleich viel trinken, aber mittlerweile kann ich nicht mehr mithalten, und das liegt sicherlich nicht nur daran, dass Mona einfach mehr Substanz hat. Das Dumme ist, ich kann ihr das ja nicht verbieten, der Laden gehört nun mal zur Hälfte ihr, und eine Spaßbremse will man ja auch nicht sein.

Trotzdem. Irgendwer muss Mona mal klarmachen, dass sie sich einfach nicht mehr so benehmen kann wie früher. Als sie das letzte Mal betrunken auf den Tresen geklettert ist, um zu AC/DC zu tanzen, hat irgendein Idiot unter ihren Rock fotografiert und das Foto bei den »Boulevard«-Leserreportern eingeschickt, jedenfalls prangt es heute schön groß auf Seite 8 im Hamburg-Teil, wie ich vorhin feststellen musste. Mir ist vor Schreck die Kaffeetasse aus der Hand gerutscht, mitten auf die Abrechnung von gestern Abend, aber über solche Kleinigkeiten rege ich mich schon gar nicht mehr auf.

Ich habe ja wirklich nichts gegen Publicity, aber davor hätte ich Mona doch gern geschützt. Leider lässt sie sich ab einem bestimmten Punkt überhaupt nichts mehr sagen, und ihr Freund Guido ist auch keine große Hilfe. Der hält sich schön aus allem raus.

Na ja, er muss sich wahrscheinlich auch erst an die Situation gewöhnen. Die beiden haben ihre Beziehung erst vor ein paar Wochen offiziell gemacht, und seitdem hat Guido sicherlich schon einiges einstecken müssen. Aber ich muss ja auch irgendwo bleiben, und fest steht, dass es so nicht weitergeht.

Ach, es nützt alles nichts: Ich muss mit Mona ein ernstes Wörtchen reden. Mal so von Frau zu Frau. Die Frage ist nur, ob ich heute
Abend dazu kommen werde, es ist nämlich Freitag. Elvis-Tag! Ich
habe jetzt schon Angst.

Der Chef. Wenn nicht gar der Chefchef. Ausgerechnet! Wenn der
persönlich anruft, verheißt das in der Regel nichts Gutes, so viel habe
ich in den vergangenen Monaten schon gelernt. Ich schalte kurzfristig auf Kiemenatmung um und versuche, keinerlei Geräusche
von mir zu geben, damit er vielleicht denkt, die Verbindung wäre
unterbrochen. Aber das nützt mir nichts, denn Herr König holt
selbst so laut Luft, dass ich mich unwillkürlich ducke.

»Frau Rittner«, knurrt er streng, aber immerhin noch einigermaßen beherrscht, »Frau Rittner, ich habe ein Problem«, und ich
lasse die Kiemenatmung Kiemenatmung sein und beschließe, es
stattdessen mit der unbefangenen Totquatschmethode zu versuchen.

»Ach, Sie auch?«, entgegne ich also, so ehrlich engagiert wie möglich. »Jaja, so hat jeder sein Päcklein zu tragen! Stellen Sie sich mal
vor, ich kriege demnächst eine Knirschschiene, das macht mir auch
sehr zu schaffen. Liegt an den stressigen Dreharbeiten, sagt der Zahnarzt, von dem ich gerade komme. Von daher ist es gut, dass Sie anrufen, ich brauche demnächst für die Anpassung einen Nachmittag
frei, außerhalb der Reihe. Was ist es denn bei Ihnen?«, erkundige ich
mich dann mitfühlend. Angriff ist die beste Verteidigung.

Herr König schnauft. »Sie sind es, Frau Rittner«, sagt er scharf.
»Sie sind mein Problem. Beziehungsweise Ihr Foto in der ›Boulevard‹ von heute. Was, bitte, hat Sie denn da geritten?«

Wovon zum Teufel redet der?

»Wovon sprechen Sie, Herr König?«, frage ich freundlich. Ich habe wirklich keine Ahnung, worum es geht. Ehrlich. »Ich habe keine Ahnung, worum es geht«, wiederhole ich also hörbar und kratze mich ein wenig ratlos am Kopf.

»Ach nein?«, motzt Herr König. »Filmriss auch schon, was? Na, dann aber ab an den nächsten Kiosk! Ich sage Ihnen eines, Frau Rittner: Die Zeiten, in denen Sie sich auf Ihrem Quotenhoch ausruhen konnten, sind längst vorbei. So etwas geht zu weit! Wenn Sie Ihrem Ruf und damit auch dem Ruf des Senders weiterhin so schaden, dann kann es ganz schnell vorbei sein mit ›Renovieren Um Vier‹ und mit Ihrer Karriere. Schneller, als Sie denken! Viel schneller! Wenn die Quoten sich in dieser Woche nicht erholen, dann werden wir handeln, und durch so peinliche Aktionen wie in der ›Boulevard‹ erhöhen Sie Ihre Chancen bei uns sicherlich nicht. Alles Weitere demnächst. Also, einen schönen Tag noch. Und benehmen Sie sich gefälligst so, wie es sich für die Moderatorin einer Familiensendung gehört«, blafft er noch, und dann hat Herr König auch schon aufgelegt.

Ich bleibe verwirrt zurück, mit dem unguten Gefühl im Bauch, ausnahmsweise mal etwas wirklich Wichtiges verpasst zu haben, und dann stopfe ich kurzentschlossen mein Handy in die Jackentasche und mache auf dem Fuße kehrt, um am Kiosk an der Friedensallee noch schnell eine »Boulevard« zu kaufen. Auf dem Weg dorthin zermartere ich mir das Hirn, bis es wehtut.

Ich habe wirklich nicht den blassesten Schimmer, worum es hier gehen mag. Ehrlich! Das letzte Interview habe ich der »Boulevard« vor etwa zwei Monaten gegeben, und ich bin mir keiner Schuld bewusst, denn ich war sehr brav und habe nur nette Sachen gesagt. Wirklich. Über alle. Über die Sendung und den Sender und die Produktion und die Redaktion und die Handwerker und die Zuschauer und sogar über die Kandidaten, obwohl die manchmal gar nicht so nett sind und vor allem nicht sehr sauber, aber daran habe ich mich ja schon gewöhnt und auch daran, dass man mit Ehrlichkeit nur aneckt und solche Sachen am besten einfach runterschluckt, im Idealfall mit Wodka oder Lakritzschnaps.

Und überhaupt, mit der Presse ist nicht zu spaßen, jedenfalls als Betroffene. Die selbst haben wahrscheinlich schon ganz schön Spaß, weil sie ja nichts Besseres zu tun haben, als sich den lieben langen Tag lustige Geschichten auszudenken, und als ganz normaler Leser mag man ja auch durchaus sein Vergnügen daran haben. Aber wenn man dann mal wieder in irgend so einem dubiosen, dünnpapierigen und viel zu bunten Käseblättchen Sachen über sich lernt, die man selbst noch gar nicht wusste, dann ist das in der Regel doch eher unerfreulich.

Den zwischenmenschlichen Beziehungen tut es meistens auch nicht besonders gut, was man im Moment mal wieder prima an Guido und mir sehen kann, denn an unserer derzeitigen Krise ist die Presse nicht ganz unschuldig. Ich kann das ja verstehen, dass Guido sauer ist, wenn just so ein Regenbogenblatt auf der Titelseite berichtet, ich hätte heimlich geheiratet, und zwar jemand anderen als ihn. Aber bei seinem Rumgemecker übersieht er doch irgendwie, dass diese Information a) nicht stimmt und b) noch nicht mal von mir stammt. Was kann ich denn dafür, wenn die sich so einen Mist aus den Fingern saugen?

Zum Glück konnte ich wenigstens noch meine Eltern rechtzeitig über den korrekten Stand der Dinge informieren, bevor die Nachbarn zum Gratulieren kamen.

Und dieser Stand ist ganz eindeutig, dass ich weiterhin unverheiratet bin und sich dies auch in naher Zukunft kaum ändern wird, weil niemand eine miesepetrige Olle heiraten will, die doch eigentlich total glücklich sein müsste, weil sie so superduperwahnsinnig erfolgreich ist, und trotzdem die ganze Zeit nur rummeckert, weil dieser Erfolg entgegen der landläufigen Meinung nämlich nicht glücklich macht, sondern nur Probleme verursacht.

Das jüngste dieser Probleme ist ebenfalls nicht ohne, wie ich feststelle, als ich noch auf dem Tresen des Kiosks hektisch die »Boulevard« durchblättere. »Seite 8«, sagt der Kioskmann süffisant zu mir, zwinkert mich anzüglich an und schnalzt mit der Zunge, »hübsches Bild«, aber diese Unverschämtheit ist schnell vergessen, denn ich kippe fast hintenüber, als sich Seite 8 endlich vor mir auftut, anders als das leider nicht vorhandene ersehnte Loch im Boden, in dem ich jetzt gern sofort versinken würde.

Das Foto ist eine Katastrophe. Oder vielmehr die Fotos, um genau zu sein. Das erste zeigt mich auf dem Tresen der »parallelwelt« mit einem Schnapsglas in der linken und einer Flasche in der rechten Hand. Entweder versuche ich zu tanzen, oder ich verliere gerade das Gleichgewicht, so genau kann man das nicht erkennen, und ich würde lügen, wenn ich behauptete, ich könne mich daran erinnern, welche dieser beiden Interpretationen die korrekte ist.

Das zweite Foto ist noch viel schlimmer, denn es zeigt meinen Hintern von unten fotografiert in Großaufnahme, mit einem schwingenden Rock, der am oberen Ende meines linken Oberschenkels eine naturwunderträchtige Kraterlandschaft freigibt, und dazu kann man auch noch meine Wäsche erahnen.

Immerhin ist die Qualität des Fotos nicht gut genug, um zu erkennen, dass es sich dabei um meine rüstungsähnliche Bauchweg-Unterhose handelt, aber ich brauche wohl kaum zu verdeutlichen, dass mich dieser Umstand nicht wirklich zu trösten vermag.

Rittner außer Rand und Band, lautet die Überschrift dazu, und die Buchstaben verschwimmen fast vor meinen Augen, als ich versuche, trotz des erlittenen Schocks den dazugehörigen Artikel zu entziffern.

Das dürfte die Verantwortlichen bei TV3 kaum erfreuen, lese ich mühsam den fettgedruckten oberen Abschnitt, *denn hier präsentiert sich Mona Rittner, Moderatorin der Sendung »Renovieren Um Vier«, mal ganz anders! Dellen statt Blaumann – so schamlos tanzt Deutsch-*

lands Renovierkönigin Nummer eins auf dem Tresen ihrer Bar »parallel-welt« in Hamburg-Altona. Ob sie sich auf diese Art den Frust über die sinkenden Quoten ihrer Show von der Seele hämmert ...?

Und dann, etwas kleiner gedruckt: *Die TV3-Führung machte in den vergangenen Wochen keinen Hehl mehr daraus, dass sie mit den einstmals rekordträchtigen Zahlen von »Renovieren Um Vier« nicht mehr zufrieden ist. Mittlerweile gibt es schon Gerüchte über die Suche nach einer Nachfolgerin! Ein Name ist im Flurfunk bereits gefallen – wenn auch hinter vorgehaltener Hand: Jacqueline Schnieder, 30, wird als heißeste Kandidatin für den Deko-Thron gehandelt. Schlanker, jünger und noch blonder – Deutschlands männliche Heimwerker könnten sich die Finger lecken. Zwar hat Mona Rittner ihre treuesten Fans noch nicht verloren.*

Und dann, wieder fettgedruckt, der letzte Satz: *Aber der Lack ist ab, und jetzt heißt es erst mal: das eigene Image renovieren. Sonst bohrt demnächst jemand anders nach dem Quoten-Gold von TV3 ...!*

Hallo? Geht's noch? Spinnen die? Was gibt denen bitte schön das Recht, so auf mir herumzuhacken? Und seit wann wird schon meine Nachfolge diskutiert? Davon höre ich doch zum ersten Mal. Außerdem – wer zum Henker ist diese Jacqueline Schnieder? Das Porträt einer schlauchbootlippigen Blondine prangt neben meinem Kraterhintern. Was soll der Scheiß?! Und vor allem – welcher Idiot hat diese ätzenden Fotos gemacht ...?

Fragen über Fragen, und über allem nicht zu vergessen die Wichtigste: Warum muss so etwas eigentlich immer mir passieren?

Ich habe mich ja damit abgefunden, zu oft zur falschen Zeit am falschen Ort zu sein, aber so langsam wächst mir die Sache doch über den Kopf, und jetzt gerade könnte ich wirklich explodieren. Aber das darf ich natürlich nicht, erst recht nicht in Gegenwart anderer Menschen, auch wenn es nur der schmierige Kioskmann ist, der sich noch immer an mir weidet und an meinem jämmerlichen Zustand. Schließlich haben Fernsehstars immer gute Laune zu haben und

24

sanft und besonnen zu sein, sogar dann, wenn sich herausstellt, dass ihr Ehegatte 27 Millionen Euro Schulden, dafür aber ganz bestimmt ein gutes Gewissen hat. Explodieren steht ihnen höchstens zu, wenn sie allein sind. Und da beißt sich die Katze in den Schwanz, denn Explodieren ist leider nur dann effektiv, wenn es auch jemand mitbekommt, und deshalb bleibt einem manchmal nichts anderes übrig, als die Zähne zu fletschen und darauf zu hoffen, dass die anderen es für ein Lächeln halten.

So auch jetzt, und deshalb ergreife ich mit einem grimmigen Grinsen zunächst die »Boulevard« und dann die Flucht. Bloß weg hier. Ich will zu meiner Mama.

Gegen vier habe ich den Laden endlich so weit in Schuss und kann nochmal kurz nach Hause, um mich ein bisschen hinzulegen und dann umzuziehen und etwas zu essen, und weiß Gott, ich werde eine Grundlage brauchen. Wahrscheinlich wird es eine lange Nacht, wie immer am Freitag, denn der Freitag ist der wichtigste Abend der Woche in unserer kleinen Bar, der vollste und somit auch der umsatzstärkste. Im Grunde leben wir den gesamten Rest der Woche nur vom Freitag!

Da darf nämlich auf unserem Elvis getanzt werden, beziehungsweise auf seinem Profil, das hinten beim DJ-Pult wie eine Marienerscheinung im orangefarbenen, von innen beleuchteten Marmor des Tresens prangt. Ein bisschen sieht das Ganze in der Zeichnung des Steins aus wie ein Scherenschnitt, und man kann wirklich alles darin erkennen, was Elvis Presley ausgemacht hat: die Tolle, die Koteletten, sogar den typischen hohen Kragen vom Showanzug. Und diese kleine, aber feine Besonderheit ist es wohl, die unseren Laden überhaupt am Leben erhält.

25

Denn auf dem Elvis zu tanzen beziehungsweise auf dem Teil des Tresens, in den sein Bildnis eingebrannt ist wie damals die heilige Maria auf dem Toast, der für ein Vermögen bei eBay versteigert wurde, das bringt Glück – so geht jedenfalls die Legende, die sich irgendwie komplett verselbständigt, seit Mona sie mehr oder weniger überlegt in ihren zahlreichen Interviews in die Weltgeschichte rausgeblasen hat.

Das Lustige daran ist, dass Mona sich die Story noch nicht mal selbst ausdenken musste. Sie hat zwar zweifelsohne eine blühende Phantasie, und manchmal weiß man auch gar nicht, was bei ihr wahr ist und was ausgedacht oder eingebildet, aber in diesem Fall hat sie ausnahmsweise mal nur weitergegeben, was ich ihr erzählt habe. Und ich wiederum habe die Geschichte von unserem kauzigen Vermieter, dem alten von Schlasse; ein wahrer Teufelsbraten übrigens, bei dem man auch nie so richtig weiß, wie er denn nun wirklich tickt, und der sicherlich die eine oder andere Leiche im Keller hat, denn er ist nicht nur sehr reich, sondern auch sehr gewitzt und trotz seines fortgeschrittenen Alters nicht zu unterschätzen. Noch dazu ist von Schlasse eine wahrhaft imposante Erscheinung, mit einem gezwirbelten Bart kaiserlichen Ausmaßes und mit dieser gewissen Autorität, die einen manchmal keine Fragen mehr stellen, sondern nur noch ehrfürchtig nicken lässt, egal wie durchgeknallt das ist, was er vom Stapel lässt.

Wie in diesem Fall, um nur ein Beispiel zu nennen.

»Frau Hilchenbach«, hat er auf unserer Eröffnungsparty ernst, streng und sehr geheimnisvoll zu mir gesagt – so ein bisschen wie der Typ aus der Sesamstraße, der die »8« verkaufen will –, »Frau Hilchenbach, passen Sie gut auf dieses Stück Marmor auf, denn ich sage Ihnen eins: Es ist die Versicherung für diesen Laden, und ohne dieses Stück Marmor läuft hier gar nichts. Vergessen Sie das nie. Niemals!«

Ich habe mir zunächst gar nicht so viel dabei gedacht, außer vielleicht dass der Marmor bestimmt sehr teuer war und eine Bar ohne Tresen ja auch wirklich etwas schwierig wäre, aber wie von Schlasse das wirklich gemeint hat, das habe ich ein paar Tage später erfahren, mehr oder weniger zufällig, durch einen alten Zeitungsartikel, den vor langer, langer Zeit in der Küche jemand in eine Ritze unter dem Fensterbrett gestopft haben muss.

Er war schon ziemlich rott und vergilbt und nur noch bruchstückhaft lesbar, und dem Schriftbild nach zu urteilen muss er jahrzehntealt gewesen sein, aber mit ein bisschen Mühe haben Eule und ich uns dann doch zusammenpuzzeln können, worum es darin ging – nämlich eben um das marmorne Abbild Elvis Presleys im Tresen einer Hamburger Seemannskneipe, das seit Elvis' offiziellem und doch umstrittenen Todestag am 16. August 1977 angeblich jeden Freitag Wünsche erfüllt, wenn man darauf tanzt und dann auf Elvis' Wohl anstößt.

Warum ausgerechnet freitags, das stand da leider nicht, und auch das zum Artikel gehörende Foto war überhaupt nicht mehr zu erkennen. Von daher kann man sich natürlich kaum sicher sein, dass es sich dabei wirklich um »unseren« Tresen handelt; bis dato hatte ich davon noch nie gehört, und auch Bolek, der Vorpächter des Ladens, hat nie davon erzählt. Aber das hat nicht viel zu bedeuten; die Vermutung liegt nahe, dass Bolek den Artikel nie gefunden hat, denn zum einen war Bolek nicht so fürs Putzen und In-die-Ecken-Gucken, und zum anderen hätte er die kleine Bar sicherlich nicht so schnell wieder aufgeben müssen, wenn er diese zwischenzeitlich in Vergessenheit geratene Legende nur clever genug publik gemacht hätte.

Aber das hat Mona dann ja getan, und weil sie einen Hang zur Dramatik hat und das Ganze schön theatralisch vortragen konnte, ist nahezu jedes Medium der Republik dankbar aufgesprungen auf die Geschichte, die praktischerweise auch noch passend zum Sommerloch kam und zur neuerlichen Jährung des Todestages von Elvis Presley im August. Manchmal kann einem die Presse also durchaus von Nutzen sein, und obwohl Mona immer schlimm darauf schimpft, so hat sie sie in diesem Fall doch ganz schön geschickt vor unseren Karren gespannt. Denn seitdem läuft es in der »parallelwelt« wie geschmiert – freitags jedenfalls.

Dann fallen Glückssucher aus der ganzen Stadt und sogar von weit her bei uns ein, manchmal auch ganze Fanclubs, und stehen Schlange, um einmal auf dem Elvis zu tanzen und auf ihn anzustoßen mit unserem Lakritzschnaps, der nachtschwarz ist wie Elvis' Tolle, und es funktioniert irgendwie. Freitags geht die Post ab, und davon zehren wir dann an allen übrigen Öffnungstagen, an denen es bei uns oft eher ruhig ist, denn die »parallelwelt« liegt ein bisschen abseits vom gastronomischen Trubel des Viertels.

Achthundert Meter weiter oben, hinter den Bahngleisen im Herzen Ottensens, da tobt in den Bars und Kneipen jeden Abend der Mob, aber um zu uns zu gelangen und an unseren schummrigen Tresen, dazu muss man den quirligen Teil verlassen und sich noch dazu durch den Taubentunnel quälen. Der Taubentunnel ist die fieseste Bahnunterführung Hamburgs, dunkel, laut, dreckig und ein bisschen gruselig, und nur die Guten erkennen sie als das, was sie eigentlich ist: eine Kultstätte, in der einem zwar die Tauben auf den Kopf scheißen, die aber Magie besitzt und die Spreu vom Weizen trennt, nämlich das alltägliche Geldmachgewirr im hippen Teil von der morbiden Schwere der ruhigeren Gegend rund um die Gleise, die eine deutliche und unmissverständliche Grenze ziehen zwischen dem einen und dem anderen.

Der Taubentunnel ist für die meisten nichts als ein Ärgernis, aber für uns und unsere Stammgäste, da ist er fast so etwas wie eine Schleuse, die am anderen Ende wohlige Wärme und Heimeligkeit verspricht, wenn man sie erst einmal durchschritten hat.

Wenn man dies alles weiß, dann versteht man auch, weshalb Mona und ich die kleine Bar »parallelwelt« getauft haben oder vielmehr einfach taufen mussten, denn genau das ist sie: eine Parallelwelt, in der alles anders ist und doch plötzlich alle gleich sind, egal wo sie herkommen, was sie machen und wie sie leben. Tagsüber, da ist der Laden entzaubert; im grellen Licht wirkt er kaum anders als jede andere Kneipe; aber zur Dämmerung und nach Einbruch der Dunkelheit, da ist plötzlich alles anders, und man möchte einfach nur versacken am marmornen Tresen, dessen diffuses Licht plötzlich jeden weich macht und ganz sanft und schön, und dann hält man Zwiesprache mit Elvis und denkt darüber nach, wie widersprüchlich und zerrissen das Leben sein kann, und weiß doch im nächsten Moment, dass alles eigentlich gut ist, wie es ist, und dass man gerade nirgendwo anders sein möchte.

Hoffentlich dauert es noch ein bisschen. Mit der Dunkelheit, meine ich, denn ich muss mich für heute Abend wirklich noch ein bisschen wachschlafen. Und deshalb bin ich jetzt mal weg, bevor mir noch mehr Arbeit einfällt. Eigentlich müsste ich mich noch um die Schnapsabos kümmern, aber das drücke ich Mona aufs Auge, wenn sie nachher kommt. Ich kann auch nicht alles selber machen, und ich habe jetzt wirklich einen gut bei ihr.

Meine Mama wird auch nicht jünger. Ich rufe sie zu Hause sofort an, denn natürlich ist sie wegen des vermaledeiten »Boulevard«-Artikels in der Zwischenzeit vor Sorge nahezu gestorben, wie Mütter das nun mal so tun, und hat fünfmal versucht, mich zu erreichen, während ich bei Dr. Buchkrämer im Sessel lag. Wenn ich mich nicht sofort bei ihr melde, ruft sie auf der Suche nach mir vermutlich mal wieder beim Zuschauertelefon in der Sendezentrale von TV3 an, wo man sie längst für eine Verrückte hält, die sich einbildet, die Mutter einer Moderatorin zu sein. Alles schon da gewesen.

Als sie ans Telefon geht, scheint sie sich zwar zu freuen, dass ich anrufe, aber es gibt irgendein Problem, das sich mir im ersten Moment nicht so richtig erschließt. Jedenfalls schreit Mama immer wieder »Waaas???« und »Du, ich versteh dich ganz schlecht!!!« und »Wie bitte? Sprich doch mal lauter!!« in den Hörer, bis ich schließlich aus der Not heraus ebenfalls anfange zu brüllen.

»Ich kann dich sehr gut verstehen, Mama!«, rufe ich so laut und so artikuliert ich kann, »was ist denn los?! Hast du das Telefon ganz normal in der Hand? Mama? Hallo???«

Meine Mutter hat es grundsätzlich nicht so mit Telefonen. Also mit dem Telefonieren an sich schon, denn natürlich muss sie, wie alle Mütter, mindestens einmal in der Woche hören, dass ihre Töchter wider Erwarten unverletzt sind und weiterhin aufrecht gehen. Aber das Gerät selbst ist bei Mama nicht gut aufgehoben. Seit das Telefon an sich nicht mehr mittels einer Schnur festgebunden ist, verlegt sie es gerne mal und findet es dann nicht wieder. Da hilft es natürlich nicht, dass die Dinger seit Jahren noch dazu immer kleiner werden.

Im Haushalt meiner Eltern hat es schon überall geklingelt, ob im Kühlschrank (Gemüsefach), im Komposteimer (zwischen Spargelschalen und Kaffeesatz) oder im Backofen (Blätterteig), und einmal hat mein Vater das Telefon, oder vielmehr was davon übrig war, aus der Waschmaschinentrommel gefischt. Mit einem neuen Telefon kann man meinen Eltern immer eine Freude machen. Sie wechseln ihre Geräte notgedrungen wie andere Leute ihre Zahnbürste, was in der Regel auch bedeutet, dass meine Mutter sich mit dem jeweils aktuellen Teil kaum auskennt und regelmäßig die falschen Tasten drückt, sodass man sich irgendwann in einer Konferenzschaltung wiederfindet mit Leuten, die man überhaupt nicht kennt, und im gespeicherten Telefonbuch tummeln sich zahlreiche kryptische Einträge wie »Cqxu« (Arzt) oder »Dr Rfooep« (Putzfrau).

»Simona?«, ruft meine Mutter wieder. »Simona, bist du noch dran? Herrgott. Ich glaube, ich höre auf dem linken Ohr wirklich schlecht. Das gibt es doch nicht. Ich hab das doch neulich schon gesagt. Ich bin doch nicht blöd! Vaddern!!!«, und das letzte Wort brüllt sie so laut, dass man es bis unten in den Keller hören muss, wo mein Vater vermutlich gerade in seiner Kellerbar die Biergläser poliert, um auch mal was Eigenes zu haben. »Vaddern!!!! Hab ich's nicht gesagt??? Ich höre schlecht! Auf dem linken Ohr! Ganz schlecht! Wirklich ganz schlecht! Du wolltest es mir ja nicht glauben, aber ich sag's dir! Ich kann wirklich gar nichts verstehen hier! Oder ist das Telefon schon wieder kaputt?!«, und dann rumpelt es und rumort und scheppert, weil meine Mutter auf dem Gerät herumkloppt wie eine Wahnsinnige und es ordentlich schüttelt, um zu überprüfen, ob noch alles dran und drin ist, was ich mittlerweile bezweifle.

»Mama«, sage ich laut und deutlich, »dann nimm doch das andere Ohr! Das funktioniert bestimmt noch! Du hast zwei davon! Hörst du?!«

»Waaas?«, schreit Mama wieder, und ich bin kurz davor, mich in der Tischkante zu verbeißen, beschränke mich aber darauf, tief durchzuatmen. Ganz tief. Und jetzt nochmal.

»Du sollst das andere Ohr nehmen!«, brülle ich. »DAS AN-DE-RE OHR! Rechts, Mama!«

Schweigen am anderen Ende. Schließlich tut sich wieder etwas, und ich höre ein Räuspern.

»Geht es jetzt, Mama?«, frage ich nach ein paar Momenten vorsichtig, »kannst du mich jetzt hören?«, und Mama freut sich.

»Ja, jetzt geht es«, sagt sie zufrieden, »besser. Viel besser! Aber das ist doch schlimm, mit dem Ohr. Findest du nicht?«

Ich seufze. Mama ist ja wirklich süß, aber manchmal wundert es mich, dass ihr nicht längst ganz furchtbare Sachen passiert sind und dass aus meiner Schwester Sanne und mir überhaupt irgendetwas geworden ist.

Sei's drum, trotz zeitweiliger Totalausfälle ist Mama natürlich die beste Mama der Welt, obgleich sicherlich nicht die entspannteste. Auch jetzt ist es ein hartes Stück Arbeit, aber letztendlich kann ich sie doch davon überzeugen, dass ich bestimmt nicht sofort mit einer Plastiktüte als einziger Habe und Haaren voller Ungeziefer in der Gosse landen werde, nur weil mir jemand unter den Rock fotografiert hat, während ich eine Flasche in der Hand halte und auf einem Tresen tanze, der immerhin zur Hälfte mir gehört.

Gut, es sind schon Erfolgsgeschichten wegen weit weniger aufregender Fotos ins Wanken geraten, aber meine Karriere ist nun wirklich nicht so wichtig, dass überhaupt jemand ein Interesse daran haben könnte, sie zu beenden.

Na ja, bis auf Jacqueline Schnieder vielleicht. Aber die kenne ich überhaupt nicht. Wer soll das überhaupt sein? Scha-kke-li-ne, allein der Name treibt einem doch schon die Tränen in die Augen. Nee, nee, von so was darf man sich nicht ins Bockshorn jagen lassen. Beschließe ich, straffe die Schultern, solange ich es noch kann, und mache mich endlich daran, mich ausgehfertig zu machen.

Heißa, heute wollen sie's aber wissen! Als ich um sieben vor der »parallelwelt« um die Ecke biege, steht draußen schon ein Haufen Leute und wartet auf Einlass, auf Getränke und vor allem natürlich auf mich.

»Marnie! Da bist du ja!«, schreit einer aus der Runde, und ich zucke zusammen.

Ach, du je! Bei der Vollversammlung handelt es sich um Monas Handwerker von »Renovieren Um Vier«. Das Rollkommando von der Baustelle! Und vermutlich das trinkfesteste Sixpack, das Hamburg zu bieten hat. Flugs überschlage ich im Hinterkopf die Getränkevorräte. Könnte knapp werden. Ich kenn doch die Jungs.

Geschlossen grinsen sie mich aus ihren Lausbubengesichtern erwartungsvoll an. Keiner fehlt: Ben und Anton sind dabei, die beiden Maler; dann Torben, der Tischler; Didi und Werner, die beiden Elektriker, und Josef alias Seppl, das Allroundtalent mit dem Gang wie ein Cowboy, wie immer von oben bis unten in hellen Jeansstoff gekleidet und natürlich in seine heißgeliebten Cowboystiefel, bei denen sich wie üblich die Sohle schon vom Leder löst, und mit einem Organ wie ein Presslufthammer.

»Na, Pubbe?«, dröhnt Seppl und umarmt mich so fest, dass er mich dabei gleich ein paar Zentimeter vom Boden hochhebt. Was Handwerker können, können nur Handwerker. Autsch. »Na? Alles im Lack? Steht deine Hütte noch?«, grölt er rollend, und ich nicke ergeben.

Ja, die Hütte steht noch. Man möchte es nicht glauben.

Ich hatte bereits das Vergnügen mit »Renovieren Um Vier« – und somit auch mit dem Handwerker-Sixpack im Einsatz. Bei mir zu Hause wurde nämlich zufällig der Pilotfilm zur Serie produziert. Ohne mein Wissen natürlich, schließlich ist das der Sinn der Sache: dass die Renovierung eine Überraschung ist. Und ich hatte ja keine Ahnung. Schade eigentlich. Denn dann hätte ich die unrechtmäßig entfernte Wand, von der mein Vermieter noch immer nichts weiß, das rosa Schlafzimmer und den noch während der Dreharbeiten zusammengebrochenen Küchentresen vielleicht zu verhindern gewusst. Aber ich hatte keine Chance.

Berit hat das Ganze angeleiert und mich damals bei der Produktionsfirma als Kandidatin ins Spiel gebracht, und so richtig verziehen habe ich ihr das bis heute noch nicht. Anstelle der einstigen Wand zwischen Wohn- und Arbeitszimmer klemmen übrigens immer noch zwei provisorische Stützbalken unter der Decke, sodass ich schön Slalom laufen müsste oder vielmehr Limbo tanzen, nur eben senkrecht und nicht waagerecht, wenn ich den Durchgang nutzen wollte, was ich aber nicht will, weil man sich an den Balken beziehungsweise an ihren Splittern gerne mal sämtliche Klamotten kaputtreißt. Aber gut, ich habe mich an diesen Zustand gewöhnt.

Zumindest habe ich auf diese Art und Weise Mona kennengelernt, und wenn sie nicht wäre, hätte ich jetzt eine Freundin weniger und wahrscheinlich auch keine Bar, die vom Promibonus profitiert und deshalb sicherlich um einiges besser läuft als ohne sie. Und ohne die regelmäßigen Besuche ihres trinkfreudigen Teams natürlich. Alles Säufer beim Fernsehen, das muss man mal sagen.

Der Umsatz für heute Abend ist jedenfalls gesichert, so viel steht schon mal fest. Zumindest, wenn Mona nicht wieder ihre Spendierhosen anhat und ab einem gewissen Punkt eine Lokalrunde nach der anderen schmeißt. Ich werde das zu verhindern wissen. Hurra, heute wird Geld verdient!

Es gibt Tage, da fühlt man sich nicht nur scheiße, da sieht man auch scheiße aus. Und vor allem findet man an solchen Tagen keine Klamotten, in denen man sich wirklich wohlfühlt. Schon gar nicht im eigenen Kleiderschrank. Ich nenne diese Tage C-Tage, in Anlehnung an die Durchsagen im Verkehrsfunk. Da sagen sie das ja auch immer: C-fließender Verkehr. Dachte ich jedenfalls bis vor kurzem.

Dass es eigentlich »zähfließender Verkehr« heißt, darauf bin ich erst vor einiger Zeit gekommen. Eines Morgens wachte ich auf wie immer, hörte die Verkehrsnachrichten wie immer, aber etwas war ganz anders als sonst, nämlich dass ich plötzlich und völlig unerwartet das »zäh« als »zäh« verstand und nicht mehr als »C«. Überraschung! Bis dahin war ich ganz automatisch und ohne darüber nachzudenken davon ausgegangen, dass es im Radiodeutsch eine nach Buchstaben gestaffelte Kategorisierung der Verkehrszustände gibt, über die sich alle einig sind. Erschien mir nur logisch: Bei »A« läuft's rund, bei »B« gibt es ein paar umschiffbare Hindernisse, und bei »C« ist alles zu spät (»Bitte umfahren Sie den Bereich weiträumig«). So hatte ich mir das jedenfalls vorgestellt.

Ich fand das so praktisch und einleuchtend, dass ich diese Kategorisierung gleich für mein eigenes Leben und meine persönlichen Befindlichkeiten übernommen habe, und deshalb gibt es in meinem Kleiderschrank A-, B- und C-Outfits: A-Outfits sind gewagt und mutig, für die guten Tage, darin fühle ich mich sexy und stark. B-Outfits sind schon nicht mehr ganz so prickelnd, für die weniger wichtigen und aufregenden Momente, und C-Outfits sind diejenigen, die eine gewisse Gleichgültigkeit ausstrahlen, weil es einem manchmal, wenn man sich scheiße fühlt, ganz recht ist, gleich noch dazu auch scheiße auszusehen.

Als ich an diesem Abend nach meinem Kampf mit der Klamotte endlich in der »parallelwelt« eintreffe, bin ich somit ein C-Promi in einem C-Outfit, und das ist wenigstens konsequent. Immerhin ist auf diese Art und Weise das Ziel für die Nacht ganz deutlich definiert: Ich muss mir mich selbst schöntrinken. Wie gesagt, es gibt so Tage, und wer die nicht kennt, der ist bestimmt nicht normal.

Drinnen geht es schon hoch her, dabei ist es gerade mal zehn. Die großen Fenster der Bar sind beschlagen, das Kondenswasser rinnt bereits die Scheiben herunter, und als ich die schwere Tür aufziehe, die wie üblich klemmt, schlägt mir mit Wucht eine Wolke aus Zigarettenqualm und verdunstendem Alkohol entgegen, die mich für den Bruchteil einer Sekunde schwummrig macht.

Kaum bin ich durch die Tür, hat mich auch schon jemand im Schwitzkasten. Es ist Seppl aus unserem »Renovieren Um Vier«-Team, der mich so fest zwischen seine O-Beine klemmt, dass ich fast umkippe, und dann verschüttet er vor lauter Begeisterung erst mal einen halben Liter Bacardi-Apfelsaft auf mein C-Outfit. Liebe kann manchmal wehtun.

»Da ist ja unser Monchen!«, grölt er so laut, dass sich alle anderen Gäste nach uns umdrehen, aber die allgemeine Aufmerksamkeit verlagert sich zum Glück schnell woandershin. Denn noch bevor ich mich überhaupt besorgt erkundigen kann, ob noch mehr von Seppls Sorte anwesend sind, kracht und scheppert es laut, jemand stürzt vom Tresen, genauer gesagt vom Elvis, und fällt hinten beim DJ-Pult auf einen anderen Gast, der auf einer der Bänke vor dem Fenster sitzt. Wer der Verunfallte ist, kann ich nicht erkennen, denn er landet mit seinem Gesicht kopfüber mitten im Schoß eines erschrockenen Tischler-Torben, womit sich wenigstens meine unausgesprochene Frage erübrigt hat. Vermutlich ist das komplette »Renovieren Um Vier«-Team aufgelaufen, um unseren produktionsfreien Tag gebührend zu feiern.

»Irgendwelche Verletzte???«, brüllt Marnie gegen die Musik an und fuchtelt wild hinter dem Tresen herum, während ich mir einen Weg durch die Menge bahne, um sie zu begrüßen. Aber statt eines »Hallo« oder etwas ähnlich Angebrachtem schleudert sie mir direkt einen feuchten Lappen an die Brust. »Geh da mal aufwischen«, ruft sie mir zu, »ich hab zu tun«, und ich klaube mir verdutzt den Lappen vom Busen. Wenigstens war die Stelle schon vorher nass. Der Bacardi-Apfelsaft tropft mir von den Blusenknöpfen.

»Wie wäre es mal mit ›Guten Abend, liebe Mona, schön, dich zu sehen‹?«, schreie ich genervt zurück. Darf ich wenigstens erst mal ankommen?

36

Aber Marnie hört mich schon nicht mehr. Sie ist hinter beziehungsweise unter dem Tresen abgetaucht, um eine leere Kiste Astra gegen eine volle auszutauschen.

Grummelnd quetsche ich mich durch das Gewühl, um den entstandenen Schaden hinten beim Elvis zu begutachten, der zum Glück minimal ist. Lediglich zwei Gläser sind kaputtgegangen, ich sammele gebückt die Scherben in einem Aschenbecher ein und wische halbherzig die Pfützen vom Tresen, was nicht ganz einfach ist. Denn es steht bereits jemand Neues auf dem marmornen Elvis und tanzt um sein Schicksal, lauthals angefeuert von den Umstehenden, während er den glücksbringenden, rabenschwarzen Lakritzschnaps ansetzt und davon ein paar schwere, dickflüssige Tropfen in meinen Haaren landen. Aber so ist das hier am Freitag nun mal, da darf man nicht kleinlich sein.

Ich brauche jetzt auch endlich mal was zu trinken, also stelle ich den Aschenbecher mit den Scherben hinter dem Tresen ab, werfe den Lappen aus einiger Entfernung (hoffentlich) in die Spüle und schenke mir erst mal einen ein. Den Handwerkerjungs natürlich auch, denn die haben sich in der Zwischenzeit wie die Trüffelschweine um mich herum versammelt, weil sie ahnen, dass es einen aufs Haus gibt, wenn sie nur zur rechten Zeit am rechten Ort sind. Na ja. Recht haben sie. Man will sich als Wirtin ja auch nicht nachsagen lassen, geizig zu sein.

Marnie beobachtet mich mit einem strafenden Gesichtsausdruck, während ich sieben Lakritzschnäpse auf einem Tablett auftürme, aber ich ignoriere das. Anscheinend hat sie schlechte Laune.

Manchmal denke ich, es müsste auch bei Menschen ein Warnsystem geben, wie zum Beispiel in der Schifffahrt. Da sind Gefahrgutschiffe leuchtend orange, sodass man gleich weiß, woran man ist, wenn man ihnen begegnet, und dass man sich entweder von ihnen fernhalten oder aber besonders vorsichtig mit ihnen umgehen muss.

Es wäre wirklich nicht schlecht, wenn auch übelgelaunte Mitmenschen so ein sichtbares Erkennungszeichen tragen müssten, um ihre Explosivität kenntlich zu machen. Eine schicke neongelbe Leuchtweste oder so. Gerade in der Gastronomie wäre das nützlich.

Marnie könnte so etwas heute auf jeden Fall gut gebrauchen, sie zieht ein Gesicht wie sieben Tage Umsatzminus. Hm, keine gute Voraussetzung für eine Tresenkraft. Aber davon lässt sich zum Glück niemand so richtig beeindrucken, die Stimmung ist famos. Gerade wird auf dem Elvis sogar geknutscht, und alles jubelt. Aber das sind doch – jawoll, es sind Eske und Behnke junior. Herrgott, ich fass es nicht.

Eske ist eigentlich meine beste Freundin. Vielmehr – sie war es einmal. Jetzt bin ich mir da nicht mehr so sicher. Leider. Ich vermisse sie, aber irgendwie kriegen wir uns kaum noch zu Gesicht, seit sie mit Behnke junior zusammengezogen ist. Obendrein haben sich die beiden im vergangenen Sommer auch noch einen Schrebergarten zugelegt. Der Vorteil: Eske versorgt uns regelmäßig mit frischer Minze für die Mojitos, jedenfalls während der Saison. Der Nachteil: Die Zeiten, in denen Eske und ich nächtelang durchs Viertel gezogen sind, Horste und andere Unholde gejagt haben und ein Arsch und ein Eimer waren, sind vorbei. »Duo Infernale« nannte man uns damals nur, das sagt doch alles.

Aber die Dinge haben sich geändert. Eske hat jetzt Behnke junior und ihre Tomaten, und ich bin ein C-Promi in einem C-Outfit. Bullshit. Jaja, natürlich gönne ich Eske ihr Glück. Behnke junior ist ein Guter, und Eske hat es ja auch verdient. Aber trotzdem. Ich seufze. Erwachsensein ist manchmal wirklich kein Spaß.

Wo ist eigentlich Guido? Wollte der nicht auch schon längst da sein? Knutschen wär ja eine Alternative.

»Prost, Mona!«, schreien die Handwerkerjungs. »Prost!«, rufe ich zurück und hebe mein Glas. No time to play.

»Wie läuft's denn so?«, erkundigt sich Maler Anton bei mir, nachdem wir unsere Schnapsgläser in einem Rutsch leergetrunken haben, wie sich das gehört. »Also hier, meine ich. Im Laden.«

Ich zucke mit den Schultern. »Geht so«, sage ich.

»Läuft doch«, sagt Anton. »Sieht jedenfalls so aus. Ist ja mächtig was los!«

»Na ja«, entgegne ich, »freitags schon. Wegen Elvis, du weißt schon. Die anderen Tage sind ehrlich gesagt nicht so der Brüller.« Und manchmal sogar katastrophal, ergänze ich in Gedanken, aber das sage ich lieber nicht laut. »Na ja, wie heißt es so schön: Nur lebendiges Kapital ist fröhliches Kapital«, füge ich optimistisch hinzu und bedeute währenddessen Marnie per Handzeichen, dass ich gern ein Bier hätte.

»Du hast es gut«, seufzt Anton, »du hast ein zweites Standbein. Was ganz anderes. Wir machen uns ja ein bisschen Sorgen.«

»Sorgen?«, frage ich überrascht. »Was für Sorgen?«

»Na ja«, druckst Anton, »der Artikel heute in der ›Boulevard‹ war ja wohl nicht so toll. Glaubst du wirklich, dass die uns absägen wollen? Die Sendung, meine ich?«

Ach, du je. »Quatsch«, sage ich entrüstet. »Das ist doch alles an den Haaren herbeigezogen. Und wenn überhaupt, dann wollen sie ja wohl nur *mich* absägen. Nicht euch.«

»Hmm«, macht Anton und klingt überhaupt nicht überzeugt, was ja leider auch richtig ist.

TV3 und allen voran König, der Wadenbeißer, sind bekannt dafür, schnell Nägel mit Köpfen zu machen, wenn ihnen die Quoten einer Sendung nicht mehr passen. Da wird nicht lang gefackelt. Keine Schonfristen. Nein, da wird abgesetzt und ausgetauscht, und zwar flottikarotti, wie unser Redaktionsleiter Mags sagen würde, der soeben mit Luc, dem Kameraassistenten, eine flottikarotti Sohle aufs abgeschabte Parkett legt und dabei lauthals »Return to

Sender« mitlärmt. Du liebe Güte, sie sind ja wirklich alle hier heute Abend. Das kann doch kein Zufall sein.

Habe ich was verpasst? Feiern wir schon Abschied, und ich bin die Einzige, die nichts davon weiß?

»Aber für euch wäre das doch kein Weltuntergang«, sage ich halbherzig aufmunternd zu Anton. »Ihr habt doch eure normalen Kunden noch. Die von früher. Und die Sendung ist noch dazu gute Werbung für euch.«

Anton zieht eine Grimasse. »So einfach ist das nicht, Mona. Unsere alten Kunden haben wir über die letzten Monate ziemlich vernachlässigt. Gezwungenermaßen, wir können uns ja nicht zweiteilen. Und wenn man da zum dritten Mal sagt, zu dem Termin kann ich nicht, weil gedreht wird, dann suchen die sich auch jemand anderen. Ist doch klar.«

Sicher, das klingt alles logisch. Jetzt mischt Seppl sich ein.

»Außerdem würden wir die Sendung ohne dich auch gar nicht machen wollen, Pubbe«, bollert er. »Schakkeline Schnieder kann sich mal gehackt legen. Wer ist das überhaupt?!«

»Keine Ahnung«, sage ich gespielt gleichgültig. »Nie von gehört.«

»Ich schon«, wirft Didi ein. Didi ist einer unserer Elektriker und ein Casanova, wie er im Buche steht. Ständig unter Strom halt. Didi kennt sie alle. Gerne auch von innen.

»So'ne schlauchbootlippige Blondine ist das. Die war neulich in der ›Boulevard‹ auf Seite 1. Nackig natürlich«, informiert er uns jetzt fachmännisch.

Tischler-Torben reißt staunend die Augen auf. »Und?«, fragt er, und Didi spitzt die Lippen zu einem anerkennenden Pfiff, aber noch bevor ein Ton aus ihm herauszischt, hat Seppl ihm schon einen kräftigen Tritt mit einem seiner sehr spitzen Cowboystiefel verpasst.

Ich tue so, als hätte ich es nicht bemerkt, rolle aber innerlich mit den Augen.

40

»Ooooch«, sagt Didi daraufhin langatmig, »nichts Besonderes. So 'ne Gewöhnliche.«

Nee, is richtig.

»Das will ich meinen«, poltert Seppl, und dann sieht er mir geradewegs in die Augen beziehungsweise ganz knapp daran vorbei, wie das eben so ist nach geschätzten fünf Litern Bacardi-Apfelsaft. »Jedenfalls«, hebt er an, »wir wollen dir ganz deutlich sagen, dass wir uns nicht vorstellen können, die Sendung nicht mehr mit dir zu machen. Niemals! Und wir werden alles dafür tun, dass sie weitergeht, und uns in der nächsten Zeit ganz besonders viel Mühe geben. Wir wollen nur, dass du das weißt. Und das gilt für uns alle!«, fügt er mit einem strengen Seitenblick auf Didi hinzu, der sich schnell wieder auf sein Bier konzentriert und somit auf das Wesentliche.

»Das ist lieb von euch«, sage ich gerührt und auch ein bisschen verunsichert. »Aber jetzt übertreibt mal nicht. Selbst wenn es so sein sollte, dass sie mich loswerden wollen, dann könnt ihr ja vielleicht trotzdem eure Jobs behalten. Falls die Sendung noch weitergeht.«

»Ja, *falls* sie weitergeht«, wiederholt Tischler-Torben düster.

»Wollnwirabagaanichonedch!«, lallt Mags, der mir jetzt von hinten seine Arme um den Hals legt. Seine Arme sind schwer. Sehr schwer. »Chchwürdann jenfalsoforkündgn«, ergänzt er, schiebt erstaunlich laut und deutlich noch ein völlig zusammenhangloses »Hu! Ich bin die Eidechsenkönigin!!!« hinterher, und dann verliert er das Gleichgewicht, kippt hintenüber und reißt mich mit sich.

Unvorstellbar, dass so jemand einer zwölfköpfigen Redaktion vorsteht. Hab ich's nicht gesagt? Ich bin eindeutig in einem Irrenhaus.

MARNiE

Grrrr. Ich könnte Mona köpfen. Sie sieht doch, dass die Hölle los ist! Aber statt dass sie mir hilft, schenkt sie mal wieder Schnaps für lau aus und lässt sich von mir auch noch bedienen. Ich komme kaum hinterher und bin schon ganz wirr im Kopf. Wie war das noch? Drei Astra, vier Dirty Harry, zwei Rotwein? Dreimal Rotwein, vier Astra und zwei Dirty Harry? Oder doch eher dreimal Spackenbowle (mit ganzen Spacken), vier Idiotencocktails und eine total bekloppte Saftflasche namens Mona?

Wenn das so weitergeht, kriege ich noch Gehirnsteine! Wahrscheinlich war Mona schon besoffen, als sie hier ankam, jedenfalls ist sie – tadaaa! – gerade mal eben umgefallen. Nach einem Bier und einem Schnaps. Klonk! Einfach so, zusammen mit Mags, dem Redaktionsleiter von »Renovieren Um Vier«. Das gibt wieder eine schöne Sauerei. Ich wechsele einen schnellen Blick mit Eule, der mir wenigstens beim Gläsereinsammeln zur Hand geht und jetzt ratlos mit den Schultern zuckt. Der Arme hatte sich seinen Abend bestimmt auch mal wieder anders vorgestellt.

Automatisch greife ich links von mir entnervt auf den Tresen, um schon mal ein paar Servietten für Monas Trockenlegung an den Start zu bringen. Schlechte Idee, denn statt in weichen Papiertüchern lande ich mit meinen Fingern völlig unerwartet in etwas sehr Scharfem, das mir gefühlt die halbe Hand aufschlitzt. »Autsch!«, schreie ich und stecke mir instinktiv die Finger in den Mund. Ich fass es nicht. Auf dem Serviettenstapel steht ein Aschenbecher voller Glasscherben! Und ich habe mittenrein gefasst. Das kann ja wohl nicht wahr sein. In meinem Mund schmecke ich Blut. Jetzt platzt mir endgültig der Kragen.

»Mona!!!«, brülle ich so laut und so wütend ich kann. »Ab in die Küche. Aber sofort!!!«, und dann stürze ich erst mal nach hinten, durch die Miniaturküche aufs nochmal ein Achtel so große Personal-klo, um dort zwischen Klopapiervorräten, leeren Pfandflaschen und Ersatzglühbirnen nach dem Pflaster zu suchen.

Wie ein begossener Pudel steht Mona einen Moment später in dem schmalen Durchgang. Sie hat anscheinend von jedem Getränk ein paar Spritzer abgekriegt, das wir auf der Karte haben, und sieht aus wie eine mit Farbbeuteln beworfene Trauerweide. Aber für Mitleid ist hier jetzt echt kein Platz.

»Was ist denn los?«, erkundigt sie sich erstaunt. Auf den ersten Blick macht sie noch einen ziemlich nüchternen Eindruck. Aber das täuscht vermutlich.

»Kannst du mir vielleicht erst mal helfen?«, zische ich sie an, sehr schlecht gelaunt und auch nur schlecht verständlich, denn ich habe ein Geschirrtuch zwischen den Zähnen, mit dem ich das Blutrinnsal an meiner linken Hand in den Griff zu bekommen versuche, während ich mit der rechten Hand fahrig an der Pflasterpackung herum reiße, die natürlich noch geschlossen ist. War klar, dass Mimi mit ihren spitzen Mausezähnen nicht dort in Aktion tritt, wo man sie mal gebrauchen könnte. Aber hier macht ja sowieso jeder, was er will.

»Wie ist das denn passiert?«, fragt Mona mit einem Blick auf meine linke Hand und das rot angelaufene Geschirrtuch, während sie mir die Packung Hansaplast abnimmt und schnell ein Pflaster heraus-friemelt.

»Wie das passiert ist???«, schreie ich hysterisch. Ich kann eigentlich kein Blut sehen, hatte ich das schon erwähnt? Das macht mich fuchsteufelswild. Und überhaupt.

»Wie das passiert ist???«, wiederhole ich noch ein bisschen lauter, und Mona weicht instinktiv einen Schritt zurück, nachdem sie meine Hand notdürftig verarztet hat. »Du hast mir einen Aschenbecher voller Scherben auf den Tresen gestellt, in den ich mittenrein gegriffen habe, das ist passiert!!!«

»Oh nein. Ach, Scheiße, das tut mir leid«, entgegnet Mona zerknirscht. »Sorry. Das wollte ich nicht. Echt.«

»Schon klar«, keife ich. Oooh, ich habe schlechte Laune. Aber so was von! »Das wolltest du nicht! Klar. Aber dir ist ja eh alles egal, was hier passiert. Hast du dich schon mal umgeguckt, was da draußen los ist?! Vielleicht könnte ich mal deine Hilfe brauchen??? Aber nein, bloß keinen Handschlag tun! Stattdessen säufst du dich zu, verteilst unsere Getränke für lau an deine Kumpanen, und ich muss dir auch noch dein Bier bringen!«

»Sag mal, spinnst du?«, entgegnet Mona aufbrausend. »Ich kriege statt eines Hallos von dir einen nassen Lappen vor den Latz geknallt, darf hier erst mal den Scheiß aufwischen und muss mich jetzt auch noch dafür beschimpfen lassen? Das kann es ja wohl nicht sein!«

»Doch, das *kann* es sein!«, zicke ich zurück. »Weil *du* dich nämlich um überhaupt nichts kümmerst. Du bist hier *Teilhaberin*, Mona! Und du tust nichts! Nada! *Niente!* Ich hab hier im Moment eine Sechzigstundenwoche! Steh hier den lieben langen Tag, um alles vorzubereiten, und dann nachts noch bis in die Puppen. Und zwar allein!«

»Aber Eule hilft dir doch«, wirft Mona ein. »Meistens seid ihr doch zu zweit!«

Das ist ja wohl die Höhe. Ich schnappe nach Luft. »Ach ja?!«, brülle ich aufgebracht. »Aber kriegt Eule dafür mehr als einen feuchten Händedruck?! *Nein!* Du weißt genau, dass keine Kohle da ist, um ihn zu bezahlen für das, was er hier so leistet. Und glaub mal nicht, dass er sich freut, immer hier mitschleppen und mitschuften zu müssen. Wir würden auch gern mal einfach so zusammen auf dem Sofa sitzen, stell dir vor! Meine Beziehung geht so langsam den Bach runter, von meinen Nerven ganz zu schweigen. Und du? Kommst nur zum Feiern hierher und kümmerst dich einen Dreck! So geht das nicht, Mona. Ich kann nicht mehr!«

»Soso, ich komme also nur zum Feiern hierher!«, entgegnet Mona scharf, »und du kannst nicht mehr. So siehst du das, ja? So ist es aber nicht, Marnie. Ohne mich wäre es gar nicht möglich gewesen, den Laden hier wieder ans Laufen zu bringen, schon vergessen? Es ist zum großen Teil *meine* Kohle, die hier drinsteckt, und, Überraschung!, die muss auch irgendwo verdient werden, die Kohle, schon vergessen? Was denkst du denn, woher das Geld kommt? Hier was neu, da was neu, die neue Musikanlage, der ganze Scheiß, das hab *ich* doch bezahlt! Ganz abgesehen davon, dass so die Abmachung war: Ich investiere, und du führst den Laden. Oder spinn ich jetzt?«

Jajajajaja, denke ich. Manno.

»Und was denkst du, was hier los wäre, wenn ich nicht ständig Werbung für die Bar machen würde?«, fährt Mona fort. Sie ist jetzt mindestens so sehr in Rage wie ich. »Nichts wäre los, gar nichts! Und das weißt du ja wohl genau!«

Ich beiße mir vor Wut auf die Zunge.

»Und überhaupt«, fährt Mona fort, »eine Sechzigstundenwoche, dass ich nicht lache! Ich hab in der Regel noch nicht mal ein Wochenende, schon vergessen?! Wir haben hier in der Bar fünf Tage auf! Fünf Tage, Marnie! Das sind zwei Ruhetage pro Woche! Für mich ist hingegen heute mein erster produktionsfreier Tag seit Monaten, und jetzt soll ich mich von dir hier auch noch ankacken lassen, dass ich nicht genug für den Laden tue??? Das ist ja wohl das Letzte!«, und mit diesen Worten stürzt sie aus der Küche und schlägt so heftig die Tür zu, dass die selbstklebenden Haken aus dem Supermarkt, die ich noch vor ein paar Tagen als Garderobenersatz ans Türblatt gepinnt habe, einer nach dem anderen runterfallen. Bing, bing, bing.

Zur Krönung kracht ein paar Sekunden später auch noch die Werbetafel auf der Rückseite der Tür vom provisorisch ins Holz gehauenen Nagel scheppernd auf den Ascheimer. Klonk.

Hmmm. Sollte Mona auch nur ansatzweise betrunken gewesen

sein, was ich mittlerweile ernsthaft bezweifle, dann ist sie jetzt auf jeden Fall wieder nüchtern. Wenigstens etwas.

Ich kann einfach nicht fassen, was hier abgeht. Das ist ja wohl die Höhe! Blind vor Wut stolpere ich durch den vollen Laden, und es ist mir völlig egal, wer mich dabei anstarrt oder wen ich anrempele. Raus, nur raus, und zwar schnell. Wenn ich wenigstens betrunken wäre! Dann könnte ich all das einfacher ertragen. Aber nein, noch nicht mal das ist mir vergönnt. Das Leben ist die Hölle, und Marnie ist eine blöde Kuh. Aber eine ganz blöde. Jawohl!

Draußen falle ich fast über Lüttje. Lüttje ist eine Freundin von Marnie und somit mittlerweile fast auch eine Freundin von mir, na ja, jedenfalls gewesen. Wenn Marnie so weitermacht, kann sich das auch ganz schnell ändern. Aber gut. Lüttje kann nichts dafür, und deshalb gebe ich mir jetzt alle Mühe, dass ich sie nicht über den Haufen renne.

Lüttje ist nämlich sehr, sehr klein. So klein, dass man sie gerne mal übersieht und aus Versehen auf sie drauftritt, weshalb sie ja auch Lüttje heißt. Im Gegensatz zu mir strahlt sie übers ganze Gesicht und klatscht erfreut in die Hände, als sie mich erkennt.

»Es funktioniert!«, kiekst sie und hüpft auf und ab wie ein Flummi, »es funktioniert, es funktioniert!«

»Was funktioniert?«, frage ich mürrisch und wische mir unauffällig eine Wutträne aus dem Auge. Zwar interessiert mich die gute Laune anderer im Moment eigentlich einen feuchten Kehricht, aber die Neugier siegt.

»Das mit dem Elvis!«, jubelt Lüttje. »Ich hab letzte Woche auf ihm getanzt und mir eine Begegnung mit Steven Dong gewünscht. Und es hat geklappt, es hat geklappt! Juchhuuu!«

46

Ich stöhne innerlich auf. Nicht *das* Thema schon wieder! War klar.

Steven Dong ist Moderator der »Ding Dong Show«, einer billig produzierten Vorabend-Quizsendung bei TV3, und Lüttje ist ihm verfallen. Denn Steven Dong ist ebenfalls recht klein, ich tippe auf etwa einen Meter fünfundsechzig, und seit sie ihn zum ersten Mal auf dem Bildschirm gesehen hat, ist Lüttje der unerschütterlichen Meinung, dass sie und er füreinander bestimmt sind. Auch der immer wieder ebenso freundlich wie beharrlich wiederholte Hinweis meinerseits, dass Steven Dong eine ebenso hübsche wie berühmte Freundin hat, die seit Jahren in »GZSZ« mitspielt, kann sie nicht erschüttern.

Wann immer wir uns sehen, liegt sie mir damit in den Ohren, und natürlich versucht sie jedes Mal, mir seine Telefonnummer aus den Rippen zu leiern. Denn ebenso wie sie glaubt, dass Steven Dong ihr Traumtyp ist, ist Lüttje auch davon überzeugt, dass sich beim Fernsehen alle untereinander kennen, erst recht, wenn sie beim selben Sender arbeiten. Ich sage ihr dann jedes Mal, dass ich, selbst wenn ich die Nummer hätte, was zum Glück nicht der Fall ist, sie ihr sicherlich nicht geben würde, weil so etwas nämlich das Allerletzte ist, aber Lüttje lässt nicht locker. Sie geht mir damit schon seit geraumer Zeit schwer auf die Nüsse, und ich muss mich jetzt wirklich zusammenreißen, um sie nicht anzuschreien.

»Das ist ja toll«, sage ich also kraftlos. »Und, wie war's?«, schiebe ich noch hinterher, mehr um der Höflichkeit willen als aus wirklichem Interesse.

»Sehr vielversprechend«, piepst Lüttje begeistert und klatscht erneut in ihre Miniaturhändchen. »Er hatte eine Autogrammstunde in der Innenstadt, wegen seinem neuen Computerspiel zur Sendung.«

Wegen sein*es* neu*en* Computerspiel*es*, korrigiere ich innerlich. Man muss auch mal Schwein sein.

»Ich stand natürlich in der ersten Reihe«, fährt Lüttje aufgeregt fort, »und er hat mir zugezwinkert! So richtig so – na, gezwinkert halt.«

Ich mache ein skeptisches Gesicht. »Hä?«

»Doch, wirklich«, plappert Lüttje eifrig weiter. »Ach, sooo süß! Als würden wir uns kennen, verstehst du?«

»Also Lüttje, ich weiß ja nicht«, sage ich vorsichtig. »Glaubst du nicht, dass das vielleicht gar nichts zu sagen hatte? Ich meine, da stehen Dutzende bekloppter Fans vor ihm, größtenteils Frauen, da gehört das dazu, dass man mal zwinkert und auf fröhlich und interessiert macht. Und ein bisschen flirtet. Der Mann hat schließlich was zu verkaufen.«

»Nein, nein«, widerspricht Lüttje überzeugt. »Der meinte mich. Nur mich! Ganz bestimmt. Ich hab ihn danach noch länger beobachtet, und er hat das bei keiner anderen gemacht. Nur bei mir. Ehrlich!«

Ich seufze. »Und? Was hat er auf dein Autogramm geschrieben? ›Für Lüttje, meine große Liebe‹?«

»Mann, Mona, du bist echt doof«, mault Lüttje. »Das kann er ja wohl nicht machen, so vor allen Leuten. Nein, mein Autogramm ist eher normal. Für Lüttje halt, alles Gute, blabla. Aber mit Herzchen!«

»Herzchen malt Steven Dong auf jede Autogrammkarte«, belehre ich Lüttje. Ich weiß das zufällig genau, weil nämlich im TV3-Zuschauermagazin jeden Monat die Autogrammkarte eines sendereigenen Stars abgebildet wird, und in der letzten Ausgabe war es eben eine Karte von Steven Dong von der »Ding Dong Show«. *Für all meine treuen Zuschauer. Mit Herzchen. Alles Gute, Steven Dong.*

»Nein, nicht auf jede«, protestiert Lüttje. »Das stimmt nicht! Nur auf manche. Auf sehr wenige manche! Das hab ich genau gesehen!«

»Na dann«, sage ich entnervt, »herzlichen Glückwunsch.« Hier ist wirklich Hopfen und Malz verloren. Und die Geschichte ist natürlich auch noch nicht zu Ende.

»Duuuu?«, schmeichelt Lüttje jetzt und hängt sich mit ihren geschätzten fünfundzwanzig Kilo an meinen Arm. Ich habe es ja geahnt. »Aber jetzt, wo der Erstkontakt hergestellt ist, da kannst du mir doch seine Telefonnummer geben, oder? Ich meine, jetzt weiß er ja, wer ich bin.«

Herrgott nochmal, hört das denn nie auf? »Lüttje, zum allerletzten Mal«, entgegne ich barsch, »ich *habe* seine Telefonnummer nicht. Verstehst du? Ich-habe-die-Nummer-nicht!«

»Aber du kannst sie besorgen«, jammert Lüttje.

»Nein, kann ich nicht!«, herrsche ich sie an, »und jetzt Schluss damit! Wünsch sie dir doch bei Elvis! Der scheint ja bei allen zu funktionieren, nur bei mir nicht!«, und damit lasse ich die verdutzte Lüttje einfach stehen und überquere die Ampelkreuzung zum Taubentunnel. Leider bei Fußgänger-Rot, was ich im Eifer des Gefechts übersehe. Das Auto, das gerade um die Ecke biegt, kommt im letzten Moment mit quietschenden Reifen zum Stehen.

»Hast du sie noch alle?«, brüllt mir aus der Karre jemand entgegen, und ich hebe entschuldigend die Arme und rette mich auf die andere Straßenseite.

»Das ist doch Mona Rittner«, kreischt gleich darauf eine gellende Frauenstimme aus dem Auto. »Moooonaaaa! Mach mir die Bude schön!!!!«, und dann lachen so viele Leute, wie sie gerade mal in einen 3er-BMW passen, sich halbtot, und ich fliehe, so schnell ich kann, in den dunklen Schutz des Taubentunnels und finde das alles zum wiederholten Male gar nicht lustig.

Ich habe wirklich die Schnauze voll davon, dass alle was von mir wollen. Marnie will, dass ich mehr helfe; die Handwerker wollen, dass ich ihre Jobs rette; die Leute wollen, dass ich ihre hässlichen Wohnungen renoviere; Lüttje will Steven Dongs Telefonnummer; TV3 will, dass ich für sie Geld verdiene; die Presse will, dass ich mich

49

benehme; Guido will, dass das alles aufhört; und Eske will anscheinend gar nichts mehr mit mir zu tun haben.

Geht es irgendwem hier eigentlich noch um mich? Also um die Mona, die ich früher mal war? Es gab Zeiten, da war ich nicht nur dafür verantwortlich, andere glücklich zu machen. Da ging es auch ein kleines bisschen darum, dass ich mit mir selbst glücklich bin. Aber das ist lange her. Und da hilft es auch nicht unbedingt, dass ich gerade selbst nicht so richtig weiß, was ich will. Doch, halt: Nach Hause wäre eine gute Idee.

Daheim angekommen, klebt ein Zettel an meiner Wohnungstür. Er ist von Susa. »Dein Handy ist aus?!«, steht darauf, »wenn du nach Hause kommst, ruf mich an oder klingel! Egal wann!«

Susa wohnt in unserem kleinen gelben Haus oben im dritten Stock. Und nicht nur das, denn Susa macht auch meine Termine. Ich würde sie jetzt nicht unbedingt als meine Managerin bezeichnen, aber im Grunde ist sie das wohl doch; jedenfalls holt sie, wenn es sein muss, für mich die Kohlen aus dem Feuer.

Sie hat meinen Vertrag verhandelt, weil sie sich mit so etwas ein bisschen auskennt (jedenfalls weit mehr als ich), und wenn es Probleme gibt, dann ist Susa die erste Anlaufstelle. Dafür ist sie an meinen Moderationseinkünften prozentual beteiligt, was kein leichtverdientes Geld ist, denn es ist ziemlich anstrengend, sich laufend mit den Königs dieser Welt auseinanderzusetzen. Susa ist sozusagen der ständige Puffer, und ein Zettel von ihr an der Tür um diese Zeit kann nichts wirklich Gutes verheißen. Ach ja, was heißt hier überhaupt, mein Handy ist aus?

Hastig friemele ich das Gerät aus meinem C-Outfit und überprüfe das Display. Tot! Absolut tot. Ganz gleich, auf welcher Taste ich herumdrücke, es tut sich überhaupt nichts. Maschien kapuuuutt, na großartig. Wahrscheinlich hat es den Kamikazesturz mit Mags schlicht nicht überlebt. Jetzt wundert es mich auch nicht mehr, dass Guido nichts hat von sich hören lassen. Vermutlich wollte er zwar, aber konnte nicht, na ja, soll's geben.

Wäre ich jetzt keine undankbare C-Prominente, sondern einfach ein ganz normaler Mensch wie alle anderen, hätte ich vielleicht eine Nachricht von ihm auf dem Anrufbeantworter meines Festnetztelefons, aber das ist längst abgeschafft. Denn wenn man auch nur einmal in seinem Leben im Telefonbuch gestanden hat und dann plötzlich eine Fernsehsendung moderiert, macht selbst der tollste Festnetzapparat keinen Spaß mehr. Ich habe ihn natürlich meinen Eltern geschenkt, die konnten ihn prima gebrauchen.

Aber das alles ist mir mittlerweile auch egal. Susa, Marnie, Guido, mein Handy, alle Königs dieser Welt und überhaupt sämtliche Gestörte dieses Planeten können mich mal. Ich brauche jetzt Ruhe, um ausgiebig unglücklich zu sein.

Diese Nacht wird zwar eine der härtesten, die ich jemals erlebt habe, aber trotz oder gerade wegen meiner Wut auf Mona geht mir die Arbeit gut von der Hand. Zumindest von der rechten. Die zunehmenden Schmerzen in der linken ignoriere ich, so gut ich kann, und gehe irgendwann dazu über, das Gläserspülen schlicht zu überspringen. Merkt eh keiner mehr was, so besoffen, wie die alle sind, und manchmal muss man seinen eigenen Prinzipien untreu werden, wenn man überleben will. Ich schenke aus, als gäbe es kein Morgen.

Weil Mona weg ist, müssen wenigstens alle aus ihrem Team selbst bezahlen, und das bedeutet, dass die Kasse klingelt wie ein Schlittenglöckchen in einem Werbespot zur Weihnachtszeit.

Gegen drei wird es langsam leerer. Sämtliche Handwerker haben mittlerweile auf Parkuhr geschaltet, lediglich Didi ist noch halbwegs frisch, aber das auch nur, weil er mal wieder versucht, eine der Redakteurinnen abzuschleppen. Diesmal hat er es auf Melanie abgesehen, eine verwitterte Mittvierzigerin mit Glupschaugen. Wenn Didi sie weiter so abfüllt, dürfte er allerdings nicht mehr viel von ihr haben; die Gute verliert auf ihrem Weg zum Klo gerade ihre von Didi himself schon mal vorsorglich aufgeknöpfte Latzhose. Didi bestellt ihr währenddessen schnell noch einen Schnaps, für alle Fälle, nur um sicherzugehen.

Tischler-Torben hat seinen Kopf derweil gemütlich auf der Bar abgelegt und schnarcht. Ich beuge mich quer über den marmornen Tresen zu ihm und klopfe ihm auf die Schulter. Nichts.

»Hee, Torben!«, schreie ich. Keine Reaktion. »Hallo?! Toooorben! Aufwachen!!! Geschlafen wird zu Hause!«

Torben grunzt vernehmlich.

»Gib's auf. Der merkt nix mehr«, klärt Didi mich auf.

»Das wollen wir doch mal sehen«, maule ich und rüttele Torben hin und her. »Heee! Torben! Guck mich an!«, rufe ich, so laut ich kann, und siehe da, es ist doch noch ein Hauch von Leben in diesem ausgemergelten Körper. Torben hebt langsam, gaaanz langsam, seinen Kopf und versucht mich zu orten. »Kannchnochnbierham?!«, fragt er prompt, als er mich halbwegs identifiziert hat.

»Torben«, sage ich streng, »ich glaube wirklich, du hast genug. Ich habe auch eine Verantwortung, weißt du.«

»NeeneenichenuchnochnBier«, wiederholt er trotzig und hickst leise. Didi und ich wechseln einen besorgten Blick. Ich seufze. Da hilft nur eins. Der Trick hat bis jetzt jedes Mal funktioniert. Außer bei Mona, die kriegt es irgendwie immer hin, egal, in welchem Zustand sie sich befindet. Die alte Hippe, die soll mal bleiben, wo der Pfeffer wächst. Wo ist sie überhaupt hin? Wahrscheinlich beleidigt abgerauscht. Na ja, ihr Pech. Selbst schuld. Sie hat definitiv die Party des Monats verpasst. Heute haben sie wirklich alles gegeben auf dem marmornen Elvis und auch drumherum. Jedenfalls sieht es aus, als hätte eine Bombe eingeschlagen. Eule sammelt fleißig Gläser und Flaschen ein. Der Gute.

»WasnjetzmitBier?«, fragt Torben erneut.

»Na gut«, erwidere ich einlenkend und sehe ihn prüfend an, »aber erst, wenn du mir eine wirklich simple Frage richtig beantwortest. Okay?«

»Kkkkeinpoblem«, nuschelt Torben. Hicks.

»Gut. Also«, sage ich, »wie viel ist drei mal neun?«

Torben hickst erneut und überlegt. Ich kann es in seinem Hirn rattern hören.

»Ja!«, antwortet er dann überzeugt, und eine Sekunde später knallt sein Kopf erneut auf den Tresen. Autsch.

»Tja«, sagt Didi bedauernd, »das war's dann wohl für ihn.«

»Ich denke auch«, bestätige ich und bette Torbens Kopf vorsichtig auf ein Geschirrtuch, das ich mir von der Schulter klaube. Torben schmatzt leise, steckt sich umständlich einen Zipfel des Geschirrtuches in den Mund und beginnt ohne weitere Verzögerung selig vor sich hin zu speicheln.

Ich schüttele nachsichtig den Kopf, und Didi hebt entschuldigend die Schultern. »Sagt mal, was ist eigentlich los hier heute?«, erkundige ich mich bei ihm. »Ich meine, es ist noch nicht mal Vollmond. Müsst ihr morgen nicht drehen? Mona hat gesagt, heute wäre ihr einziger freier Tag. Was gibt es überhaupt zu feiern?«

Didi seufzt. »Zu feiern gibt es leider gar nichts. Eher im Gegenteil.«

»Was ist los«, frage ich überrascht, »haben sie eure Sendung plötzlich und unerwartet ins Nachtprogramm verbannt?«

Eigentlich hatte ich das als Scherz gemeint, deshalb bin ich auf Didis Reaktion überhaupt nicht vorbereitet.

»Schlimmer«, murmelt er und trinkt auf den Schrecken gleich das

Schnapsglas leer, das eigentlich für Melanie gedacht war, aber Melli ist weit und breit nicht zu sehen. Vermutlich ist sie mit ihrer topmodischen Latzhose am Spülkasten hängen geblieben.

»Wie bitte?«, frage ich ungläubig. »Didi, was ist los? Jetzt sag schon«, drängele ich, und Didi guckt traurig. Das kann er wirklich gut, muss man mal sagen. Kein Wunder, dass er jede rumkriegt, mit dem Blick.

»Hast du den nicht gesehen, den Artikel heute in der ›Boulevard‹?«, fragt er erstaunt. »Dass die Sendung gar nicht mehr gut läuft. Und dass sie Mona absägen wollen.«

Ich lache. »Didi, du kennst doch die ›Boulevard‹. Die schreiben viel, wenn der Tag lang ist. Davon kann man eh nix glauben. Sollte man auch nicht.«

»Ja, aber in diesem Fall ...« Didi atmet tief ein und stellt das Schnapsglas auf dem Tresen ab. »Jedenfalls haben wir heute Abend für die nächsten Locations erst mal Produktionsstopp gekriegt«, platzt es dann aus ihm heraus. Mags wirft ihm einen strafenden Blick zu, so gut er das überhaupt noch kann. Ich glaube nicht, dass Didi mir hätte sagen dürfen, was er soeben gesagt hat, und das macht alles nur noch viel ernster.

»Bitte was?!« Oh nein. »Ist das dein Ernst?«, frage ich misstrauisch. »Ich meine, du verarschst mich doch nicht, oder?«

Didi schüttelt den Kopf. »Leider nein. Ich meine, siehst du doch. Oder glaubst du, wir würden hier so rumrocken, wenn wir morgen um acht wieder am Set sein müssten?«

Ich verkneife mir die Bemerkung, dass auch dieser Umstand Monas Trümmertruppe noch nie vom Trinken abgehalten hat. Mona hat mir schließlich berichtet, wie es auf der Baustelle *wirklich* zugeht. Gerade Didi müsste sich daran erinnern, dass er nach einer durchzechten Nacht mal viel zu kleine Glühbirnen mit der Heißklebepistole in viel zu großen Fassungen festgepappt hat. Zum Glück konnte Mags ihn danach wenigstens davon abhalten, den Herd einer fünfköpfigen Familie an der Kabelanschlussbuchse im Wohnzimmer anzuschließen, zur Not auch mit Gewalt, denn was nicht passt, wird bei Didi eben passend gemacht. Gefahr erkannt, Gefahr gebannt.

Ehrlich gesagt wundere ich mich bis heute, dass die überhaupt was gebacken kriegen bei »Renovieren Um Vier«, aber gut. Man weiß ja auch nie so genau, was von den Sachen, die sie einem so im Fernsehen vorführen, letztendlich wirklich funktioniert. Wenn ich mir unter den gegebenen Umständen meine eigene Bude angucke, kann ich mich jedenfalls glücklich schätzen, dass nicht mehr bleibende Schäden entstanden sind. Aber manchmal muss man halt die Klappe halten – auch wenn man es besser weiß.

»Scheiße«, stelle ich also nur fest, und dann weiß ich erst mal nichts mehr zu sagen, weil in meinem Kopf alles durcheinanderpurzelt. Oh Mann. Das sind gar keine guten Neuigkeiten.

»Das Schlimme ist«, fährt Didi fort, »Mona weiß noch gar nichts davon. Ich meine, sie wird es sicherlich ahnen, sie ist ja nicht völlig bescheuert, aber die Produktionsfirma hat zu uns gesagt, wir sollen erst mal die Klappe halten, weil noch nichts so hundertprozentig feststeht. Die wollen wohl nochmal überlegen. Und dann erst mit dem Management sprechen. Oder so.«

Prost Mahlzeit. »Das ist übel«, murmele ich und bereue es fast schon wieder, Mona ausgerechnet heute so angepflaumt zu haben. Aber letztendlich ist es ja egal, wann man die Katze aus dem Sack lässt. Und früher ist meistens besser als später, dann kann man wenigstens das Ruder noch herumreißen. Hoffe ich jedenfalls.

Unterm Strich muss man es doch einfach mal so betrachten: Wenn Mona jetzt keinen Moderationsjob mehr haben sollte, dann kann das eigentlich nur gut sein. Denn dann hätte sie endlich mal wieder Zeit, sich ein bisschen zu kümmern; zum einen um sich selbst und zum anderen um den Laden. Es könnte ihr wirklich nicht schaden, mal zu sehen, worum es hier eigentlich geht. Und was es hier alles zu tun gibt. Ich glaube, im Grunde hat sie keine Ahnung davon, was es heißt, eine Bar zu führen.

Und was das Finanzielle angeht – na ja. Blöd, aber das schaffen wir schon, auch ohne ihre Moderatorenkohle. Heute Abend jedenfalls haben wir bestimmt Gewinn gemacht. Die Beweise liegen auf der Hand beziehungsweise auf dem Tresen.

Mittlerweile hat sich Seppl auf den Barhocker neben Torben gekauert, und die beiden schnorcheln um die Wette. Was Melli betrifft, so sollte Didi sich fragen, ob er das wirklich noch will. Sie kommt gerade vom Klo zurück, unüberhörbar. Ich habe mich vertan, denn sie ist mit ihrer Latzhose nicht am Spülkasten hängen geblieben, sondern am Seifenspender, den sie jetzt an einem der Latzhosenträger hinter sich herzieht und dabei eine schöne schmierige Seifenschleimspur auf dem Fußboden hinterlässt. Dio mio!

»Melli ist wieder da«, informiere ich Didi überflüssigerweise, und der kümmert sich sogleich aufopferungsvoll, uneigennützig wie er ist. Dann klaube ich möglichst unauffällig erst mal Seppls Autoschlüssel aus seiner Jeanshose, damit er keinen Unsinn macht, wenn er wieder aufwacht, denn Seppl fährt am liebsten betrunken. Torben ist da zwar vernünftiger, aber man weiß ja nie, und wo ich schon dabei bin, greife ich auch ihm gleich mal kurz eben in die Gesäßtasche. Man kann ja wirklich sagen, was man will, aber Handwerkerhintern sind nicht die schlechtesten.

Verheißungsvoll klimpere ich mit den Autoschlüsseln, während Eule mit einem vollen Tablett durch den schmalen Durchgang zu mir hinter den Tresen rutscht und ich endlich einen Kuss von ihm bekomme.

»Darauf habe ich aber lange gewartet«, sage ich gespielt beleidigt. Es sollte eigentlich ein Witz sein, aber irgendwie habe ich für Humor heute kein Talent, denn Eule steigt sofort aus den Stiefeln.

»Sehr witzig«, blafft er mich an, »glaubst du, ich hätte das nicht auch schon viel früher machen wollen? Ich dachte, du freust dich, dass ich dir helfe!«

»Tu ich ja auch«, sage ich erschrocken, »das war doch nur ein Scherz.«

»Sorry, aber ich bin heute wirklich nicht mehr zu Scherzen aufgelegt«, brummt Eule matt. »Bin total im Eimer. Du doch bestimmt auch. Lass uns den traurigen Rest rausschmeißen und einfach nach Hause gehen, okay? Saubermachen können wir auch morgen.«

Ich nicke und lege die Autoschlüssel auf den Tresen.

»Ach ja, was macht deine Hand?«, erkundigt sich Eule, »lass mal sehen«, und damit greift er nach meinem Arm und streicht mir sacht mit den Fingern über den Handrücken. Ich schmelze dahin. Rrrrrrr.

»Tut weh, aber geht schon«, sage ich tapfer. »Die wichtigere Frage ist: Wie kriegen wir die beiden Schnapsleichen hier raus?« Ratlos weise ich mit einem Seitenblick auf Torben und Seppl.

Die beiden sehen aus wie frisch operiert, und sie benehmen sich auch so. Das Geschirrtuch ist mittlerweile komplett durchgesabbert, und Seppl liegt mit der Nase im Aschenbecher. Jedes Mal, wenn er ausatmet, pustet er damit auch eine Wolke Asche durch die Luft, von der ein Großteil anschließend in seinem langst schwarz gesprenkelten Gesicht landet. Pfui Deibel. Was Alkohol doch aus einem Menschen machen kann! Aber gut, als Betreiberin einer Bar hat man sich über einige Anblicke nicht weiter zu äußern. Das wäre ja, als wenn sich ein Friedhofsgärtner darüber beschweren würde, dass auf seinem Gelände tote Leute liegen.

»Rettung ist unterwegs!«, unkt Didi und deutet verheißungsvoll zum Eingang, durch den sich soeben Mags und Anton kämpfen, ausgestattet mit zwei unhandlichen Gerätschaften auf Rädern. Ich brauche einen Moment, bis ich erkenne, dass es sich um zwei Sackkarren aus Antons Bulli handelt, mit denen er normalerweise seine Arbeitsmaterialien auf die Baustelle transportiert.

Schon wenige Minuten später sind Seppl und Torben, so aufrecht es nur eben geht, auf die Karren verfrachtet und ordnungsgemäß mit Spanngurten befestigt. Didi und Melli dokumentieren das Ganze juchzend mit ihren Fotohandys, und schließlich setzt sich der Trupp quietschend, unter Johlen und mit platten Gummireifen, die ihre ungewöhnliche Last nur mühsam tragen können, in Bewegung.

Es ist fünf Uhr morgens, als sich die Tür unserer kleinen Bar endlich schließt und ich den Schlüssel umdrehen kann. Zweimal. Ich denke, meine Erleichterung in diesem Moment brauche ich hier nicht weiter zu beschreiben.

Am nächsten Morgen wache ich mit einem schlimmen Schädel auf. Eine stramme Leistung dafür, dass ich am Vorabend gerade mal ein Bier und einen Dirty Harry geschafft habe.

Es dauert einen Moment, bis ich feststelle, dass das Hämmern nicht in meinem Schädel stattfindet, sondern an der Wohnungstür. Es bollert und trommelt, als stünde draußen ein zwölfköpfiges Einsatzkommando, und dazu höre ich eine unangenehm schrille Stimme, die ich wieder einige endlose Momente später endlich zuordnen kann. Es ist Susa.

Ach du Scheiße. Erschrocken greife ich nach meinem Handy, um zu sehen, wie spät es ist, und als mir wieder einfällt, dass es ja kaputt ist, wird mir klar, dass ich ein Problem habe. Denn mein Handy ist normalerweile auch mein Wecker. Im Normalfall jedenfalls. Und das kann nur eines bedeuten: Ich habe verschlafen. Auf der ganzen Linie. Und ich muss doch heute drehen!

Aber wo ist dann Bobo Attila Boizenburg?

Ich verschlafe öfter mal, und deshalb hat Bobo Attila Boizenburg, der Maskenbildner von »Renovieren Um Vier«, die Schlüssel zu meiner Wohnung. So kann er seine vielfältigen Sanierungswerkzeuge und Wundermittelchen schon aufbauen, auch wenn ich unter der Dusche stehe oder gar noch mit dem Aufwachen beschäftigt bin, und für den Ernstfall, dass ich mich noch so gar nicht rühre, hat er längst seine eigene Methode gefunden.

Dann postiert Bobo Attila Boizenburg sich mit seinem Turbohöchstleistungsföhn neben meinem Bett, schaltet ihn auf der höchsten Stufe an und pustet mir damit direkt ins Gesicht. Keine schöne Taktik, aber effektiv, denn Zuspätkommen ist beim Fernsehen die größte Sünde, allen voran für die Moderatorin, denn ohne die geht nun mal leider gar nichts. Dazu gibt Bobo lustige Geräusche von sich, auf jeden Fall aber sein berühmtes kicherndes »Tihi!«, das er an fast jeden seiner Sätze anhängt. »Aufwachen, tihi! Ein neuer Tag, tihi!«, singsangt er dann vor sich hin, und er gibt keine Ruhe, bis ich es nicht wenigstens bis zur Kaffeekanne geschafft habe.

Heute allerdings ist von Bobo Attila Boizenburg keine Spur. So spät kann es also doch noch nicht sein, schlussfolgere ich erleichtert und knurre und brumme angesäuert, während ich mich mühsam aus den Laken schäle. Eine Frechheit von Susa, mich so früh zu wecken! In der Nacht habe ich wieder einen ausgiebigen Verknotungsmarathon hingelegt, sodass es ein bisschen dauert, bis ich meinen rechten Fuß gefunden habe, aber das alles interessiert Susa natürlich nicht. Sie randaliert weiter ohne Unterlass.

»Ja, verdammt!«, brülle ich entnervt, »ich komm ja schon!«, und als ich Susa endlich die Tür aufmache, stürmt sie mit hochrotem Kopf an mir vorbei direkt in die Küche und keift dort ohne Verzögerung weiter. Fast fällt sie dabei über den Katze, meinen puscheligen Perserkater, der sich instinktiv duckt und dann vor Susas hektischem

Getrampel unter den Küchentisch flüchtet, wo er mit großen runden Bernsteinaugen schüchtern verharrt.

Der Katze heißt »der Katze«, weil er weder ein wahres Mädchen noch ein ganzer Mann ist, also weder die Katze noch der Kater; nicht Fisch, nicht Fleisch sozusagen. Und überhaupt ist er generell etwas unentschieden, was die Gesamtheit seines Daseins betrifft. Mal mag er Lachs, mal nicht; mal liebt er es, am Bauch gekrault zu werden, und dann haut er einem dafür mit seinen scharfen Krallen wieder ordentlich eine runter – kurz: des Katzes Launen sind unberechenbar, und das macht das Zusammenleben mit ihm nicht gerade einfach. Ich liebe den Katze trotzdem oder vielleicht gerade deshalb, denn Unberechenbarkeit an sich ist etwas, was es heutzutage nur noch selten gibt.

»Mann, Mona«, entrüstet Susa sich und pfeffert ihre Handtasche vor die Heizung, »so stur möchte ich auch mal sein! Warum hast du dich gestern nicht mehr gemeldet? Hast du sie noch alle, mir so einen Schrecken einzujagen?«

»Stur?«, schimpfe ich morgenmuffelig zurück. »Ich bin nicht *stur*, ich habe *geschlafen*! Das macht man nun mal so von Zeit zu Zeit. Und wieso habe *ich* überhaupt *dir* einen Schrecken eingejagt? *Du* hast *mich* zu Tode erschreckt! Und eigentlich tust du das auch immer noch, wenn ich ehrlich bin. Was ist denn los, dass du hier reinstürzt wie eine Furie? Kannst du mir mal erklären, warum du hier frühmorgens so eine Randale machst?«

Susa lacht herb. »Frühmorgens? Es ist elf Uhr, Mona!«

Mir rutscht fast die Kaffeekanne aus der Hand. »Bitte was?!«, kiekse ich kleinlaut. »Das kann doch gar nicht sein. Was ist mit Bobo? Wieso ist der noch nicht hier?!«

»Weil er heute nicht kommt«, erklärt Susa trocken und nimmt mir die Kanne aus der Hand. »Der Dreh ist abgesagt. Setz dich erst mal hin. Wir haben etwas zu besprechen.«

»Das glaube ich auch«, stelle ich erschüttert fest und sinke ratlos an den Küchentisch. Was ist hier los?

Der Katze streicht mir maunzend um die nackten Waden. Er hat Hunger, klar, also stehe ich wieder auf und fülle ihm Stinkefutter in seinen Napf. Der Geruch lässt mich aufstöhnen, aber den Katze stört er überhaupt nicht. Zufrieden versenkt er sein plattes Näschen im Napf und schnurrt und schmatzt gleichzeitig, ein Ausbund an Hingabe und Zufriedenheit. Ach, Katze. Dein Leben möchte ich haben.

Nachdem sie die Kaffeemaschine angestellt hat, setzt Susa sich mir gegenüber und sieht mich ernst an. »Monchen, es gibt keine guten Neuigkeiten«, sagt sie dann. »TV3 hat sich dazu entschieden, ›Renovieren Um Vier‹ erst mal nicht weiterzuproduzieren.«

Ich schlucke. Also hat mein Gefühl mich gestern doch nicht getrogen.

Wahrscheinlich haben in der Bar alle vom Team schon Bescheid gewusst! Nur ich eben nicht. Wer weiß, vielleicht hätte ich im Laufe der Nacht doch noch davon erfahren, Alkohol macht redselig, früher oder später hätte irgendjemand sicherlich geplaudert.

Aber nein, die Tour hat Marnie mir ja anständig vermasselt. Warum muss eigentlich immer alles auf einmal kommen? Und warum sollte ich auch eine der Ersten sein, die von diesem ganzen Mist erfahren? Ach, stimmt ja, ich bin ja nur die Moderatorin. Ich habe ja nicht viel zu sagen. Obwohl – halt. Jetzt mal ganz langsam.

»Ist es wegen mir?«, frage ich bestürzt. »Also wegen des fiesen Fotos in der ›Boulevard‹? Ist das der Auslöser?«

»Nein. Oder sagen wir mal – nicht nur. Das war natürlich blöd und für TV3 ein gefundenes Fressen, um die Entscheidung jetzt so schnell zu fällen, aber das ist nicht der einzige Grund. Die Quoten rechtfertigen derzeit einfach nicht die hohen Produktionskosten, das ist wohl die wahre Geschichte. Aber es ist keinesfalls deine Schuld allein.«

Na bravo. Das ist doch mal tröstlich. In meinem Kopf dreht sich alles, und das Blut rauscht in meinen Ohren, während ich an die Handwerker denke und daran, was Anton am Vorabend zu mir gesagt hat.

»Die haben bei TV3 halt im Moment tierisch Probleme mit ihrem Nachmittag und wollen so schnell wie möglich das Programmschema ändern. Aber sie wollen dich auch nicht verlieren als Sendergesicht. Das ist doch schon mal gut. Man macht dir ein – ähm – Angebot.«

Während sie das sagt, rutscht Susa auf ihrem Stuhl nervös hin und her, und das ist gar kein gutes Zeichen.

Susa ist in der Regel sehr nüchtern, und sie hat die Gabe, bei anstehenden Entscheidungen deren Vor- und Nachteile ganz unemotional auf den Punkt zu bringen. Schwächen wie Nervosität oder Unsicherheit leistet sie sich in ihrer Funktion als Beraterin und Vermittlerin äußerst selten, und im Moment ist sie eindeutig *sehr* unsicher, weshalb um mich herum jetzt sofort der Stacheldraht hochklappt.

Auf *das* Angebot bin ich mal gespannt. Es kann nur unter aller Kanone sein. Oder unter aller Würde.

»Spuck's schon aus. Was soll ich tun?«, frage ich also desillusioniert, »mir vor laufenden Kameras Fett absaugen lassen wie Brigitte Nielsen?! Mich dabei filmen lassen, wie sie mir die Gesichtshaut wegschneiden und sie dann ein paar Zentimeter höher wieder festtackern, bis ich die Mundwinkel gar nicht mehr runterkriege? Mona Rittner in der Promi-Beautyklinik, hahaha?!«

Susa seufzt. »Nicht ganz so schlimm«, murmelt sie düster und rührt unmotiviert in ihrem Kaffee herum. »Nicht ganz so schlimm. Aber auch nicht wirklich toll«, fügt sie vorsichtig hinzu und rümpft ihre Stupsnase, während ihr eine dunkelblonde Haarsträhne ins Gesicht fällt. Susa ist eigentlich sehr hübsch. Eigentlich sollte *sie* die im Fernsehen sein und nicht ich. Aber dafür ist es wohl zu spät.

»Jetzt sag schon«, drängele ich ungeduldig. »Worum geht's?«

»›Land und Lust‹«, murmelt Susa heiser. »Ist was Neues. Na ja, so ganz neu nicht, im Grunde ist es so was wie das ›Dschungelcamp‹. Nur eben nicht im Dschungel, sondern auf einem Bauernhof. Auf einem sehr altmodischen Bauernhof. Mit anderen – ähm – Prominenten.«

Ich stöhne auf. »Das ist nicht dein Ernst, oder?«, frage ich erschüttert.

»Leider doch«, sagt Susa. »Aber komm, Mona«, fügt sie beschwichtigend hinzu, »es sind nur vier Wochen! Und du magst doch Tiere. Da gibt es eine ganze Menge Tiere!«

Nur vier Wochen?! Scheiße, das ist ein ganzer Monat!

Und ja, gut, ich mag Tiere. Aber ich habe schon ein Tier namens Katze, und das reicht mir eigentlich voll und ganz. Vor allem, wenn dieses Tier wie jetzt gerade mal wieder anfängt zu röcheln und zu schnaufen, weil es aus lauter Gier zu sehr geschlungen hat, und mir vermutlich wie so oft in wenigen Minuten direkt vor die Füße kotzen wird.

»Und wenn du da viele Sympathien sammelst und viele Anrufer hast, die für dich stimmen als Bauernhofkönigin, dann wird die Produktion von ›Renovieren Um Vier‹ hinterher wieder aufgenommen«, fährt Susa fort. Sie ist jetzt wieder ganz die Alte: äußerst ungerührt und geschäftsmäßig. Ich hingegen kann nicht glauben, dass sie das alles wirklich sagt. »Natürlich mit dir, wie gehabt. Das kriegen wir sogar schriftlich. So weit habe ich den König schon. Sie werden zwar für alle Fälle auch alternative Moderatoren casten müssen, aber deine Chancen sind gut. Also, wenn du dich bei ›Land und Lust‹ einigermaßen schlägst, meine ich.«

»Moment«, werfe ich scharf ein, »wie jetzt – *alternative Modera-*

63

toren? Du hast doch gesagt, ›Renovieren Um Vier‹ soll abgesetzt werden, weil es zu teuer ist. Weshalb sollten die dann alternative Moderatoren suchen?!« Triumphierend blicke ich Susa an. Ich lasse mich doch nicht verarschen hier!

Susa zieht die Schultern hoch. »Na ja«, sagt sie zögerlich, »die suchen wohl in der Zwischenzeit nach Sponsoren, die zukünftig mit einsteigen bei ›Renovieren Um Vier‹. Möbelhäuser, Baumärkte, andere Medien, mit denen man anständig Crosspromotion machen kann – so was halt. Wenn sie da wen finden, der ordentlich reinbuttert, hat der Sponsor natürlich auch ein Mitspracherecht, was die Moderation betrifft.«

Na toll. Wahrscheinlich entscheiden die dann auch, welchen Lippenstift man auflegt und ob man von links nach rechts geht oder doch lieber andersrum. Das sind ja glänzende Aussichten. Ich seufze.

»Und deshalb will man denen gegebenenfalls eine Auswahl anbieten können, mit der man dann sofort wieder loslegen kann«, ergänzt Susa. »Aber natürlich wärst du der erste Vorschlag. Die erste Wahl«, fügt sie eilig hinzu, »und jeder Sponsor wäre schön blöd, dich abzulehnen. Jedenfalls wenn du bei ›Land und Lust‹ gut abschneidest und die Zuschauer auf deiner Seite hast.«

Ich schnaube. Das ist ja alles ganz wunderbar. »Ja, und wenn ich nicht gut abschneide?!«

Wütend stehe ich auf und laufe in der Küche hin und her, so gut es gerade geht bei etwa zwölf Quadratmetern. Der Katze spuckt derweil als Dank für seine leckere, liebevoll servierte Mahlzeit eine schöne Pfütze aus Katzenschleim und Stinkefutter vor den Kühlschrank, betrachtet sein Werk dann nachdenklich und verschwindet anschließend zufrieden im Flur. Grrrr.

»Dann mache ich mich total zum Affen und kann mich hinterher nie wieder im Spiegel ansehen«, fahre ich ätzend und aufgebracht fort. »Ach was, zum Affen mache ich mich sowieso, wenn ich da mitmache! Du hast doch selber gesagt, dass wir so was nicht annehmen, weil es langfristig nur schadet! Susa, das hast du selbst gesagt. Da waren wir uns doch eigentlich einig!«

»Das stimmt«, sagt Susa regungslos, »aber da war die Ausgangssituation anders. Als die das letzte Mal fürs ›Dschungelcamp‹ angefragt haben, da warst du in einem festen Engagement. Und hättest eh keine Zeit gehabt, da mitzufahren. Die Dinge ändern sich nun mal, Mona. Aber es ist natürlich deine Entscheidung.«

»Meine Entscheidung?«, schreie ich zornig. »Meine Entscheidung?! Erpressung nenne ich das! Und nichts anderes ist es auch!«

Susa seufzt. »Nenn es, wie du willst«, sagt sie. »Fest steht, dass ›Renovieren Um Vier‹ endgültig gestorben ist, wenn du nicht mitmachst. Your choice.«

»Also bin ich doch schuld, wenn es nicht weitergeht«, schlussfolgere ich. Logik kann echt wehtun. »Oh Mann, Susa, du weißt doch genau, wie die Leute lästern, wenn man so was mitmacht. Da bin ich doch hinterher komplett unten durch! Ganz abgesehen davon, dass ich das selbst auch gar nicht *will*. Das ist doch das Letzte! Würdest *du* das etwa machen? Vier Wochen lang keine unbeobachtete Minute haben, sogar beim Schlafen und beim Aufs-Klo-Gehen gefilmt werden und sich verarschen und verheizen lassen und ekelhafte Aufgaben erfüllen zwischen lauter Spacken, die man dann noch nicht mal als Spacken bezeichnen darf, weil man ja eine von ihnen ist?! Da dreht man doch durch!!!«

»Wenn du das nicht machst, drehst du bald gar nicht mehr.«

Susa kann wirklich unerbittlich sein.

»Mona, ich will dir in die Entscheidung wirklich nicht reinreden«, erklärt sie sanft, »aber mitzumachen wäre eine Chance, ›Renovieren Um Vier‹ zu retten. Die Sendung ist immerhin dein Baby. Und selbst wenn es hinterher nicht reichen sollte für eine Fortsetzung – gibt ganz gutes Geld bei ›Land und Lust‹, reicht im Ernstfall auch für einen Neustart danach, wenn es sein muss. Also, überleg's dir. Hier ist das vorläufige Exposé, schau's dir halt mal an«, fügt sie hinzu und zieht eine Rolle bedruckten Faxpapieres aus ihrer Handtasche, die sie sacht auf den Küchentisch legt.

Ich würdige sie keines Blickes und starre entmutigt auf den übelriechenden, dampfenden Fleck vor dem Kühlschrank.

»Egal, wie du dich entscheidest, tu es bald«, sagt Susa und steht auf. »Bis Montag früh müssen die wissen, ob du mitmachst. Ende der Woche geht es schon los.« Dann klemmt sie sich mit einem beherzten Griff die Tasche unter den Arm, steigt mit ihren langen Beinen elegant über den Katzenauswurf hinweg und ist auch schon aus der Tür. Ich hingegen bleibe zurück wie gelähmt, und daran kann auch die Tatsache nichts ändern, dass mir das Herz schlägt bis zum Hals.

Es hilft alles nichts, ich muss denken. Viel Zeit habe ich nicht. Aber wer braucht schon Zeit für eine so weitreichende Entscheidung?

Bis Sonntagabend habe ich mich nach vielem Hin und Her dazu entschlossen mitzumachen. Ja, genau: Ich werde das Spiel mitspielen.

Ich, Mona Rittner, einstmals eine Frau mit Prinzipien und Würde, werde mich bei »Land und Lust« vier Wochen lang rund um die Uhr zur Schau stellen lassen wie ein Zirkuspferd. Ich werde in Gummistiefeln und Latzhose einen erbärmlichen Anblick bieten, mich vor dem bauernhofeigenen Plumpsklo im Schlamm wälzen, mich zum Gespött der Nation machen und mich vermutlich auch selbst dafür hassen. Ich werde mich von sämtlichen Komikern und Kritikern im Land wahlweise beschimpfen oder belächeln lassen, und ich werde vermutlich nie wieder ernst genommen werden.

Warum ich das tun werde? Ganz einfach: Weil ich es muss. Es geht nicht anders.

Ich bin es meinem Team schuldig, Mags und Seppl und Anton und Torben und all den anderen. Und mir selbst wohl auch. Denn in einem Punkt hat Susa recht: »Renovieren Um Vier« ist mein Baby, ich habe es mit erschaffen und auf die Welt gebracht, und ich darf es nicht kampflos aufgeben. Es ist zwar ein ungezogenes Schreibaby, ganz und gar nervig und alles andere als ein wahres Wunschkind, aber es ist und bleibt mein Baby. Und ich werde versuchen, es am Leben zu erhalten. Ich muss es einfach versuchen!

Im schlimmsten Fall wird der Plan nicht aufgehen. Dann werde ich nichts davon haben, als sämtliche Freunde zu verlieren und mich vor Millionen von Fernsehzuschauern endgültig lächerlich zu machen. Wahrscheinlich werde ich in diesem Fall anschließend auswandern müssen. Aber wenigstens kann ich dann behaupten: Ich *habe* es versucht.

Natürlich habe ich große Angst davor, dass niemand anderes meine Entscheidung verstehen wird. Meine Beweggründe wird kaum jemand begreifen. Aber deshalb sind es ja auch *meine* Beweggründe. Es ist *mein* Leben, und wenn ich jetzt den Respekt der anderen verlieren muss, um den vor mir selbst zu behalten, dann ist das eben so.

Eines steht jedenfalls fest: Ich bin mir über all das völlig im Klaren. Und das ist ja immerhin schon ein Vorteil. Und gerade weil ich das weiß, werde ich eines nicht tun: andere ausbooten und mich beim Publikum anbiedern.

Nein, ich werde eine faire Kandidatin sein! Ich werde mich so benehmen, wie es sich auch im normalen Leben gehört. Ich werde nicht über meine Mitgefangenen lästern, und ich werde auch keine Intrigen spinnen oder voranpreschen, um als Siegerin aus diesem Theater hervorzugehen.

Ich werde eine absolut langweilige Kandidatin sein, korrekt, höflich und voller Anstand. Wollen wir doch mal sehen, wie weit man heutzutage mit so einer Einstellung noch kommt. Und wenn ich mich schon vor einen fremden Karren spannen lasse, dann will ich wenigstens das Tempo bestimmen.

Du liebe Güte. Hoffentlich halte ich das durch.

Es gab mal Zeiten, da hatte ich Langeweile. Richtige, echte, ätzende Langeweile. Ich habe dann in meinem Jugendzimmer Lakritzpfötchen an die Unterseite des hochmodernen Glascouchtisches geklebt, mich mit offenem Mund daruntergelegt und darauf gewartet, dass die Lakritzpfötchen runterfallen. Aber das ist lange her. Sehr lange. Leider. Mal wieder Langeweile zu haben wäre gar nicht schlecht, aber ich schaffe es einfach nicht, und manchmal fühlt es sich an, als würde ich in meinem ganzen Leben überhaupt nie mehr dazu kommen. Heute ist es besonders schlimm.

Gleich am Sonntagmittag, direkt nach dem Aufwachen, streite ich mich mit Eule. Denn Eule möchte eigentlich mit mir Kaffee trinken gehen und einen gemütlichen gemeinsamen Nachmittag verbringen, aber ich muss mich mit Berit treffen, um die Sitzordnung für ihre Hochzeit mit ihr zu beraten und knorke Platzkärtchen zu basteln. Ich habe es ihr versprochen, schon vor Wochen. Klar, man könnte die auch einfach drucken lassen, die Platzkärtchen, aber Bernd ist das natürlich zu teuer.

Deshalb sitze ich jetzt mit Berit an ihrem Esstisch, und angestrengt schnitzen wir uns krumme Kärtchen aus Pappe zurecht, auf die wir dann laut Berit zu allem Übel mit fast ausgetrockneten, quietschenden Filzstiften auch noch einen schönen Regenbogen malen werden. Uaargh.

»Warum hilft Bernd dir eigentlich nicht dabei?«, erkundige ich mich bei Berit. Sie hat einen vor Eifer hochroten Kopf, während sie mit der linken Hand die Pappe hält, mit der Rechten die viel zu stumpfe Schere ansetzt und gleichzeitig mit den Ellbogen ein schickes Spitzendeckchen auf der Tischoberfläche festzupressen versucht, das ihr sonst gleich herunterrutscht.

Es gibt in Berits Wohnung kaum eine Oberfläche, auf der kein Spitzendeckchen prangt. Berit findet das praktisch, weil es angeblich die Oberflächen der Möbel schont und dabei auch noch so hübsch aussieht. Na ja. Aber Berit will ja auch Bernd heiraten.

»Nimm das doch einfach mal runter, das stört doch nur«, sage ich und ziehe das Deckchen unter ihr weg.

»Mmmmh«, macht Berit und runzelt die Stirn. »Jetzt hab ich mich verschnitten«, mault sie. Ich verkneife mir die Bemerkung, dass das nicht unbedingt auffällt.

»Und ich hab dich was gefragt«, erwidere ich stattdessen. »Sag schon, warum hilft Bernd dir nicht? Ist doch auch seine Hochzeit!«

»Bernd ist beim Bierlauf«, sagt Berit nölig und konzentriert sich auf ihr nächstes Meisterwerk.

»Beim bitte *was*?!«, frage ich zurück.

»Beim Bierlauf«, erklärt Berit genervt. »In Hannover. Das ist so eine Art Marathon. Aber nur dreieinhalb Kilometer oder so. Und alle paar hundert Meter muss man zwischendurch ein Glas Bier trinken. Ein ziemlich großes sogar.«

»Was ist das denn für eine Nummer?«, wundere ich mich. »Wer veranstaltet denn *so was*?«

»Irgendeine Kirchengemeinde«, antwortet Berit.

»Eine *Kirchengemeinde*?«, wiederhole ich ungläubig. Berit nickt. »Die brauen auch das Bier selbst. Alles mit dem Segen von oben.«

Sachen gibt's!

»Wer es ins Ziel schafft, muss erst mal zwanzig Minuten in Quarantäne, und nur, wenn man da nicht umfällt oder kotzt, kommt man in die Wertung. Und wenn man sein Bier nicht ganz austrinkt, gibt's Strafminuten«, ergänzt Berit mechanisch.

Ich hebe skeptisch die Augenbrauen. »Und was soll das Ganze?«

»Die sammeln da immer für die Renovierung der Kirche. Findet jedes Jahr statt.«

»Und Bernd macht da freiwillig mit und *spendet* auch was?«, frage ich ungläubig. »Wow! Das ist ja mal was ganz Neues!«

»Na ja«, sagt Berit und rutscht peinlich berührt auf ihrem Stuhl hin und her, »indirekt halt. Man zahlt ja als Teilnehmer fünfzehn Euro Startgebühr. Bernd sagt, bei anderen Veranstaltungen kriegt man nur ein blödes T-Shirt, aber da kriegt man halt fünf große Bier für sein Geld, da lohnt sich das.«

»Aha«, murmele ich erschöpft. Ganz ehrlich, Bernd macht mich fertig. »Und dafür fährt er bis nach Hannover?!«

Berit zuckt mit den Schultern. »Seine Schwester wohnt doch da. Die musste er eh mal wieder besuchen. Und sie kann ihn dann später da abholen. So ganz nüchtern ist man ja danach bestimmt nicht mehr«, fügt sie überflüssigerweise hinzu.

Wenn man mich fragt, dann ist Bernd das letzte Mal bei seiner Geburt ganz nüchtern gewesen. Wenn überhaupt. Also ehrlich, der hat doch Lack gesoffen.

»Aber das mit der Hochzeit hast du dir wirklich gut überlegt, oder?«, frage ich erschüttert, und Berit lässt die Schere und ihre Pappe sinken und sieht mich strafend an.

»*Natürlich*«, sagt sie nachdrücklich. »Natürlich habe ich mir das gut überlegt. Gut, er ist jetzt nicht der Romantiker vor dem Herrn, aber ich hab's doch gut bei ihm. Und Sparsamkeit ist ja auch nicht das Schlechteste. So werden wir jedenfalls immer unser Auskommen haben.«

Ich verschlucke mich fast an meinem Wasser, das Berit großzügig zur Verfügung gestellt hat. Was anderes ist leider gerade nicht im Hause.

»*Sparsam?*«, wiederhole ich entsetzt. »Berit, Bernd ist nicht sparsam. Der ist so geizig, dass er Teebeutel zweimal benutzt!«

»Na und?«, sagt Berit leichthin. »Wir verstehen uns trotzdem gut! Was ist besser: eine harmonische Beziehung, wo man halt mal Kompromisse eingeht, oder eine Beziehung, in der man sich ständig streitet, so wie bei dir und Eule?«

Ich verziehe das Gesicht. Eins zu null für Berit.

»Wir streiten uns nicht ständig«, antworte ich abwehrend. »Eigentlich sind wir sehr verliebt.« Jawohl. »Wir haben halt im Moment Stress. Viel zu tun mit so einem Laden. Da bleibt es nicht aus, dass es mal kracht.«

»Bei *uns* bleibt es aus«, erwidert Berit hoheitsvoll, »und das ist mir auch ganz recht. Außerdem ist es kein Wunder, dass Eule genervt ist. Wäre ich auch an seiner Stelle, wenn ich ständig die Arbeit für jemand anders mitmachen müsste, auch noch ohne dafür bezahlt zu werden. Und du siehst nebenbei gesagt total übernächtigt aus.«

Ich rümpfe die Nase.

»Hast du denn mittlerweile mit Mona gesprochen?«, fragt Berit. »Ich meine, wenn sie selbst nicht mithelfen kann in der Bar, dann muss sie halt wenigstens mal jemanden bezahlen, der dich unterstützt.«

Ich seufze. »Ich hab am Freitag versucht, mit ihr zu reden. Ist ziemlich nach hinten losgegangen. Wir haben uns gezofft, und dann ist sie beleidigt abgehauen.«

»Hoppsala«, staunt Berit. »Ungewöhnlich für Mona. Normalerweise kann man doch ganz gut mit ihr reden. Oder nicht?«

»Normalerweise schon. Aber im Moment – bei ihr läuft's gerade auch nicht so rund. ›Renovieren Um Vier‹ wird abgesetzt.«

Berit zieht geräuschvoll Luft durch die Zähne. »Hups«, macht sie.

»Genau«, bestätige ich. »Von daher hat sie wahrscheinlich gar kein Geld, um noch jemanden einzustellen. Ich meine, von ihr steckt ja

71

eh schon mehr drin als von mir. So viel Startkapital wie Mona hatte ich nun mal nicht. Das ist das Blöde.«

»Aber Geld braucht sie dann doch gar nicht mehr«, stellt Berit trocken fest. »Wenn sie nicht mehr dreht, hat sie schließlich Zeit mitzuhelfen. Dann hat sich die Diskussion eh erledigt. Oder etwa nicht?«, fragt Berit und mustert mich prüfend.

Ich seufze, und das ist natürlich Wasser auf Berits Mühlen. »Ich hab's doch immer gesagt«, triumphiert sie, »das geht nicht gut, wenn Freunde zusammen Geschäfte machen. Hab ich's nicht gesagt?!«

Manchmal könnte ich Berit an die Wand klatschen. Aber ich sage mal nichts dazu. Ich glaube jetzt einfach daran, dass bald alles besser wird. Wenigstens bewegt sich was. Und das ist doch schon mal gut.

Guido flippt leider komplett aus, als ich ihm erzähle, dass ich das Angebot von TV3 annehmen und bei »Land und Lust« mitmachen werde. Es ist genauso, wie ich es befürchtet habe: Er versteht meine Beweggründe nicht. Meiner Meinung nach bemüht er sich aber auch nicht wirklich darum. Stattdessen beschimpft er mich als medien- und geldgeil, und als ich darüber enttäuscht und wütend in Tränen ausbreche, knallt er einfach die Tür zu und haut ab. Wenigstens lässt er mir das Ersatzhandy da, das er gleich am Sonnabend aus seiner sehr umfangreichen antiquarischen Techniksammlung mitgebracht hat.

Ich nutze es, um meine Familie über die anstehenden Ereignisse zu unterrichten, was kein einfacher Schritt ist. Denn immerhin entstamme ich einem bildungsbürgerlichen Haushalt, der sich schon damals aus Gründen der drohenden medialen Verrohung jahrelang vehement gegen die revolutionäre Neuerung namens »Kabelanschluss« gewehrt hat.

Während all meine Klassenkameradinnen bereits »Reich und schön« oder »Neighbours« guckten und sich in Jason Donovan verknallten, wuchs ich mit der hundertachtzigsten Wiederholung von »Hart aber herzlich« und »Ein Colt für alle Fälle« auf und war dazu verdammt, mangels Alternativen Robert Wagner sexy zu finden. Vielleicht fühle ich mich deshalb immer zu Männern hingezogen, die älter sind als ich.

Selbst mit meiner nahezu politischen Argumentation, dass zur umfassenden Information ja wohl alle vorhandenen Quellen und somit auch das Privatfernsehen gehören würden, kam ich jahrelang nicht wirklich weiter. Erst als die Sportberichterstattung der Öffentlich-Rechtlichen immer mehr zu wünschen übrigließ, gab mein Vater klein bei und ließ es zu, dass Sendungen wie »Tutti Frutti« auch in unserem Haushalt empfangbar waren.

Immerhin werde ich von meinen Eltern nicht sofort auf alle Zeit verstoßen, als ich ihnen so schonend wie möglich beibringe, dass ich demnächst Kandidatin in einem der umstrittensten Fernsehformate der Mediengeschichte werde – mit dem einzigen Vorteil, dass ich dafür nicht bis in den australischen Dschungel muss, sondern auf einem heimischen Bauernhof vorgeführt werde. Papa sagt erst mal gar nichts dazu außer »hmm, hmmm«, und Mama erkennt die Dramatik der Situation erst gar nicht; jedenfalls sorgt sie sich hauptsächlich darüber, ob ich denn für einen Bauernhof auch das Richtige anzuziehen habe, damit ich mich dort nicht erkälte. Nur meine Schwester Sanne hält mir einen längeren medien- und gesellschaftskritischen Vortrag, aber Sanne lebt auch vegan und kriegt schon Zustände, wenn man zum Pferderennen geht.

Allen anderen sage ich erst mal nichts. Ich traue mich schlichtweg nicht, und außerdem werden sie es schon noch früh genug mitbekommen und sich die Mäuler zerreißen, denn es soll tatsächlich schon am Freitagabend losgehen. Der produktionseigene Fahrdienst wird uns Kandidaten zwischen sieben und acht abholen und auf den geheimnisvollen Hof kutschieren, und um Viertel nach neun, zur besten Abendsendezeit, gehen wir dann mit der Ankunft auf dem Hof schon live auf Sendung.

Aus diesem Umstand ergibt sich immerhin eine brauchbare Information: So weit weg kann der Hof von Hamburg nicht sein. Das ist es dann aber auch schon an verfügbaren Fakten.

»Wer sind die anderen Teilnehmer?«, frage ich Susa, aber sie hat keine Antwort darauf. Sie weiß nur, dass drei von ihnen – einschließlich mir – aus Hamburg kommen und ein weiterer aus Berlin.

Die Presse hat ausnahmsweise mal auch nicht mehr Informationen als wir. TV3 hält die Kandidaten bis zum Start der Sendung streng geheim, um die Medienberichterstattung anzuheizen, was im Laufe der Woche auch ganz wunderbar funktioniert. »Land und Lust« wird schon im Vorfeld das Ereignis der Saison.

Vor allem die »Boulevard« ist natürlich ganz vorn dabei mit Spekulationen über die Teilnehmer. Sie veröffentlicht ab Montag, sozusagen als Countdown, jeden Tag ihre eigenen »Top Five« derjenigen Prominenten, die die Landverschickung verdient hätten. Ich bin am Mittwoch mit dabei, auf Platz drei, hinter Verona Pooth und vor Gregor Gysi. Wow. Beste Gesellschaft. Die haben auch bestimmt Zeit und vor allem ganz viel Interesse daran, bei so was mitzumachen.

Ich bespreche mit Susa, dass sie sich in der Zeit meiner Abwesenheit um den Katze kümmert und am Freitagabend den Fahrdienst in meine Wohnung lässt, damit er mein Gepäck holen kann. Danach soll der Fahrer mich in der Bar einsammeln, damit ich mich dort verabschieden kann. Ich muss unbedingt noch mit Marnie reden. Sie wird meine Entscheidung schon verstehen, hoffe ich jedenfalls, und außerdem muss ich dringend ein letztes Mal auf dem Elvis tanzen.

Glück kann ich jetzt gebrauchen, und bis dahin bleibt mir nichts anderes übrig, als zu warten.

Mona meldet sich die ganze Woche nicht. Ich bin ein paar Mal kurz davor, sie anzurufen, aber in letzter Sekunde siegt mein Stolz, und ich lasse es bleiben. Umso überraschter bin ich, als sie am Freitagabend um halb sieben mir nichts, dir nichts um die Ecke biegt, als ich gerade an der »parallelwelt« ankomme und die Tür aufschließen will. Sie trägt olivgrüne, wabbelige Gummistiefel und eine quietschgelbe Wetterjacke, obwohl es gar nicht regnet, aber davon lasse ich mich nicht aus der Fassung bringen. Mona spinnt halt manchmal. Vielleicht ist das ihre Art, ihre Arbeitsbereitschaft zum Ausdruck zu bringen. Für reine Trinkabende am Tresen zieht sie sich jedenfalls anders an, und deshalb werte ich ihr merkwürdiges Outfit als positives Zeichen.

»Hej«, sagt sie so unbefangen wie möglich und lächelt entschuldigend, aber sie wirkt dabei doch unsicher. Zu Recht, wie ich finde. Ich beschließe, sie ein wenig zappeln zu lassen.

»Ach nein«, sage ich also säuerlich, »lässt die Dame sich auch mal wieder blicken, das ist ja nett. Vermutlich bist du hier, um zu feiern. Doch wohl nicht, um mir zu helfen?!«

Mona seufzt. »Marnie, wir müssen reden. Es gibt Neuigkeiten.«

Ich setze den Schlüssel an und drehe ihn nachdrücklich im Schloss, dann öffne ich mit einem Ruck die Tür.

»Falls du das mit ›Renovieren Um Vier‹ meinst und dass die Sendung erst mal abgesetzt ist, das weiß ich schon«, knurre ich, während ich mich nach der Fußmatte bücke und sie zurechtrücke, weil sie wie immer an einer Ecke hochsteht und verhindert, dass man die Tür richtig öffnen kann. »Von daher wird es tatsächlich Zeit, dass du hier

75

endlich aufschlägst und mir mal sagst, wie du dir das in der nächsten Zeit so vorstellst.«

Herrje. Mona guckt so zerknirscht aus der Wäsche, dass mein Widerstand schneller bröckelt als ein von Mimi ergatterter Kaffeekeks. Ich habe fast schon wieder Mitleid mit ihr. »Ich gehe mal davon aus, dass du jetzt auch wieder für Schichten an Bord bist. Das ist auch bitter nötig, ich kann nämlich bald nicht mehr«, ergänze ich milder als beabsichtigt und gebe ihr dann einen versöhnlichen Knuff in die Seite. »Zusammen schaffen wir das wirklich viel besser. Also sei nicht zu traurig wegen der Sendung. Und was die Kohle betrifft, das kriegen wir gemeinsam schon hin.«

Mona schüttelt den Kopf, während wir eintreten. »Das geht leider nicht«, sagt sie. »Es gibt noch andere Neuigkeiten. Viel schlimmere«, fügt sie unheilvoll hinzu und fegt nervös einen Rest Salzstange vom auberginefarbenen Leder eines Barhockers.

Ich bleibe stehen und sehe sie an. »Ach, komm«, mache ich unsicher. Mona sieht so betrübt aus, dass ich fast Angst davor kriege, was als Nächstes kommt.

Hilfe, was ist passiert? Ist jemand gestorben? Vielleicht hat auch Guido mit ihr Schluss gemacht. Ganz ehrlich, wundern würde es mich nicht. Mona und er haben in etwa so viel gemeinsam wie Michael Ammer und Alice Schwarzer. Das ist ja immer die Frage bei so Beziehungen, welche der alten Weisheiten da nun stimmt: »Gleich und gleich gesellt sich gern« – oder doch eher »Gegensätze ziehen sich an«?

Ich komme nicht mehr dazu, weiter darüber nachzudenken. Mona holt tief Luft. »Ich werde gleich abgeholt«, sagt sie tonlos, während sie sich bemüht, mir in die Augen zu sehen, was ihr nur begrenzt gelingt, »ich bin eine der Kandidatinnen bei ›Land und Lust‹ und werde die nächsten vier Wochen auf einem Bauernhof verbringen müssen. Aber immerhin wirst du mich fast jeden Abend sehen können«, fügt sie zynisch hinzu.

Das glaube ich jetzt nicht.

»Das ist nicht dein Ernst, oder?«, frage ich fassungslos und verdrehe die Augen.

Dabei streift mein Blick aus den Augenwinkeln den Tresen, und an dem ist irgendetwas anders als sonst. Aber ganz anders.

Ich sehe noch einmal hin, und dann fange ich an zu schreien. Ich schreie, so laut ich kann. Dazu muss ich mir alle Mühe geben, nicht einfach umzufallen. Zitternd halte ich mich an dem dunkelroten Samtvorhang fest, der den Windfang im Eingangsbereich vom Schankraum trennt. Fast reiße ich dabei die bronzene Gardinenstange aus ihrer Verankerung.

»Schrei doch nicht gleich so«, bittet Mona kleinlaut, »ich muss dir das erklären«, aber ich schüttele nur stumm den Kopf und zeige mit flatterndem Arm hinten in die Ecke beim DJ-Pult.

»Der Elvis«, flüstere ich, »der Elvis. Er ist weg«, und dann ist Mona auch schon käseweiß. Ihr fällt alles aus dem Gesicht; sie sieht genauso aus, wie ich mich fühle, und gemeinsam staksen wir auf schlotternden Beinen in Richtung Musikecke und starren ungläubig auf das erschütternde Bild, das sich uns bietet.

Dort, wo am Vorabend noch der Elvis prangte und worauf in wenigen Stunden wieder um das Glück getanzt werden sollte, klafft jetzt etwas, das aussieht wie eine hässliche, faulige Zahnlücke. Etwa dreißig Zentimeter breit ist das Loch im marmornen Tresen, das den deprimierenden Blick freigibt auf die ruß- und aschegeschwärzte Unterkonstruktion aus Stahlstreben und Neonröhren.

Mir ist schwummrig, und auch Mona hält sich jetzt am Tresen fest oder vielmehr an dem, was davon übriggeblieben ist.

»Wer macht denn so was?!«, raunt sie atemlos, »das kann ja wohl nicht wahr sein«, und gemeinsam fahren wir mit unseren Händen vorsichtig über die Wunde, deren Ränder scharfe Kanten sind.

»Pass auf«, flüstere ich, »schneid dich nicht«, und vorsichtig erfühlen wir die Lücke.

Das Stück mit dem Elvis wurde zweifelsohne professionell und zielgerichtet aus dem Marmor herausgeschnitten. Mehr noch, der Dieb hat sich die Mühe gemacht, die Verkabelung der Musikanlage, die ebenfalls unter dem Marmor entlangführt, zu verschonen. Die Kabel scheinen in Ordnung zu sein.

»Die Kabel scheinen in Ordnung zu sein«, stelle ich also überflüssigerweise fest, und Mona sieht mich an. »Ja, die Kabel scheinen in Ordnung zu sein«, wiederholt sie mechanisch. »Das war es dann aber auch«, fügt sie einen Moment später düster hinzu. »Und eins steht fest: Mimi war das bestimmt nicht.«

»Du kannst mich in dieser Situation nicht einfach allein hier sitzen lassen, das ist ja wohl mal klar«, sagt Marnie nachdrücklich zu mir, als wir den Schock so weit verdaut haben, dass wir wenigstens wieder Luft holen können.

Ich seufze. Die Schärfe in ihrem Ton lässt nichts Gutes ahnen, aber sie hat ja recht. »Es tut mir so leid. Es geht nicht anders«, murmele ich hilflos. »Der Vertrag ist unterschrieben, ich muss da mitmachen. Ich muss, ich muss, ich muss. Und das hier konnte ja wirklich keiner ahnen. Bitte versteh das doch.«

Marnie schnaubt. »Weißt du was, Mona?«, keift sie, »ich verstehe überhaupt nichts mehr.« Wütend knallt sie ihre Faust auf den verbliebenen Teil des Tresens und trampelt aufgebracht in Richtung Kühlschränke. Dabei dreht sie mir demonstrativ den Rücken zu und fegt auf ihrem Weg noch schnell einen Aschenbecher von der Bar. Er landet klirrend auf dem Fußboden, zusammen mit schätzungsweise zwanzig Zigarettenkippen. Die Asche rieselt fast schon unverschämt tänzelnd in einer grauen staubigen Wolke lautlos hinterher und bedeckt das Chaos unter einer dämpfenden Schicht.

»Marnie …«, setze ich verzweifelt an, aber ich habe keine Chance.

»Nein, Mona!«, unterbricht Marnie mich laut und hebt abwehrend die Arme. »Ich verstehe dich nicht, und ich verstehe auch nicht, was ein anderer mit unserem Elvis will. Beziehungsweise, vielleicht verstehe ich es doch, denn es wurde ja dank dir publik genug gemacht, wie wertvoll er ist. Und das haben wir jetzt davon! Schönen Dank auch. Weißt du was? Dann verpiss dich doch auf dein bekloppptes Landcamp. Aber glaub ja nicht, dass du dich hier wieder blicken lassen kannst!«

Ich fasse es nicht.

»Moment«, sage ich scharf, »soll das heißen, dass du mir jetzt die Schuld daran gibst, dass der Elvis weg ist? Weil ich in Interviews darüber gesprochen habe?!«

Marnie funkelt mich aufgebracht an. In ihren Augen glänzen Wut und Tränen.

»Das kann nicht dein Ernst sein«, setze ich nach. »Ich habe das für *uns* getan. Für den Laden. Oder glaubst du, dass wir ohne Promotion hier jemals auf einen grünen Zweig kommen würden???«

»Und wie sollen wir *jetzt* auf einen grünen Zweig kommen, wo der Elvis weg ist?«, schreit Marnie. »Aber das kann dir ja egal sein! Du hast ja deine Schäfchen im Trockenen! Moderierst du halt irgendeine andere bekloppte Sendung. Was mit mir ist, ist dir ja egal. *Ich* habe meine Existenz für das hier aufgegeben, erinnerst du dich vielleicht?!«

Jetzt schlägt's aber dreizehn.

»Deine *Existenz*?!«, wiederhole ich fassungslos, und jetzt werde auch ich ein bisschen lauter.

Na ja, ein bisschen sehr lauter. »Marnie, du *hattest* keine Existenz!!!«, brülle ich. Am liebsten würde ich sie packen und schütteln, aber der Tresen ist im Weg, und so muss ich mich darauf beschränken, mich so gut es geht darüberzulehnen und sie mit ernsten Blicken zu fixieren. Dabei bleibe ich mit meiner Regenjacke an einer der Kanten im Elvis-Loch hängen. Der Stoff macht laut genug »ratsch«, um mich wissen zu lassen, dass er jetzt auch kaputt ist, aber das ist mir für den Moment mal egal.

»Du hattest dich nach deiner Arbeitslosigkeit gerade *versucht* selbständig zu machen! *Versucht*, Marnie! Mit einem *Zugehdienst* für andere Leute! Glaubst du, das wäre deine Erfüllung gewesen, oder was?! Außerdem bist *du* als Erste hier eingestiegen. Ich kam erst hinterher dazu, und du hast mir *angeboten*, mitzumachen. Weil du es nämlich ohne eine Teilhaberin gar nicht geschafft hättest. Schon vergessen???«

»Ja, genau«, brüllt Marnie zurück, »ich war zuerst da! Und deshalb hast du auch kein Recht dazu, mir das hier kaputtzumachen!«, und mit diesen Worten verschwindet sie schluchzend in der Miniküche. Als sie die Tür hinter sich zuknallt, fällt wieder einmal die darauf angebrachte Werbetafel von ihrem Nagel.

Scheiße, jetzt fange ich auch an zu heulen. Das passiert hier doch alles gerade nicht wirklich, oder?

»Frau Rittner?«, sagt jemand vorsichtig hinter mir, noch bevor ich überlegen kann, was ich als Nächstes tun soll. Ich drehe mich um. Im Eingang steht ein mir unbekannter Mann im Anzug und glotzt mich unverhohlen an. »Ich soll Sie abholen«, sagt der Mann unsicher, »›Land und Lust‹, Sie wissen schon.«

Ich nicke. »Ja, klar. ›Land und Lust‹, ich weiß schon«, sage ich resigniert, und dann folgen meine zerrissene Regenjacke und ich dem Diener des Teufels zu seinem Höllenexpress.

Der Höllenexpress ist ein pechschwarzer VW Phaeton vom Feinsten. Offenbar bemüht man sich, es uns wenigstens die letzten Meter vor dem Showdown noch bequem zu machen, schießt es mir durch den Kopf. Was für eine Ironie.

»Hat das mit dem Gepäck geklappt?«, erkundige ich mich schlapp beim Fahrer, und er nickt freundlich. »Alles dabei«, sagt er, und dann hält er mir die rechte hintere Tür auf. »Zwei Ihrer Weggefährten sind auch schon an Bord«, erklärt er mit mitfühlender Stimme, und ich beuge mich hinunter zum Innenraum des Wagens, um einzusteigen.

Oh Gott. Die Vorhölle hat einen Namen. Denn auf der Rückbank sitzt – Jacqueline Schnieder. Jawoll. Ausgerechnet! Ich bekomme sofort Sodbrennen auf den Augen.

»Hallo«, sagt Jacqueline Schnieder und verzieht ihre Schlauchbootlippen zu einem Lächeln. »Ich bin Schakkeline. Soll ich lieber noch ein Stückchen rücken?«, fügt sie dann hinzu, und ich kann überhaupt nicht einschätzen, ob das eine Anspielung auf meinen dicken Hintern sein soll oder ob sie vielleicht einfach nur nett sein will.

Ich denke noch darüber nach, da fällt mein Blick auf den Rückspiegel im Vorderraum des Wagens, an dem zwar unauffällig, aber für eine ehemalige TV-Redakteurin nicht unsichtbar eine kleine Fingerkamera angebracht ist.

Alles klar. Wir sind also schon jetzt unter Beobachtung. Ihr Schweine!

Ich beiße die Zähne zusammen und denke an meine guten Vorsätze, die ich mir in den vergangenen Tagen unablässig in den Schädel gehämmert habe: freundlich sein, fair sein, langweilig sein. Das ist mein Mantra für die nächsten Wochen. Und wieder: freundlich sein, fair sein, langweilig sein. Freundlich sein, fair sein, langweilig sein.

Nützt ja nichts. Also lächele ich Jacqueline Schnieder so fröhlich an, wie ich nur kann. »Danke, das ist nett«, sage ich, »ich bin Mona

Rittner«, und damit strecke ich ihr herzlich meine Hand hin. Jacqueline Schnieder ergreift sie völlig kraftlos. Irks! Ihre Hand fühlt sich an wie ein toter Fisch.

»Und ich bin Steven Dong«, sagt eine männliche Stimme vor mir, zu der sich im nächsten Moment ein mir und vor allem Lüttje wohlbekanntes Gesicht mit Strubbelhaaren und strahlend weißen Zähnen durch die beiden Vordersitze schiebt. »Schön, dich kennenzulernen«, sagt Steven Dong, »willkommen im Club der Gestörten«, und ich nicke und lächele ihn ebenfalls an. Steven Dong zwinkert mir verschwörerisch zu, bevor er sich wieder umdreht. Er scheint nett zu sein.

»Wollen Sie hier Wurzeln schlagen?«, herrscht Jacqueline Schnieder im nächsten Moment den Fahrer an. »Lassen Sie uns mal losfahren«, fügt sie hinzu, wieder ein wenig freundlicher, und dann lehnt sie sich zurück und trommelt mit den Fingern ungeduldig auf der Mittelkonsole herum. Ihre Fingernägel sind so lang, dass sie damit ohne weiteres ein kompliziertes Muster in das Leder des gesamten Innenraumes schlitzen könnte.

Nachdem sich der Wagen sanft schnurrend in Bewegung gesetzt hat, fahren wir durch die Präsident-Krahn-Straße in Richtung Bahnhof Altona, um von dort auf die Max-Brauer-Allee zu gelangen. Kurz vor dem Bahnhof sehe ich Eule, der vermutlich auf dem Weg in die »parallelwelt« ist.

Ach, was würde ich darum geben, die letzten Tage ungeschehen zu machen und jetzt einfach mit den anderen am Tresen sitzen zu können! Und mit dem Elvis! Fast kommen mir die Erlebnisse der vergangenen Stunde vor wie ein böser Traum. Aber sie waren kein Traum, sie sind wirklich passiert, und der Elvis ist weg, und ich kann nichts, aber auch wirklich gar nichts daran ändern.

Wenigstens ist Marnie gleich nicht mehr allein. Eule wird ihr beistehen. Guido hingegen hat sich noch nicht wieder bei mir gemeldet, auch nicht über das von ihm gestiftete Ersatzhandy, das ich jetzt aus der Tasche ziehe und auf Nachrichten überprüfe. Nichts. Ich seufze und versinke im Sitz der vorangleitenden Limousine. Schon lange habe ich mich nicht mehr so klein und hilflos gefühlt. Und vor allen Dingen so einsam.

Das hat sie jetzt nicht wirklich getan, oder? Mona hat mich nicht wirklich hier sitzengelassen. Das kann nicht sein!

Vorsichtig stecke ich den Kopf durch die Küchentür. Vielleicht will sie mich nur veräppeln und erschreckt mich gleich, indem sie plötzlich hinter dem Tresen auftaucht und »Buh!« schreit, denke ich, aber es passiert nichts. Die kleine Bar liegt ganz still da, nichts rührt sich. Ich schleiche vorsichtig durch den Durchlass in den Schankraum und schreite den Tresen auf Zehenspitzen vorsichtig von außen ab, aber da ist wirklich niemand mehr.

Mona ist weg. Mona ist weg, und der Elvis ist auch weg. Und ich habe wirklich keine Ahnung, was jetzt werden soll. Müde sinke ich auf einen Barhocker und lege meinen Kopf auf den Tresen.

Unsere Henkersfahrt verläuft zunächst in unsicherem Schweigen, das nach nur etwa drei Minuten von Jacqueline Schnieder unterbrochen wird.

»Schickes Outfit«, sagt sie zu mir, und diesmal klingt sie wirklich ein wenig herablassend, »deine Jacke ist kaputt.«

›Schicke Schlauchbootlippen‹, konstatiere ich in Gedanken, ›dein Gehirn ist kaputt‹, aber das sage ich natürlich nicht. Freundlich sein, fair sein, langweilig sein.

»Ach, das«, entgegne ich also beherrscht, »ja, ich weiß, bin eben am Tresen hängen geblieben.«

»Das ist dein Laden, oder?«, schaltet sich Steven Dong von vorn ein. »Ich hab davon gehört. Wollte immer mal vorbeischauen. Hab's aber nie geschafft.«

Oha. Wenn ich das Lüttje erzähle, die dreht durch. Aber damit muss ich wohl noch ein bisschen warten. Wenn ich denn die kommenden vier Wochen überhaupt überlebe!

»Na, das wird ja jetzt erst mal nichts«, entgegne ich und grinse schief.

»Jahaaa«, sagt Steven Dong, »aber wenn wir da wieder raus sind, dann, liebe Mona, dann! Darauf freue ich mich jetzt schon. Weiß von euch eigentlich jemand, wer der Vierte im Bunde sein wird?«

»Nein«, antworte ich wahrheitsgemäß, und Jacqueline Schnieder sagt gar nichts. Sie starrt angestrengt aus dem Fenster, während der Fahrer an den Landungsbrücken völlig unerwartet rechts auf den Brückenvorplatz abbiegt. Wir schweben ungewohnt sanft über das Kopfsteinpflaster, und ich wundere mich. Was sollen wir denn hier?!

»Wow!«, sagt Steven Dong, »wir fahren durch den Alten Elbtunnel! Gibt's ja nicht. Da bin ich seit Jahren nicht mehr durch!«

Und Tatsache. Langsam rollt unser Wagen an einen der Abfertigungsbeamten am Ende des Vorplatzes heran. Der Fahrer drückt durch das geöffnete Fenster ein paar Euro ab, bekommt im Gegenzug seine Durchfahrtsmarke, und wenig später steht der Phaeton bereits in einer der beiden altmodischen Liftkabinen, die uns gleich weit nach unten befördern und dann in den uralten gefliesten Tunnel entlassen wird, der so schmal ist, dass er nur eine Fahrtrichtung zulässt. Die Kabine setzt sich leicht quietschend in Bewegung, und dann sinken wir auch schon.

Ich bin beeindruckt. Die von TV3 denken wirklich an alles! Denn wenn man sich auch als Hamburger irgendwo in Hamburg nicht

84

auskennt, dann im Freihafen. Da hat man nämlich in der Regel als normaler Mensch nichts zu suchen, es sei denn, man arbeitet da zufällig oder wohnt dort auf einem Hausboot, und beides ist doch eher wenigen beschieden.

Klarer Fall: Wer sich hier nicht auskennt, der hat verloren – erst recht im Dunkeln. Die Straßen sehen alle gleich aus. Sie sind gesäumt von nichts anderem als Wiesen und Deich, völlig unberechenbar verlaufenden Zäunen, scheinbar wahllos abgestellten Containern, Kränen oder Lastfahrzeugen und kryptischen Hinweisschildern, auf denen »Schuppen 1–8« oder »Schuppen 64–72« steht, und wenn man aus Versehen mal falsch abbiegt, dann läuft man Gefahr, direkt im Hafenbecken zu landen.

Nachdem die alte hölzerne Kabine uns unterhalb der Elbe wieder ausgespuckt hat, tuckern wir schweigend durch den unwirklich erscheinenden Tunnel. So alt sie auch sein mögen, im Scheinwerferlicht des Phaeton vermögen die gefliesten Wände noch immer zu reflektieren und Glanz abzugeben, und ich komme mir vor wie in einem Film. Oder mehr noch – ich fühle mich wie in einer Schleuse, die die wirkliche Welt von einer anderen, ungewissen trennt, auf die wir jetzt unweigerlich zusteuern.

»Geschickt«, stellt auch Steven Dong fest, als der Tunnel uns schließlich in den Freihafen entlassen hat und wir wie erwartet kreuz und quer durch das Labyrinth gefahren werden, bis nur noch ein Mensch mit eingebautem Kompass wissen dürfte, wo wir gerade sind. »Also ich für meinen Teil habe jetzt komplett die Orientierung verloren.«

Der Fahrer lächelt. »Das ist ja Sinn der Sache«, sagt er. »Aber wir müssen leider noch einen Schritt weitergehen. Wenn ich Sie bitten dürfte, diese für die letzten Kilometer aufzusetzen?«, und damit reicht er uns Schlafbrillen, die mit dem Logo von ›Land und Lust‹ bestickt sind.

85

Jacqueline Schnieder quietscht vor Entsetzen, wahrscheinlich denkt sie an ihre sorgfältig aufgetürmte Frisur, und ich zeige der kleinen Kamera am Rückspiegel den Stinkefinger. Nur in Gedanken natürlich.

Wenig später sehen drei C-Prominente irgendwo in Deutschland so bekloppt aus wie nie, was den gemeinen Zuschauer ja in der Regel nur freut, und noch ein wenig später kommen sie irgendwo im Nirgendwo zum Stehen. Das Ziel ist erreicht.

»Willkommen auf Gut Schnathorst!«, krakeelt ein kleiner Mann mit einem Headset auf dem kugelrunden Glatzkopf und einem Klemmbrett vor dem Bauch. »Ich bin Randolf, euer Aufnahmeleiter, und das ist Kristin, eure Redakteurin.«

Kristin nickt uns huldvoll zu. Auch sie trägt ein Klemmbrett vor sich her, kommt aber nicht dazu, etwas zu sagen. Denn jetzt springt ein riesiger zotteliger Hund mit tropfenden Lefzen aufgeregt um uns herum und bellt, dass sich die Dachbalken biegen.

»Das ist Brutus«, klärt uns Randolf auf, »Brutus vom Burgbarg. Der Hofhund. Man stelle sich besser gut mit ihm.«

Aha. Ich lächele Brutus schüchtern an, und er fletscht die Zähne und knurrt zurück. Sehr sympathisch. Jacqueline Schnieder kiekst und flieht hinter Randolf, der ihr beruhigend auf die Schulter klopft. »Brutus ist ein Guter«, sagt er, »der will nur spielen. Man darf bei ihm eigentlich alles. Nur keine Angst zeigen, das macht ihn nervös. Und somit – hm – unberechenbar.«

»Na dann«, sagt Steven Dong, »Brutus, alte Möhre! Alles klar bei dir?«, und damit versetzt er dem Hund einen kräftigen Schlag in die Flanke, der daraufhin ein freundliches Lächeln aufsetzt und vor Steven erwartungsvoll »Sitz« macht. ›Steven Dong‹, notiere ich in meinem Hinterkopfregister, ›guter Mann.‹

Ich sehe mich vorsichtig um, was trotz der Dunkelheit einigermaßen gelingt, denn schließlich sind wir beim Fernsehen, und alles ist prima ausgeleuchtet.

Der Hof ist – nun ja. Ouhauerha. Ich als Renovierungsspezialistin würde sagen, er ist eine Ruine, aber genau das ist in diesem Fall wohl auch beabsichtigt. Das Haupthaus ist ein geduckter roter Ziegelbau, dem hier und da schon ein paar Dachpfannen fehlen. Die Lücken sind unregelmäßig mit Stroh gestopft. Die ehemals weiß lackierten Fenster blättern ab und lassen an einigen Stellen schieres, zersplittertes Holz erahnen. Die Gebäude, die links und rechts im vermutlich früher mal rechten Winkel daran anschließen, sehen nicht viel besser aus. Im Gegenteil, ihnen fehlen teilweise sogar ganze Wände, und um sie herum sieht es so aus, als hätte eine Raumstation versucht zu landen und wäre in tausend Teile gesplittert.

Seltsame rostige Maschinen und Maschinenteile, Futtereimer und Gerätschaften, Ziegelsteine, Metallschrott und Schläuche, alte Sanitärobjekte, verwitterte Holzpaletten, Säcke voller Sand und Dreck, dazwischen völlig vermoostes, bröckeliges Kopfsteinpflaster, zwei in sich zusammengefallene Wohnwagen, ein halbverrotteter Pferdehänger und wucherndes Unkraut – das alles vereint sich zu einer beeindruckenden Installation, die das Überqueren des Hofes zu einem lebensgefährlichen Hindernislauf machen dürfte.

»Gemütlich hier«, konstatiert Steven Dong.

Kristin grinst. »Wartet erst mal, bis ihr eure Zimmer seht«, sagt sie. »Aber vorher geht es zur Gepäckkontrolle. Bitte einmal hier entlang«, und dann führt sie uns rechts hinter den Gebäuden zu einer Wiese. Auf der stehen mehrere sehr neue und damit wie Fremdkörper wirkende Campingbusse, zwei Toilettenwagen sowie ein Ü-Wagen, der mit seinen ausgefahrenen Dachantennen wiederum so aussieht wie ein Spaceshuttle, das soeben vorbeigekommen ist, um die Trümmer der abgestürzten Raumstation zu begutachten.

Ich bin froh über meine Gummistiefel, denn das Gras hier ist nicht nur kniehoch, sondern auch nass und vermutlich voller Kuhfladen, und Jacqueline Schnieder hat auf ihren Pfennigabsätzen richtig viel Spaß. Jedenfalls flucht sie leise vor sich hin und quietscht ab und zu, wenn sie mal wieder kurz davor ist, sich auf die Nase zu legen. Aber irgendwie schafft sie es, auf den Beinen zu bleiben.

Vor einem der Wohnwagen fuchtelt eine ungefähr zwei Meter und zehn große Person, gegen deren feuerroten Haarturm Jacqueline Schnieders Kopfaufbau ein jämmerlicher Dreck ist, wild mit den Armen und schreit ohne Unterlass lauthals »juchhuuuu!«. Ob es sich dabei um einen Mann oder eine Frau handelt, kann ich nicht genau sagen, aber als wir näher kommen, erkenne ich, dass es sich um beides handelt.

Es ist Patsy de Luxe, Berlins – wenn nicht gar Deutschlands! – bekannteste Partytranse, wie immer im Glitzerkleid und auf High Heels, deren Anblick einen schwindlig macht. Ich freue mich wirklich darüber, ihn/sie zu sehen, denn Patsy ist ein Kracher. Wir kennen uns von ein paar dieser Roter-Teppich-Partys, und Patsy ist nicht nur absolut schillernd, sondern auch absolut bei sich, was man ja eigentlich erst mal gar nicht erwartet.

Ich bewundere an ihr vor allem die Gelassenheit, mit der sie sich selbst zum Affen macht und auch noch Spaß daran hat. Mit ihr gibt es immer was zu lachen, denn sie hat einen umwerfenden Humor und sieht selbst den größten Mist irgendwie positiv. Beneidenswert! Entgegen allem Gesundheitswahn ist sie bekennende Kettenraucherin (natürlich die ganz langen weißen, dünnen), und auch jetzt hängt ihm/ihr eine heruntergebrannte »Eve« im Mundwinkel. Ich glaube sogar, ich habe sie noch nie ohne gesehen.

»Na, mein Hase?«, raunt Patsy mir mit ihrer rauchigen Stimme ins Ohr und drückt mich kurz an sich, wobei mein Kopf sich ungefähr in Höhe ihres Bauchnabels befindet, »wer hätte das gedacht, dass wir uns hier wiedersehen, was?«

»Na, dann sind wir ja vollzählig«, resümiert Kristin eilig und klopft streng auf ihr Klemmbrett. »Also, dann hört mir mal zu. Regel Nummer eins: Diese Wiese ist, sobald wir gleich die Gepäckkontrolle abgeschlossen haben, für euch absolut tabu«, belehrt sie uns und fixiert uns streng. »Hier befinden sich die Wohnwagen der Redaktion und der Ü-Wagen mit der Regie, und ihr habt hier nichts zu suchen. Verstanden?«

Wir nicken eingeschüchtert.

»Regel Nummer zwei«, fährt Kristin fort, »schon bei der Gepäckkontrolle ist gleich eine Kamera dabei. Ab diesem Zeitpunkt müsst ihr davon ausgehen, dass ihr bei allem, was ihr tut, gesehen werdet. Es gibt offene Kameras, und es gibt versteckte Kameras. Geht also davon aus, nie unbeobachtet zu sein.«

›Wir haben euch übrigens auch im Auto schon gefilmt, aber das macht den Kohl ja auch nicht mehr fett‹, ergänze ich in Gedanken bitter.

»Bildmischer und Regie sitzen mit der Redaktion im Ü-Wagen. Es wird direkt gemischt und gesendet, ab heute jeden Abend um Viertel nach neun. In etwa« – Kristin wirft einen schnellen Blick auf ihre Armbanduhr –, »in etwa acht Minuten gehen wir zum ersten Mal on air. Sendezeit 45 Minuten netto, also bis Viertel nach zehn.«

»Das heißt also, wenn nicht gerade Viertel nach neun abends ist – den Rest des Tages wird das, was wir tun, zwar aufgezeichnet, aber nicht gesendet?«, fragt Patsy hoffnungsfroh.

Kristin lacht knapp auf. »Nun«, sagt sie, »das wäre ja ein bisschen zu einfach, oder? Wir haben zwar abends nur eine Sendestunde, aber darin können wir natürlich alles verbraten, was den Tag über so geschehen ist. Es gibt mehrere mobile Schnittplätze, wir werden tagsüber mit einer ziemlich großen Mannschaft nonstop Zusammenfassungen und Highlights produzieren. Und wir haben noch dazu die Möglichkeit, jederzeit live zu gehen – bei Bedarf auch außerhalb des Abendslots. Außerdem wird es natürlich im Nachhinein Best-Ofs geben, DVDs und was weiß ich, blabla, das kennt ihr ja alles. Vielleicht sogar eine 24-Stunden-Liveschalte auf irgendeinem Bezahlsender. Das ist aber noch nicht ganz raus, hängt von den Quoten der ersten Folgen ab.«

Na prima. Das hat Susa wohl im Vertrag überlesen. Oder verschwiegen. Jetzt ist es zu spät.

»Was ist mit aufs Klo gehen?«, piepst Jacqueline Schnieder panisch.

»Ausnahmen von Regel Nummer eins«, leiert Kristin herunter, »erstens: Die Tür zum Plumpsklo wird nur von außen gefilmt, drinnen seid ihr frei. Sofern man das ›frei‹ nennen kann, haha.«

Na bitte. Plumpsklo. Ich habe es ja geahnt. Trotzdem zucke ich unweigerlich zusammen, und Jacqueline Schnieder wird ganz grün im Gesicht. Obwohl, es könnte auch das Gras sein, das von ihrer sorgfältig geschminkten Haut reflektiert, denn soeben schleppt Randolf ächzend einen blendenden Monsterscheinwerfer über die Wiese und platziert ihn umständlich vor einem der Wohnwagen. Weil Randolf so klein ist, der Scheinwerfer so groß und das dazugehörige Kabel so lang, fällt ihm das Ding einmal fast auf den Kopf, weil er mit dem Fuß hängen bleibt, aber Kristin lässt sich davon nicht aus der Ruhe bringen.

»Zweite Ausnahme zu Regel Nummer eins«, doziert sie weiter: »Frühmorgens zwischen zwei und drei gibt es ein paar Minuten, in denen wir die Kameras zentral abschalten müssen für Wartungen, Neustarts, Festplattenwechsel und so weiter. Der genaue Zeitpunkt wird sich aber jede Nacht ändern. Und ihr werdet vermutlich nichts davon mitkriegen, denn um die Zeit werdet ihr schlafen, so müde, wie ihr sein werdet. Schließlich muss die Bruchbude hier auf Vordermann gebracht werden, und ihr habt ja gesehen, da ist einiges zu tun.«

Bitte was?!

»Bitte was?«, krächze ich. »Wie – auf Vordermann gebracht werden? Ich dachte, es geht um den Alltag auf dem Hof? So Tiere füttern, Feldarbeit und so was?«

Kristin lacht erneut. »Ja, *auch*«, antwortet sie, und die Betonung, die sie dabei auf das »auch« legt, gefällt mir gar nicht. »Aber eben nicht nur. In vier Wochen soll die Hütte hier in neuem Glanz erstrahlen. Frau Rittner, gerade Sie kennen sich doch mit so was aus, gell? Was glauben Sie, warum TV3 Sie hier sehen will? Hier können Sie sich beweisen. Sie wissen ja, worum es geht. Und Frau Schnieder weiß das ja sicherlich auch«, ergänzt sie süffisant.

Ich schlucke, während sich in meinen Gehirnwindungen die Synapsen überschlagen.

So läuft der Hase also, denke ich erschüttert. Das hier ist nichts anderes als ein Stechen um die Moderatorenposition bei »Renovieren Um Vier«! Und zwar nicht nur unterschwellig, sondern mindestens halboffiziell. Wenn nicht sogar ganz, ganz, ganz offiziell! Wenn die Redakteurin schon davon weiß – dann wissen es vermutlich alle. Ich fasse es nicht! Worauf habe ich mich da nur eingelassen?

Angestrengt sehe ich zu Jacqueline Schnieder und versuche, in ihrem Gesicht zu lesen. Sie erwidert meinen Blick aus zusammengekniffenen Augen. Dann zieht sie eine Augenbraue hoch. Fast so, als wolle sie sagen: ›So, jetzt ist es raus. Also zieh dich warm an. Ich bin vorbereitet!‹, und im nächsten Moment strahlt sie mich wieder an, als wäre nichts gewesen. Aber irgendwie kaufe ich ihr das nicht ab.

Alles klar, denke ich. So ist das also. Der Kampf ist eröffnet. Ab in den Ring. Wie ich so etwas hasse!

Und was ist mit Patsy und Steven? Wissen sie, worum es hier geht? Werden auch sie als Moderationskandidaten für »Renovieren Um Vier« gehandelt? Im Moment tragen sie beide eher ein nichtssagendes Pokerface. Interessiert, aber unaufgeregt. Es könnte also sein, es könnte aber auch nicht sein. Ich werde es herausfinden müssen.

»Regel Nummer drei«, fährt Kristin fort, »ihr könnt euch jederzeit persönlich an das Publikum wenden oder an Daheimgebliebene, denen ihr etwas sagen wollt. Dazu nehmt ihr bitte oben auf dem Misthaufen Platz, den wir dafür hinter dem Schweinestall präpariert haben. Die Kamera dort läuft twentyfour-seven. Das ist sozusagen eure Meckerecke. Da könnt ihr euch auch mal über die anderen auskotzen«, fügt sie hinzu.

›Beziehungsweise, eigentlich *sollt* ihr das sogar‹, ergänze ich in Gedanken, ›denn erst Konflikte machen's schließlich spannend.‹ Prüfend sehe ich Jacqueline Schnieder an, aber sie zeigt keine erkennbare Reaktion.

»Regel Nummer vier und damit auch die letzte Regel«, resümiert Kristin, »unser offizieller Medienpartner ist die ›Boulevard‹. Bei besonderen Gegebenheiten behalten wir uns vor, diesem Medienpartner Interviews mit euch zu gewähren. Hierzu seid ihr verpflichtet. Alle anderen Medien sind erst freigegeben, wenn abgedreht ist. Aber das ist eigentlich auch erst mal egal, ihr werdet ja eh keinen Kontakt zur Außenwelt haben. Handys her, bitte«, und damit streckt sie uns erwartungsvoll ihre Hand entgegen.

Seufzend greifen wir in unsere Taschen und kramen unsere Telefone hervor. Mein Display zeigt noch immer keine neuen Nachrichten an. Na ja, von wem auch. Der Zug ist ja wohl erst mal abgefahren.

»Ach ja, und noch was: Rauchen ist auf dem gesamten Gelände streng verboten. Brandgefahr.« Patsy lässt maulend ihre eh schon abgebrannte Kippe ins Gras fallen. »So, dann geht's zur Gepäckkontrolle«, verkündet Kristin anschließend und winkt uns an sich vorbei in einen der Wohnwagen. »Hier entlang, bitte. Und immer schön zusammenbleiben.«

Ich hebe erst wieder den Kopf, als jemand durch die Tür kommt. Es ist Eule. Zum Glück.

»Was ist denn mit dir los?«, fragt er. »Du befindest dich auf der falschen Seite des Tresens, schon gemerkt?« Eule legt mir die Hände auf die Schulter, dreht mich mitsamt des Barhockers zu sich herum und sieht mich prüfend an. »Hee! Du weinst ja! Was ist denn passiert?«

Ich schniefe und weise mit dem Kopf in Richtung Musikecke. »Der Elvis ist weg«, schluchze ich. »Der Elvis ist weg. Irgendjemand hat ihn geklaut, und Mona hat sich auch einfach aus dem Staub gemacht.«

Ich erzähle Eule, was sich in der vergangen Stunde ereignet hat, und darüber muss ich schon wieder heulen. Eule hört mir nachdenklich zu, dann sieht er mir fest in die Augen und nimmt meine Hände.

»Jetzt pass mal auf, Marnie«, sagt er. »Das ist alles gar nicht schön. Aber wir finden eine Lösung. Später. Okay? Wichtig ist jetzt erst mal, dass wir diesen Abend überstehen. Es ist fast acht, es ist Freitag, und es wird bestimmt voll. Wenn wir das hinter uns haben, dann überlegen wir gemeinsam weiter, in Ordnung?«

Ich nicke schniefend. Eule ist so vernünftig, und es stimmt ja. Es nützt alles nichts, the show must go on, so ist es nun mal, gerade in der Gastro. Gemeinsam machen wir uns daran, den Laden für die Nacht vorzubereiten, und die routinemäßige Arbeit beruhigt mich ein wenig.

Aber ausnahmsweise hat Eule heute mal nicht recht. Es wird nicht voll. Ganz und gar nicht! Als die vierte Gruppe von etwa fünf oder sechs Leuten den Laden enttäuscht, ohne etwas zu trinken zu bestellen, wieder verlassen hat, weil der Elvis nicht da ist, breche ich erneut in Tränen aus. »Er wird doch nur gereinigt«, rufe ich den Gästen jedes Mal noch verzweifelt hinterher, »nächste Woche ist er wieder da!«, aber da sind sie schon abwinkend aus der Tür und laufen wieder hoch zum Bahnhof, um den nächsten Zug in Richtung Reeperbahn zu nehmen.

Es ist ein Trauerspiel. Und es ist Freitag. Die Leute wollen Party, und wir haben ihnen nichts zu bieten. »Das ist unser Todesurteil«, schluchze ich, »das wird jetzt immer so weitergehen. Und in zwei Wochen sind wir pleite!«

»Gut«, sagt Eule knapp und sieht auf die Uhr. Es ist kurz vor zehn. Normalerweise platzt der Laden an einem Freitag um diese Zeit schon aus allen Nähten. »Also. Action«, murmelt er, und dann hängt er sich an sein Mobiltelefon, weil das Festnetz noch immer nicht wieder nach draußen funktioniert, und ruft unsere Stammgäste an. Jedenfalls die, von denen wir die Nummer haben. Die, von denen wir die Nummer nicht haben, lässt er über eine Art Telefonkette von den anderen informieren, und fasziniert beobachte ich ihn dabei, wie er in Nullkommanix ein geheimnisvolles »Rettungskommando ›pwelt‹« auf die Beine stellt.

Irgendwie erinnert mich das alles gerade doch sehr an damals. An die aufregende Zeit, als ich überhaupt erst auf die bekloppte Idee gekommen war, dieses vermaledeite, aber liebenswürdige schummrige Ecklädchen vor der vermeintlichen feindlichen Übernahme durch eine genormte amerikanische Kaffeekette zu retten. Und als Eule mir dabei, ohne zu zögern, zu Hilfe gekommen ist.

Ich lächele wehmütig, als ich daran denke, wie wir gemeinsam um den Erhalt der kleinen Bar gekämpft haben, mit lauteren und manchmal auch mit unlauteren Mitteln – und vor allem ohne zu ahnen, dass es eigentlich Mona war, gegen die wir antraten. Auch sie und ihre Clique wollten verhindern, dass sich der blöde Kaffeeladen einnistet, aber es hat nun mal ein bisschen gedauert, bis Mona begriffen hatte, dass ich gar keine Kaffeekette bin. Sondern im Gegenteil die kleine Bar genauso erhalten wollte, wie sie ist.

Ich muss lachen, als mir wieder einfällt, wie Mona und ihre gewitzte Eingreiftruppe damals die Wiedereröffnungsvorbereitungen sabotiert haben. Du liebe Güte, ich war kurz vor dem Nervenzusammenbruch! Aber ich habe durchgehalten, nicht zuletzt dank Eules Unterstützung. Und letztendlich habe ich zwar das Rennen gemacht. Aber sich mit Mona zusammenzutun, nachdem klargeworden war, dass sie und ich im Grunde das gleiche Ziel verfolgten, das war nur noch ein kleiner logischer Schritt, und es schien mir damals ganz selbstverständlich, ihr nach Aufklärung der gesammelten Missverständnisse die Teilhaberschaft anzubieten.

Mittlerweile sind unsere beiden Cliquen quasi ineinander aufgegangen, und aus den ehemaligen Feinden ist eine eingeschworene Gemeinschaft geworden, in der es fröhlich kreuz und quer geht und die in der ›parallelwelt‹ eine gemeinsame Heimat gefunden hat.

Oje. Ist das alles wirklich erst ein paar Monate her?! Und war es wirklich die richtige Entscheidung, gemeinsame Sache mit Mona zu machen?

Für den Moment weiß ich es nicht. Was ich aber mit Sicherheit weiß, ist, dass Eule ein Sechser im Lotto ist, das wird mir gerade mal wieder sehr klar. Und diese Erkenntnis in Kombination mit der Gewissheit, dass dieses Goldstück seit der Wiedereröffnungsparty auch noch mein fester Freund ist, hebt meine Stimmung plötzlich ungemein.

Entschlossen straffe ich die Schultern und beschließe, mich erst mal im Keller nützlich zu machen, solange mir der leere Laden noch die Möglichkeit dazu gibt. Alles wird gut, sage ich zu mir selbst, während ich mir zwei Bierkisten greife und hinuntergehe, um das Leergut wegzusortieren.

Der Elvis-Dieb soll sich mal warm anziehen. Aber ganz warm. Jawoll! Wir werden ihn schon schnappen, das schwöre ich. So wahr ich Marnie Hilchenbach heiße.

»Gleich ist die Hütte voll«, verkündet Eule grinsend, als ich wenig später wieder oben bin. »Die meisten haben noch die erste Folge von ›Land und Lust‹ geguckt, aber bald schlagen sie hier auf.«

»Ach du Scheiße«, entfährt es mir, »das wird heute schon ausgestrahlt?!« Ich sehe auf die Uhr. Kurz vor halb elf. »Oh nein«, jammere ich, »wir haben es verpasst!«

Ich mag zwar so sauer sein auf Mona, wie es nur eben geht, aber wie sie sich auf dem Bauernhofcamp schlägt, interessiert mich zugegebenermaßen doch sehr.

Eule winkt ab. »Keine Aufregung. Susa hat's natürlich aufgenommen«, informiert er mich. »Sie bringt das Tape gleich mit. Wir können's sogar hier nachher noch auf den Beamer werfen, wenn du willst.«

»Woran denkst du eigentlich nicht?«, frage ich Eule dankbar, und er grinst mich an.

»An Sex zum Beispiel«, antwortet er. »Ich denke, dazu werden wir erst mal nicht kommen.« Im selben Moment schlägt der Vorhang im Windfang Beulen, und durch ihn hindurch stürzt das wildeste Dreigestirn Altonas direkt an den Tresen: Rocko, Thomas und Steueraddi wollen wissen, was los ist. Dazu wollen sie einen Schnaps. Und das ist erst der Anfang.

Eine halbe Stunde später ist die »parallelwelt« zwar nicht voll, aber jeder Tresenplatz ist besetzt und teilweise auch die Bänke vor den

96

großen Fenstern. Fast alle, die Eule angerufen hat, sind gekommen. Berit und Bernd sind natürlich gemeinsam am Start, Lüttje hat Susa im Schlepptau. Nach Rocko, Thomas und Steueraddi stürmen auch noch Alf, der Friseur, und der griesgrämige Manni herein. Bobo Attila Boizenburg, der klitzekleine Maskenbildner von Mona, stemmt mit seinen Miniaturärmchen schon das zweite Bier, angefeuert von ein paar der »Renovieren Um Vier«-Handwerker samt Redaktionskollege Mags. Eske und Behnke junior haben nicht nur Monas alten Freund Jan, sondern auch Minze aus ihrem Schrebergarten mitgebracht und bestellen Mojito. Der Einzige, den ich vermisse, ist Guido, aber in dem Moment, wo es mir auffällt, habe ich es auch schon wieder verdrängt.

Alle reden durcheinander, denn natürlich haben sie längst entdeckt, dass der Elvis weg ist, und die Aufregung ist groß. Der Lärmpegel ist höher als an einem ausgebuchten Tanzfreitag, und Eule und ich kommen kaum dazu, unsere Gäste überhaupt erst einmal zu versorgen, weil jeder uns in die Drinks quasselt und wissen will, was passiert ist.

Irgendwann reicht es Eule, und er klettert kurzerhand auf eine der Bänke und klatscht laut in die Hände. Ich lasse die Bierflasche, die ich mir gerade selbst kredenzen will, sinken und wische mir die Hände an meiner Schürze ab.

»Also okay, Leute«, ruft Eule, »jetzt hört mal zu!«

»Ausziehen!«, grölt Rocko, und alle lachen. Eule stemmt die Arme in die Hüften und wartet geduldig ab, bis die Meute sich beruhigt hat. Er kennt ja seine Pappenheimer.

»Ausziehen ist ein gutes Stichwort«, sagt er dann laut, »beziehungsweise eher – abziehen, wenn man so will. Ihr habt es ja alle gesehen: Jemand hat unseren Elvis aus dem Tresen geklaut.«

Nöliges Gemurmel im Hintergrund. »Schön fein säuberlich ausgesägt«, fährt Eule fort. »Für die pwelt ist das eine Katastrophe. Ihr seht es ja: Wenn ihr nicht da wärt, der Laden wäre leer. Und wenn wir unsere Gäste demnächst jedes Mal vorher persönlich anrufen müssen, bevor sie herkommen – na ja. Dass das nicht geht, ist ja wohl klar.«

Für einen Moment herrscht in der Runde betretenes Schweigen, nur Manni rülpst vernehmlich, worauf er von Thomas direkt einen übergezogen bekommt.

»Habt ihr die Polizei geholt?«, ruft Jan von hinten. »Haben die sich das schon angesehen?«

Polizei! Ich zucke innerlich zusammen. Mist! Stimmt ja, das tut man in solchen Fällen, und zwar unverzüglich. Daran habe ich noch überhaupt nicht gedacht. Wir hätten sie längst rufen müssen! Oh nein. Was, wenn wir die Spuren, die der Einbrecher hinterlassen hat, schon längst zerstört haben?!

Ich sehe zerknirscht zu Eule. Er versteht meinen Blick und hebt beschwichtigend die Hand. »Nein«, antwortet er ruhig, »das haben wir noch nicht. Die Frage ist auch, ob wir das wirklich wollen.«

»Meistens bringt das eh nix«, ruft Torben in den Raum, »ich spreche da aus Erfahrung«, und wieder lachen alle.

Torben ist für seine Aversion gegen Polizisten bekannt, denn er war früher in der Hamburger Hausbesetzerszene aktiv. Am liebsten erzählt er die Geschichte, als die Hamburger Polizei sich an einem Demo-Wochenende Verstärkung aus Hannover und Bremen holte, zu Zeiten, als es selbst bei der Polizei noch keine Navigationsgeräte gab, was ihr diesen Einsatz erheblich erschwerte. Ein Sonderkommando der Besetzer hatte nämlich in einer Nacht-und-Nebel-Aktion im Schanzenviertel und drumherum sämtliche Straßenschilder ausgetauscht, und so trabten zwei völlig verirrte ortsfremde Hundertschaften stundenlang im Kreis und an überraschten Vierteleinwohnern vorbei, um ihnen hinter ihren Schutzschilden im Vorbeilaufen ein »Wo geht's denn hier zur Feldstraße?!« zuzuröcheln. Die Hausbesetzer hörten derweil den verzweifelten Polizeifunk ab (»Alster an Leine, Alster an Leine, wo zum Teufel bleibt ihr denn?« – »Leine an Alster, Leine an Alster, momentan stehen wir an der Kreuzung Weidenallee Ecke Hafenstraße.« – »Ähm, Entschuldigung, Alster an Leine, aber diese Kreuzung gibt es überhaupt nicht!«) und lachten sich schlapp.

Als Torben mir die Geschichte zum ersten Mal erzählt hat, konnte ich sie gar nicht so richtig glauben. »Aber das ist doch bestimmt total kompliziert – so Straßenschilder austauschen«, warf ich skeptisch ein, aber Torben schüttelte nur den Kopf und sagte: »Nee, überhaupt nicht. Brauchst nur'n Zehnerschlüssel. Zehnersechskant, und dann ist gut«, und damit wandte er sich wieder seinem Bier zu. Manchmal habe ich den Eindruck, dass Handwerker irgendwie das bessere Leben haben.

»Na ja«, sagt Eule jetzt, »die Frage ist tatsächlich, ob es uns was bringt, die Polizei zu holen. Dem Ruf des Ladens würde es nicht unbedingt helfen, das steht fest. Irgendwas sickert da immer durch.«

»Aber versicherungstechnisch!«, wirft Susa ein. »Versicherungstechnisch ist das superwichtig. Ohne Aktenzeichen kein Schadenersatz!«

»Ohne Versicherung kein Schadenersatz«, korrigiere ich kleinlaut, und alle Köpfe drehen sich zu mir.

»Wie – ihr seid hier nicht versichert?!« Susa starrt mich ungläubig an. Ich schüttele den Kopf und beiße mir auf die Lippen.

Okay, okay, ich hab nicht dran gedacht. Ich hab's vergessen. Es war auf meiner Liste, ganz am Anfang, daran kann ich mich dunkel erinnern. Aber was sollte man hier auch großartig versichern? Der Laden war so was von rott, da gab es nichts zu versichern! Und nachdem wir ihn dann hergerichtet hatten, da – ja, da hab ich's in dem ganzen Stress halt irgendwie verpeilt.

»Oh nein«, stöhnt Susa, »das lass mal nicht Mona hören! Die hat ein paar tausend Euro in die neue Musikanlage hier gesteckt!«

Zerknirscht zerpflücke ich eine Papierserviette zwischen meinen Fingern. Ja, ich hätte wirklich dran denken müssen, das gebe ich zu. Ich ächze, als mir im selben Moment das Gespräch mit unserem Vermieter Kurt von Schlasse wieder durch den Kopf schießt. »Dieses Stück Marmor hier, Frau Hilchenbach«, höre ich wieder seine tiefe Stimme, »dieses Stück Marmor mit dem Elvis darin, das ist Ihre Versicherung für diesen Laden. Damit steht und fällt alles. Passen Sie gut darauf auf!«

Oh Mann. Was für eine Ironie! Jetzt haben wir weder die eine Versicherung noch die andere. Das muss man erst mal schaffen – sich seine Versicherung klauen lassen, obwohl man eigentlich gar keine abgeschlossen hat. Na bravo. Und von Schlasse wird sicherlich alles andere als erfreut sein. Das kommt noch dazu. Ich seufze.

»Moment«, wirft Eule ein, »jetzt mal halblang. Natürlich ist es blöd, hier keine Versicherung zu haben. Klar. Holen wir nach. Aber Fakt ist doch, dass uns keine Versicherung den ideellen Schaden ersetzen würde. Ich meine, dieses Stück Marmor, das ist vielleicht ein paar hundert Euro wert. Wenn überhaupt. Hier geht es aber doch um was ganz anderes. Um den Mythos! Um die Umsätze, die das Ding generiert. Und die ersetzt uns keine Versicherung.«

»Da hat er recht«, murmeln die anderen zustimmend, und plötzlich brüllt Steueraddi völlig unvermittelt: »Wir müssen das selber in die Hand nehmen! Wir müssen den Elvis suchen! Wir brauchen ihn hier!«, und dann reckt er die Faust in die Luft und schreit kämpferisch: »Und wir werden ihn finden!!!« Für einen Moment herrscht Stille, und dann bricht ein siegessicherer Tumult los wie zuletzt unter den Galliern und Römern bei »Asterix und Obelix«.

»Wir werden ihn finden!!!«, schreien alle, und dann klatschen sie sich ab und ballen ihre Fäuste und schütteln sie in der Luft, und sogar Bobo Attila Boizenburg hüpft entzückt unter seinem Barhocker auf und ab, bevor er von Seppl auf der Spitze eines Cowboystiefels hochgehoben und ausgiebig gedrückt wird, wobei Bobos Füße ungefähr auf der Höhe von Seppls Knie baumeln.

Ich beobachte das Treiben fassungslos, und mir schießt schon wieder das Wasser in die Augen – aber diesmal nicht aus Verzweiflung, sondern aus Rührung. Eule verschränkt derweil die Arme vor der Brust und sieht von seinem Stehplatz auf der Bank befriedigt auf das Chaos hinunter. »So will ich euch sehen«, nickt er, und dann serviere ich erst mal eine Runde Schnaps, bevor wir uns an eine Strategie machen. In der Lokalrunde Dirty Harry landen zwar ein paar heimliche Krokodilstränen, aber sie sind voller Hoffnung.

Mit dieser Mannschaft im Hinterhalt wird bestimmt alles wieder gut. Es muss einfach!!! Und wenn jemand schon am eigenen Leib erlebt hat, was dieser Teufelstrupp mit vereinten Kräften alles auf die Beine zu stellen vermag, um jemand anderem das Leben schwerzumachen und sein Ziel zu erreichen, dann ja wohl ich. Aber diesmal stehe ich auf der anderen Seite. Auf der richtigen. Und gemeinsam werden wir uns den Elvis zurückholen. Wenn wir nur schon wüssten, von wo!

Eine Stunde später steht ein ausgefeilter Schlachtplan. Er sieht wie folgt aus:

Rocko, Thomas, Steueraddi und Manni werden die Eingangstür, die Kellertüren sowie die Tür zum Treppenhaus akribisch auf Einbruchsspuren untersuchen. Manni ist dafür prima geeignet, denn er hat mal bei einem Schlüsseldienst gejobbt und kennt sich mit Schlössern aus, und Rocko besitzt aus seiner Kindheit noch einen alten Detektivkoffer, mit dessen Utensilien man angeblich sogar Fingerabdrücke nehmen kann, was uns vermutlich nicht wirklich weiterhelfen wird. Aber die vier sind dermaßen eifrig bei der Sache, dass solch vernunftgesteuerte Einwürfe wohl nur Schaden anrichten könnten, und ich nenne sie von jetzt an nur noch »TKKG«.

Susa und Lüttje, beide begeisterte Onlineauktionärinnen, werden eBay und sämtliche anderen Internetauktionen daraufhin beobachten, ob der marmorne Elvis irgendwo zum Verkauf angeboten wird; gleichzeitig werden Alf und Bobo am Wochenende die Hamburger Flohmärkte abklappern.

Berit und Bernd als unauffälliges, biederes und somit vertrauenswürdiges Paar werden dazu verdonnert, die Nachbarn zu befragen, ob ihnen in der Nacht von Donnerstag auf Freitag irgendetwas aufgefallen ist.

Eske und Behnke junior bieten an, die Legende des marmornen Elvis unter Zuhilfenahme des modrigen Zeitungsartikels aus der Küche noch einmal detaillierter unter die Lupe zu nehmen. Sie sind dafür genau die richtigen, denn Eske ist als Talkshowredakteurin absolut recherchesicher, und Behnke junior hat als Sohn einer alteingesessenen hanseatischen Immobilienmaklerdynastie alle notwendigen Kontakte zu Archiven und Behörden.

Jan und Mags bekommen aufgetragen, sich in die Elvis-Presley-Fanszene einzuschleusen und kurzfristig herauszufinden, wo sich fanatische Sammler herumtreiben und wo mit den entsprechenden Devotionalien gehandelt wird. Und Eule soll gemeinsam mit den Handwerkern versuchen, eine Kopie des verschwundenen Tresenstückes zu erstellen, die uns so lange über Wasser zu halten vermag, bis das Original zurückgekehrt ist.

Und ich? Tja. Ich werde dazu verdonnert, Kurt von Schlasse zu informieren und noch dazu ein wenig auszuquetschen, denn vielleicht weiß er, wer hinter dem marmornen Elvis her sein könnte. Ich kann nicht behaupten, dass ich mich auf diese Aufgabe freue. Aber es muss ja auch ein bisschen wehtun.

Die Gepäckkontrolle findet in einem Zelt hinter den Campingbussen statt, in dem unsere Koffer und Taschen schon fein säuberlich auf Biertischen ausgelegt auf uns warten. Es muss sich um das Cateringzelt der Produktionsmannschaft handeln, denn darin stehen sogar zwei Kühlschränke, und daneben stapelt sich Geschirr, während auf einer Art Tresen ein paar traurige Käseschnittchen ihre vertrockneten Enden in die Luft strecken.

Kaum haben wir das Zelt betreten, stürzen aus dem Halbdunkel zwei Kameramänner samt ihrer Assistenten auf uns zu und laufen so dicht vor beziehungsweise neben uns her, wie es nur eben geht. Die Kopflichter blenden mich. Instinktiv versuche ich mein Gesicht und insbesondere meine Augen zu schützen, aber es nützt nichts, es gibt kein Entrinnen. Über uns schweben die Tonangeln mit den puschelüberzogenen Mikrofonen wie Damoklesschwerter.

Hinter den Biertischen stehen vier Leute, vermutlich weitere Redakteure, und winken uns zu sich heran. Der für mich zuständige Aufpasser stellt sich mir kurz als Mattes vor und bittet mich dann, meine Koffer und Taschen zu öffnen. Schweren Herzens leiste ich seiner Anordnung Folge, und zwei Minuten später hält Mattes grienend meine monströse Bauch-weg-Hose in die Linse einer Kamera.

Mir schießt vor Peinlichkeit alles Blut in den Kopf, das ich habe. Ich würde am liebsten auf der Stelle im Boden versinken, während der Kameramann so lachen muss, dass das Bild vermutlich komplett verwackelt ist, aber sie werden es trotzdem senden, da bin ich mir sicher. Jacqueline Schnieder legt derweil aufreizend langsam ihre minikleinen, durch den Aufpasser aufgewühlten Spitzenhöschen wieder zusammen.

103

Ich fass es nicht, echt. Aber tun kann ich natürlich nichts. Freundlich sein, fair sein, langweilig sein, bete ich mir vor. Und wieder: freundlich sein, fair sein, langweilig sein. Grrrr. Wie soll ich das bloß durchhalten?! Mein einziger Trost ist, dass Jacqueline ihren Kosmetikkoffer zurücklassen muss, der in etwa so groß ist wie das Gepäck einer vierköpfigen Familie bei der Auswanderung irgendwohin, wo man sich nicht sicher sein kann, ob es dort Geschäfte gibt.

Patsy hingegen darf ihren Kosmetikkoffer behalten. Denn im Gegensatz zu Jacqueline Schnieder gibt Patsy ganz offen zu und zieht sogar ihre Daseinsberechtigung daraus, eine reine Kunstfigur zu sein, und als solche auch in den nächsten Wochen nicht demontiert zu werden, dafür hat Patsy offenbar im Vorfeld gesorgt. Jacqueline Schnieder hingegen hat meiner Meinung nach keine wirkliche Daseinsberechtigung. Wo kommt die eigentlich her?

Zugegeben, immerhin behält sie die Fassung und macht gute Miene zum bösen Spiel, als der zuständige Aufpasser ihr rigoros den Koffer aus den Händen reißt, an den sie sich klammert wie eine Ertrinkende an den Rettungsring. Selbst ihre Klauen nützen ihr dabei nichts; schließlich und endlich macht es einmal kurz »flapp«, und dann ist Jacqueline Schnieder nicht nur den Kosmetikkoffer los, sondern auch zwei ihrer Kunstfingernägel, von denen einer in einer Salatschüssel landet und ein anderer im geöffneten Koffer von Steven Dong. Aber dieser Umstand wird den Fernsehzuschauern wohl verborgen bleiben, denn just in diesem Moment kommt völlig unerwartet ein kläffender Brutus vom Burgbarg in das Zelt geschossen und verbeißt sich knurrend und sabbernd erst im Bein, dann im Mikrofonpuschel eines Kameraassistenten.

Das sich anschließende Durcheinander ist groß, und so fällt es nicht weiter auf, dass ich es in der Zwischenzeit wenigstens schaffe, eine Minireiseflasche Haarspray aus meinem eigenen konfiszierten Gepäck zu retten und mir in meine zerrissene Regenjacke zu stecken.

Wer weiß, wofür ich sie noch gebrauchen kann. Mit Zahnpasta allein kommt man ja auch nicht unbedingt weiter. Außerdem schaffe ich es, wenigstens meine Armbanduhr wieder an mich zu nehmen. Sorry, aber so viel Zivilisation muss sein.

Nach der Gepäckkontrolle dürfen wir unsere verbliebenen Habseligkeiten endlich in unsere Zimmer schleppen. Ach was, Zimmer. Was sage ich! Kammer oder gar Zelle trifft es eher, und natürlich müssen wir uns jeweils zu zweit eine solche Kammer teilen, ich mit Schakkeline, Steven mit Patsy de Luxe. Die Decke im Obergeschoss ist so niedrig, dass Patsy nach den vier Wochen vermutlich einen Buckel haben wird, und die Schrägen in den Kammern machen das nicht unbedingt besser. Ich glaube nicht, dass Patsy sich im Bett überhaupt aufrichten kann. Die Betten sind altmodische Holzgestelle mit Strohmatratzen, und unter ihnen steht doch tatsächlich ein Pinkelpott, den der uns begleitende Kameramann natürlich erst mal publikumswirksam als Close-Up ins Visier nimmt.

»Iiiiih«, macht Jacqueline Schnieder angewidert, woraufhin Kristin lacht und sagt: »Ihr werdet noch froh sein, dass ihr das Ding habt für nachts. Das Plumpsklo ist von hier aus nicht gerade um die Ecke.«

»Das wird dann aber nicht gezeigt, oder?«, schaltet sich Steven mit Blick auf die beiden Kameras ein, die links und rechts oben in den Dachbalken beider Kammern Wache halten und an denen ein kleines Rotlicht signalisiert, dass sie selbstverständlich längst Dienst tun.

Kristin geht auf Stevens Frage nicht weiter ein, also wiederholt Patsy sie noch einmal. »Haallooo! Das wird dann aber nicht gezeigt, oder?!«, beharrt sie schon leicht verärgert, während ich mich in der Kammer weiter umsehe. Ich suche nach einem Lichtschalter, aber ich finde keinen, und auch eine Lampe ist weit und breit nicht in Sicht; da steht lediglich eine Kerze auf dem Waschtisch. Kristin rea-

105

giert wieder nicht auf die ihr gestellte Frage; stattdessen führt sie Jacqueline den Waschtisch vor, die so tut, als würde es ihr überhaupt nichts ausmachen, noch nicht mal einen Spiegel zu haben.

Ich grinse, denn ich glaube, ich weiß, weshalb Kristin zur Problematik der nächtlichen Klogang-Übertragungsproblematik so beharrlich schweigt. Schließlich bin ich selbst mal Fernsehredakteurin gewesen. Ha! Ich bedeute Steven und Patsy mit den Händen, dass sie ihre Klappe halten und nicht weiter nachhaken sollen, indem ich die typische »Kopf ab«-Bewegung mache und mir den Zeigefinger auf die Lippen lege. Steven und Patsy sehen mich erstaunt an. »Später«, formuliere ich lautlos mit den Lippen.

Als wir wenige Momente später im Entenmarsch über die halsbrecherische Holztreppe zurück ins Erdgeschoss der baufälligen Kate klettern, nutze ich meine Chance. »Nachts ist nicht genug Licht in den Kammern«, zische ich Patsy ins Ohr. »Da können die höchstens schemenhaft aufzeichnen, für was anderes sind die Kameras nicht gut genug. Der Ton wird zwar funktionieren, aber ein sendefähiges Bild gibt das nur, wenn sie uns einen Kameramann mit Kopflicht zur Seite stellen!«

Patsy beißt sich wissend auf die Lippen und grinst. »Verstehe«, zischt sie zurück. »Das heißt, nachts so gut wie unbeobachtet! Das ist doch schon mal gut. Eröffnet ein bisschen Spielraum«, raunt sie anzüglich mit einem bedeutungsschwangeren Blick auf Steven, der vor ihr läuft. Ich grinse und befürchte, dass Patsy sich da wohl die Zähne ausbeißen wird. Denn jemand, der seit Jahren eine Freundin hat und noch dazu einer Lüttje flirtend zuzwinkert, wird ja wohl kaum auf eine Transe stehen, auch wenn ebenjene auf den ersten Blick zugegebenermaßen weiblicher wirkt als manche Frau. Aber das sage ich lieber erst mal nicht.

Unsere nächste Station ist die rudimentär eingerichtete Küche, in der uns ein antiquarischer Holzofen, ein Waschzuber und die Hausherren erwarten. Kristin lässt uns ab diesem Moment allein, und so sind es jetzt nur noch wir, die Kameras und schätzungsweise fünf Millionen Zuschauer, die die erste Begegnung zwischen uns Stadtpromis und den Hofbewohnern mitbekommen.

Also ehrlich, Letztere *können* gar nicht echt sein. Oder doch? Falls ja: Mein Kompliment an die Casting-Abteilung. Sie sind zu dritt, und sie wirken wie direkt aus dem vergangenen Jahrhundert hierhergebeamt. Clara Herzig, die Bäuerin, ist kugelrund, und über ihrem wogenden Busen spannen sich ein altmodisches Leinenkleid und eine ehemals weiße Schürze voller Stockflecken. Über ihrem angegrauten, flüchtig zusammengebundenen Dutt trägt sie – natürlich – ein Kopftuch, und sie hat einen beeindruckenden Damenbart, der sich bei jedem ihrer Worte zitternd in Bewegung setzt.

Was Leibesumfang und Bewuchs betrifft, steht ihr Mann Otto ihr in nichts nach. An Otto haben sogar die Haare noch Haare! Dafür redet er nur etwa ein Zehntel dessen, was seine Frau von sich gibt, was vermutlich auch damit zusammenhängt, dass Otto extrem schwerhörig ist. Ein Hörgerät trägt er nicht. Ich bin mir sicher, er weiß schon, warum.

Und dann gibt es noch Willi, Opa Ottos Bruder. Willi ist ein aus dunklen Knopfaugen freundlich dreinblickender dunkelhaariger Kerl in einer schmierigen grünen Latzhose, der geistig wohl nicht ganz auf der Höhe ist. Statt zu reden, brabbelt er, so eine Art Plattdeutsch mit undefinierbarem Einschlag, wobei ich den Einschlag später doch noch definieren kann, und zwar als »keine Zähne«. Willi scheint davon nicht mehr auch nur einen zu haben! Von dem, was er sagt, verstehen wir jedenfalls kein Wort. Manchmal übersetzt Clara Herzig, manchmal auch nicht, aber das ist uns dann auch ganz recht. Wir sind sogar froh, wenn wir uns von Willi fernhalten können, denn er stinkt ganz außerordentlich deutlich nach Schweinemist. Willi hingegen genießt unsere Nähe. Er folgt uns beim sich anschließenden Rundgang über den Hof dicht auf den Fersen und ist innerhalb von Minuten Jacqueline Schnieder erlegen, der er nicht mehr von der Seite weicht und an die er unablässig näher heranrückt, während er sie bewundernd anstarrt. Es gibt doch noch Gerechtigkeit auf dieser Welt. Ich grinse, und Steven Dong stößt mich unauffällig an, während wir Opa Otto in die Ställe folgen. Wir verstehen uns.

»Oh mein Gott, wie sie aussieht!«, quietscht Bobo Attila Boizenburg und schlägt die kleinen Hände über seinem Köpfchen zusammen, als nach unserer Strategiebesprechung die ersten Bilder von »Land und Lust« im hinteren Raum der Bar über die Projektionswand flimmern. Susa hat Wort gehalten und die erste Folge auf Video mitgebracht. »Oh mein Gott, Steven Dong!«, kiekst Lüttje und kriegt den Mund nicht mehr zu. »Oh mein Gott, Patsy de Luxe«, murmelt Alf und nimmt erschüttert einen Schluck aus seinem Glas. »Oh, Jacqueline Schnieder!«, sagt Didi und schnalzt mit der Zunge.

Die meisten anderen sagen gar nichts, weil sie die Folge ja schon zu Hause gesehen haben. Und ich denke nur: Oh mein Gott, sie hat es wirklich getan. Sie ist wirklich in dieses Bauernhofcamp gefahren.

Bobo hat recht, Mona sieht wirklich schlimm aus. Sie wirkt verheult, auch wenn sie versucht, Haltung zu bewahren, und ihre gelbe Regenjacke hat einen langen Riss an der Seite. Sollte sie sich diese Aufzeichnung jemals selbst ansehen, dann wird ihr das gar nicht gefallen, erst recht, weil Jacqueline Schnieder neben ihr wirkt wie aus dem Ei gepellt. Wir sehen uns betreten an, als bei der Gepäckkontrolle irgendein Arschloch eine von Monas riesigen Unterhosen direkt in die Kamera hält.

»Warum hat sie sich darauf eingelassen?«, jammert Eske und sieht Susa an.

Susa seufzt. »Es ist ihre einzige Chance, vielleicht ihre Sendung zu behalten.«

»Ist es das wert?«, fragt Eske. »Ist es das wirklich wert??!«

Susa schweigt. Wir wissen ebenfalls nichts mehr zu sagen, als wir sehen, in was für einem Drecksloch Mona die nächsten Wochen leben soll. Das einzig Positive ist, dass sie neben der Bäuerin richtiggehend schlank wirkt. Und gepflegt sowieso, erst recht im Vergleich zu diesem komischen Typen namens Willi, zu dem sie von Zeit zu Zeit Untertitel einblenden, wenn er den Mund aufmacht, weil man ihn überhaupt nicht verstehen kann.

Das Einzige, was Mona auf dem Hof gefallen dürfte, sind die ganzen Tiere. Da ist zum Beispiel ein riesiges Kaltblutpferd mit weißer Schnauze, das frei auf dem Hof herumläuft. Es scheint sehr alt zu sein und hängt in der Mitte schon durch, aber es ist sehr zutraulich, und Mona sieht für einen Moment richtig entspannt aus, als sie das Pferd entdeckt und sich selig an seinen Hals hängt. Drinnen im Stall gibt es einen Haufen Kühe und Schweine, in klein und auch in groß, und dazu noch Gänse und Hühner, aber die schlafen schon, und deshalb kriegen wir erst mal nur ein paar niedrige Gittertüren im Halbdunkel zu Gesicht, hinter denen sich Leben lediglich erahnen lässt.

Überhaupt wirkt das Ganze irgendwie sehr marode und deprimierend, und so will nach der Sendung keine rechte Stimmung mehr aufkommen. Ich glaube, alle denken darüber nach, wie es Mona jetzt wohl geht in ihrer Kammer, neben Jacqueline Schnieder und mit der Aussicht auf vier furchtbare, lange Wochen, und ich kann nicht behaupten, dass mir das anders geht. Mein Zorn auf sie ist fast schon wieder verraucht. Wir tun das einzig Vernünftige, lösen die Runde gegen Mitternacht auf und verabreden uns für den nächsten Abend in der Bar, um erste Rechercheergebnisse auszutauschen und gemeinsam die nächste Folge von »Land und Lust« anzusehen. Dann drücke ich Rocko, Thomas und Manni noch meinen Zweitschlüssel in die Hand, damit sie am nächsten Tag in Ruhe nach Einbruchsspuren suchen können, solange es hell ist. So früh war ich an einem Freitagabend seit Monaten nicht mehr im Bett.

Am nächsten Morgen will ich gleich der mir zugedachten Aufgabe nachkommen und den Vermieter anrufen, um ihn über das Verschwinden des Elvis zu informieren, aber ich erreiche ihn nicht. »Mailbox von Schlasse«, dröhnt es mir entgegen, »sprechen Sie oder lassen Sie's, aber tun Sie was«, und ich stelle mal wieder fest, dass von Schlasse ein echtes Original ist. Und das beileibe nicht nur optisch.

Als ich ihn das erste Mal traf, habe ich ihn zunächst für so eine Art gutmütigen Käpt'n Iglu gehalten in seinem hanseatischen Zwirn mit den Goldknöpfen, mit seinen grauen Haaren und dem monströsen, gezwirbelten Schnurrbart, mit dem er kaum durch normale Türen passt. Aber der Schein trügt, denn von Schlasse ist ein gerissenes Schlitzohr, und vor allem ist ihm völlig bewusst, dass er aus seinem harmlosen Großvater-Aussehen ordentlich Kapital schlagen kann, wenn er es nur schlau genug anstellt.

Ebenjenes verleitet nämlich dazu, ihn erst mal zu unterschätzen, und das nutzt er gnadenlos aus. Denn auf diese Art und Weise bringt er seine Geschäftspartner dazu, unvorsichtig zu werden und ihr wahres Gesicht zu zeigen, und wenn ihm dieses Gesicht nicht gefällt, dann hat man bei ihm schlechte Karten. Von Schlasse hat seine Prinzipien, und an die hält er sich auch. »Ich mach nur noch anständige Geschäfte«, hat er mir mal augenzwinkernd erklärt. Ich habe ihn zwar nicht gefragt, was denn bitte »nur noch« bedeuten soll, aber ich glaube schon, dass der Kerl ein ziemlich bewegtes Leben gehabt hat. Übers Ohr hauen lässt er sich jedenfalls nicht.

Aber wer ihm gegenüber ehrlich ist, der kann ein faires Geschäft erwarten, und deshalb hat von Schlasse mir die Bar überlassen und nicht der amerikanischen Kaffeekette, die ihm glatt das Doppelte an Miete geboten hat. Bei allem Geschäftssinn scheint er doch eine sentimentale Ader zu haben, und die schlägt bei der kleinen Bar voll durch, weshalb es mir jetzt besonders schwerfällt, ihm sagen zu müssen, was passiert ist. Ich bin deshalb fast erleichtert, ihn nicht direkt am Rohr zu haben.

»Ähm«, spreche ich ihm auf seinen Anrufbeantworter, »Marnie Hilchenbach hier, Herr von Schlasse, es wäre toll, wenn Sie – wenn Sie mich mal zurückrufen könnten. Die Nummer haben Sie ja«, und dann lege ich schnell wieder auf.

Als Eule und ich am Abend um kurz nach sechs an der »parallelwelt« eintreffen, kratzen Eske und Behnke junior schon ungeduldig an der Tür. »Jetzt mal langsam mit den jungen Pferden«, beschwichtige ich sie amüsiert. »Durst?«

Eske legt ihren Kopf schief und sieht mich an. »Nein«, sagt sie gespielt schnippisch. »Neuigkeiten!«, fügt sie hinzu. »Wir haben was rausgefunden.«

»Was denn, jetzt schon?«, staunt Eule, und Eske und Behnke junior nicken stolz. Die zwei machen's spannend. Bevor sie mit ihren Breaking News rausrücken, machen sie es sich erst mal ausgiebig und umständlich am Tresen bequem und warten dann auch noch ab, bis sie doch was zu trinken vor sich stehen haben. Ich platze fast vor Neugier.

»Jetzt sagt schon«, quengele ich.

»Na ja«, erwidert Eske, »erwarte nicht zu viel, sooo aufregend ist es nun auch nicht, aber es könnte immerhin ein Hinweis sein.«

Oh Mann. »Jetzt sag!!!«, schreie ich, und Eske weicht belustigt ein Stück zurück. »Ist ja gut, ist ja gut«, grinst sie, und dann überlässt sie Behnke junior das Feld.

»Ich mach's kurz«, sagt er trocken, »der Laden hier war mal ein

Puff, und von Schlasse hat früher Geschäfte mit Hasso Hohenfeld gemacht. Vermutlich sogar von hier aus.«

Bitte was?! Ich traue meinen Ohren kaum und reiße die Augen auf. Hasso Hohenfeld?! Du liebe Güte!

Hasso »Hotte« Hohenfeld ist eine von Hamburgs berüchtigsten Kiezgrößen, jedenfalls gewesen. Zuhälterei, Drogenhandel, illegales Glücksspiel – bevor im Hamburger Rotlichtmilieu die ausländischen Banden das Zepter an sich gerissen haben, war Hasso Hohenfeld in den Siebzigern ganz vorn dabei. Und zwar *richtig* weit vorne. Man erzählt sich, er habe den ganzen Kiez regiert. Zwar immer nur aus dem Hintergrund, unterstützt von Dutzenden von Helfern und Helfershelfern, aber auch, wenn man ihm nie wirklich beikommen konnte, war wohl allen klar, dass er der Drahtzieher war.

Eine Schießerei, bei der er schwer verletzt wurde, hat seine Kiezkarriere beendet, weshalb Hasso »Hotte« Hohenfeld heute noch humpelt und sich danach geschworen haben soll, sein Leben von Grund auf zu ändern.

Mittlerweile ist Hasso Hohenfeld rehabilitiert und ein angesehener Angehöriger der Hamburger Gesellschaft, der offiziell in Immobilien macht und auf jeder Party ein gerngesehener Gast ist, denn selbst die nachtragenden Hanseaten vergessen manchmal sehr schnell. Seine Vergangenheit schweigt Hohenfeld tot, Fragen dazu beantwortet er grundsätzlich nicht; und jeder, der ihn aus Versehen »Hotte« nennt, hat in ihm für immer einen Erzfeind, was man sich angesichts seiner vermutlich noch immer bestehenden Kontakte lieber zweimal überlegt.

Ich bin fassungslos. »Hoppsala«, sagt Eule, »Respekt. Wie zum Holler habt ihr das so schnell rausgefunden?!«

Behnke junior grinst. »Oh«, sagt er, »ich hab da so meine Quellen. Vergesst nicht, Hohenfeld tritt heute auch als Makler auf, und nicht alle Kollegen sind ihm – hmm – wohlgesonnen. Und außerdem hab ich dieses Objekt schließlich selbst vermakelt. Na ja, zumindest hatte ich den Auftrag«, fügt er mit einem strengen Blick auf mich hinzu, und ich gucke peinlich berührt auf den Boden.

Genaugenommen habe ich Behnke junior diesen Auftrag nämlich schön vermasselt und ihn ziemlich hintergangen, um von Schlasse davon zu überzeugen, dass ich die richtige Pächterin für die Bar bin. Das war nicht gerade die feine englische Art.

»Sorry nochmal«, murmele ich schuldbewusst, aber Behnke junior winkt ab. »Schon gut«, sagt er, »wer weiß, wofür es gut war. Jedenfalls hab ich daraufhin nochmal genauer in die Bücher geguckt. Vor von Schlasse war Hohenfeld Eigentümer dieses Hauses. Überraschung! Es wurde 1980 überschrieben. Und dann hat Eske heute Morgen mal das Onlinearchiv des Stadtteilbüros durchforstet.«

»Und da hab ich dann das hier gefunden«, ergänzt Eske und zieht zwei Blätter aus ihrer Tasche. Es ist die Kopie eines Briefs, wobei die zweite Seite fast ausschließlich aus Unterschriften besteht; datiert auf den 21. September 1979 und getippt auf einer alten, damals aber wahrscheinlich hochmodernen mechanischen Schreibmaschine mit außerordentlich dicken i-Punkten. Ich überfliege ihn.

Er stammt von besorgten und aufgebrachten Anwohnern der Präsident-Krahn-Straße, die in einem Schreiben an das Bezirksamt darauf drängen, den Nutzungsplan für ihre Straße endlich, wie angeblich schon lange zugesagt, zu ändern und »das horizontale Gewerbe aus unserem direkten Umfeld, insbesondere aus dem hinlänglich bekannten Gebäude!!!«, abzuziehen. »Solcherlei ›Geschäfte‹ gehören endgültig in das Gebiet, das dafür vorgesehen ist, nämlich auf die Reeperbahn und rundherum!!!, und zwar mitsamt all jenen, die dort verkehren!!!«, lautet der letzte unmissverständliche Satz, viele, viele Ausrufezeichen inklusive.

»Oha«, mache ich, und dann reiche ich Eule den Brief, der ihn kurz studiert und sich dann mit großen Augen umsieht. »Unglaublich«, sagt er. »Aber wo haben die denn hier ... bei *den* großen Fensterscheiben???«

Behnke junior weist auf die Tür zum Treppenhaus. »Damals gehörte die Wohnung über den Flur rüber noch dazu«, erklärt er. »Die perfekten Hinterzimmer. Nicht nur für – na, ihr wisst schon.«

In meinem Hirn fahren die Gedanken Karussell. »Aber was soll das alles mit dem verschwundenen Elvis zu tun haben?«, frage ich verwirrt. »Das kriege ich nicht aufeinander.«

»Hab ich doch gesagt«, bekräftigt Eske. »Man kann natürlich nicht wissen, ob das wirklich was damit zu tun hat. Aber es könnte ein Hinweis sein. Es *könnte*. Wir bleiben jedenfalls dran.«

»Hm«, brumme ich skeptisch. »Ich weiß ja nicht.«

»Was ist eigentlich mit von Schlasse?«, erkundigt sich Eske, »was hat er gesagt?«

»Ist nicht rangegangen und hat noch nicht zurückgerufen«, erkläre ich, und Eske macht »tsss, tsss, tsss«.

In diesem Moment quietscht die Eingangstür, und Rocko, Thomas und Manni schieben sich durch den Samtvorhang. »'n Abeeeend!«, plärrt Rocko auf seine unverwechselbare Art. »Ha! Welche Nachricht wollt ihr zuerst? Die schlechte oder die – äh – interessante?«

Grmpf. »Die schlechte«, antworte ich missgelaunt und gehe mechanisch zum Kühlschrank, um ein Bier rauszuholen und dann drei Tequila fertig zu machen. Das ist irgendwie ein Automatismus, sobald Rocko in meinen Blickwinkel tritt. Wie beim Pawlow'schen Hund.

»Here we go«, sagt Thomas. »Leider keine Spuren.«

»Nix«, ergänzt Manni. »Der Dieb hatte entweder einen Schlüssel, oder er ist äußerst talentiert.«

»Beides nicht schön«, stellt Eule überflüssigerweise fest.

»Und die interessante Nachricht?«, fragt Behnke junior.

Rocko kippt, ohne zu zögern, erst den Tequila hinunter, beißt dann in die Orange und nuschelt schmatzend: »Hier schnüffelt so ein Typ rum. Schon seit Tagen. Wir haben ihn gesehen.«

»Das haben die Nachbarn uns auch erzählt!«, ruft im selben Moment noch von hinter dem Vorhang Berit, die in der nächsten Sekunde hineingestürzt kommt, gefolgt von einem fluchenden Bernd, der an der hochstehenden Fußmatte hängen geblieben ist und mehr in den Schankraum hineinfällt, als dass er aufrecht geht.

»Was für ein Typ?«, frage ich perplex.

»Na, so ein Typ halt«, antwortet Bernd indifferent. Sehr hilfreich, Bernd, danke auch.

»So ein schmieriger, mit zurückgekämmten dunklen Haaren«, erklärt Manni.

»Er hat einen Trenchcoat an«, ergänzt Thomas.

»Und er quetscht die Nachbarn über Mona aus«, fügt Berit düster hinzu.

Und genau so einer betritt just in diesem Moment die Bar. Manni verschluckt sich fast an seiner Orange, und Berit fiept erschrocken auf. Man kann es auch übertreiben.

»'n Abend«, sagt der Typ beiläufig, wie man das halt so macht, wenn man irgendwo reinkommt, als angeblich ganz normaler Gast, haha, und ich nicke ihm zu, während er schnurstracks auf die Musikecke zumarschiert und genau neben dem Loch im Tresen Platz nimmt, während alle anderen völlig unbeteiligt tun und so, als wären sie in tiefschürfende Gespräche mit ihren Tresennachbarn vertieft. Eske lacht einen Ticken zu laut.

»Ein Bier, bitte«, sagt der Unbekannte.

»Ja, welches denn?«, frage ich zurück und weise auf unsere Glaskühlschränke, in denen ungefähr zehn verschiedene Sorten darauf warten, dass die Wahl ausgerechnet auf sie fällt. »Egal«, winkt der Typ ab, und ich ziehe die Augenbrauen hoch und tausche einen schnellen Blick mit Eule, der mit den Schultern zuckt. Sehr verdächtig. Das gibt es selten.

»Wohl bekomm's«, sage ich, während ich dem Fremden ein Moravia auf den Tresen stelle, das dringend wegmuss.

»Ist ja nicht so viel los hier«, antwortet der Kerl statt eines »Danke«. »Ist das immer so? Ist immerhin Samstagabend.«

Ich grinse schief. »Ist noch früh«, murmele ich ausweichend und will mich schon wieder umdrehen, aber der Typ quatscht weiter. »Und das da?«, fragt er mit einem Seitenblick auf das Loch im Tresen. »Da fehlt doch was. Der Elvis.«

»Ja«, nicke ich so routiniert und unaufgeregt wie möglich. »Der ist zur Reinigung. Sie sehen ja, wie's in der Konstruktion aussieht. Der muss mal ein bisschen poliert werden.«

»Soso«, macht der Typ, und dann greift er in eine seiner Manteltaschen und legt eine Visitenkarte auf den Tresen. »Bockelt von der ›Boulevard‹«, stellt er sich knapp vor. »Ich recherchiere so'n bisschen, rund um die ›Land und Lust‹-Kandidaten. Sie wissen schon. Das interessiert die Leute ja. Nur so'n bisschen gucken, lassen Sie sich nicht stören. Die Rittner, die ist doch Ihre Partnerin hier in dem Laden, oder?«

Ich nicke verstört und schnappe mir die Visitenkarte. Ach du Scheiße, auch das noch. Na ja, immerhin, das erklärt einiges. Ferfried Bockelt, was für ein Name.

»Wie ist sie denn so, als Geschäftspartnerin? Ich meine, die Rittner?«, fragt Bockelt und spielt mit seinem Bierdeckel. »Läuft's?«

»Es könnte nicht besser sein«, entgegne ich, und dann sehe ich Bockelt geradewegs in die Augen. »Hören Sie«, sage ich zu ihm, »ich kann Ihnen nicht verbieten, hier zu sein, und wenn Sie sich benehmen, sind Sie sicherlich ein gerngesehener Gast. Aber erwarten Sie bloß nicht, dass ich Ihnen hier neben einem guten Drink auch noch Details aus Monas Leben oder gar aus unserem Geschäft serviere.

116

Wenn Sie was von ihr wissen wollen, dann fragen Sie sie selber. In Ordnung?«

Bockelt hebt abwehrend die Hände. »Ist ja schon gut, ist ja schon gut«, sagt er. »Man wird ja wohl noch fragen dürfen«, und dann sieht er auf die Uhr, legt drei Euro auf den Tresen und geht in Richtung Ausgang.

»Man sieht sich«, sagt er noch, und dann ist er auch schon wieder weg.

Die erste Nacht neben Jacqueline Schnieder ist die Hölle. Sie schnarcht wie ein asthmatischer Bauarbeiter, und als ich um fünf in die Höhe schieße, weil Kristin wie eine gesengte Sau an unsere Tür bollert und »Ab in den Stall! Ab in den Stall!« brüllt, stoße ich mir den Kopf an der Dachschräge. Autsch.

Steven und ich haben mit Opa Otto Schweinefütterdienst, während Jacqueline und Patsy mit Willi die Kühe auf die Weide treiben. Draußen ist es frisch und klar, aber als wir den Schweinestall betreten, bleibt mir erst mal die Luft weg. Der Gestank ist unerträglich, und der beißende Geruch in Kombination mit dem Gebrüll der hungrigen Schweine und der wachsenden Beule am Schädel macht mir sofort unerträgliche Kopfschmerzen.

»Ist das hier immer so laut?«, brülle ich Opa Otto an, und Opa Otto legt erwartungsgemäß eine Hand hinter sein Ohr und macht »häääää?«. »Ob das hier immer so laut ist!«, schreie ich noch einen Tick kräftiger, aber Opa Otto lächelt nur hintergründig und widmet sich dann wieder den Futtereimern.

Die Schweine stürzen sich darauf, als hätte man sie wochenlang auf Nulldiät gehalten. Nur eines von ihnen liegt apathisch in der Ecke und will vom Essen nichts wissen, was mich wundert, denn es ist ein außerordentlich dickes Schwein. Ich nähere mich ihm vorsichtig.

»Na?«, sage ich besorgt, »was ist denn mit dir los, Schwein? Geht's dir nicht gut?«

»Kchchchchpüüühhaaaaa«, macht das Schwein und sieht mich aus großen Augen verzweifelt an. Seine Ohren hängen traurig herunter, und es atmet ganz schnell und schnauft dabei panisch, dass mir angst und bange wird. Ich glaube, es stirbt.

»Opa Otto!«, rufe ich, »komm schnell! Ich glaube, das Schwein stirbt!«, aber Opa Otto hört mich nicht. »Steven!!!«, schreie ich. »Kennst du dich mit Schweinen aus???«, und Steven steckt seinen Kopf oben an der Stalldecke durch die Luke, durch die er auf Opa Ottos Geheiß hin gerade Heu nach unten befördert.

»Nicht wirklich!«, schreit er zurück und versetzt dem nächsten Heuballen einen Stoß, der nur ein paar Meter von mir entfernt auf dem Stallgang landet. Ich huste und wedele mit der Hand durch die Luft, um durch den aufgewirbelten Staub überhaupt wieder sehen zu können. Röchelnd drehe mich um und falle dabei fast auf Willi, der mittlerweile neben dem Schwein hockt und ihm beruhigend in eines der Hängeohren lallt. Dann packt er das Riesenvieh beherzt mit einem kräftigen Ruck an allen vier Füßen und schüttelt es einmal ordentlich durch.

Was danach passiert, dafür fehlen mir die Worte, aber es hat mit ziemlich ekligen Flüssigkeiten, fürchterlichen Geräuschen und vermutlich auch großen Schmerzen zu tun. Ich schwanke zwischen Faszination und Abscheu, will eigentlich gar nicht hinsehen und tue es doch immer wieder, und wenig später liegen etwa zwölf kleine Ferkel schmatzend neben dem erschöpften Muttertier und saugen es komplett leer. Ich stehe fassungslos davor und weiß auf einmal wieder sehr genau, warum ich keine Kinder will.

Aber trotzdem. Sie sind soooo süüüüüüüß!!! Für einen Moment

vergesse ich sogar, dass ich aus mindestens drei Winkeln von Kameras beobachtet werde, und betrachte das friedliche Treiben andächtig.

Nur leider täuscht der Frieden, denn eines der Ferkel ist irgendwie – übrig. Sosehr es sich auch bemüht, es kommt an keine Zitze heran, weil sie alle schon belegt sind, und es wird von seinen egoistischen Geschwistern immer wieder weggestoßen. Trotzdem versucht es tapfer, sich in die Nähe der rettenden Nahrungsquelle zu robben. Seine klitzekleinen Beinchen tragen es natürlich überhaupt noch nicht, obwohl es versucht, an und auf ihnen mit Hilfe der Hebelwirkung irgendwie voranzukommen, und dazu quiekt es mit seinem Babystimmchen so herzzerreißend, dass mir fast die Tränen kommen.

»Das verhungert doch«, sage ich entsetzt zu Willi, der mir mit den Händen zu verstehen gibt, dass ich mich noch ein paar Minuten gedulden soll. Das tue ich auch, aber es ändert nichts an der Situation. Im Gegenteil, als die anderen endlich satt sind und der Weg eigentlich frei wäre, wird die Muttersau unruhig und erhebt sich ächzend, ohne weiter auf ihr Jüngstes zu achten. »Leg dich wieder hin«, befehle ich ihr streng, »das Essen ist noch nicht vorbei, und man steht erst auf, wenn alle fertig sind«, aber sie hört natürlich nicht auf mich, schüttelt sich stattdessen nur und vergräbt ihre Nase dann grunzend im Stroh.

»Chefafikeifumeh«, bemerkt Willi, und ich kann nur raten, was er meint, aber ich tippe mal, er hat gesagt »jetzt hat sie keine Lust mehr«. Oder so was Ähnliches.

»Ich kann das ja verstehen«, sage ich verzweifelt, »ich hätte auch die Schnauze voll. Aber – aber sie muss sich doch um *alle* kümmern! Sie ist doch die Mutter!!!«

Willi sieht mich an, wie nur ein Landbewohner einen Stadtmenschen ansehen kann, und dann seufzt er, bevor er sich zur Stallgasse bückt und einen Futtereimer heranzieht, den er vor der Sau auskippt. Als sie ihre Steckdosennase darin vergraben hat, bückt er sich nochmal schnell und hat plötzlich das übrig gebliebene Ferkel in einer seiner Pranken.

»Fufichedimaama«, sagt er und drückt es mir in den Arm. Das Ferkelchen ist ganz warm, und es zittert. Vorsichtig lege ich schützend meine Hand auf sein Körperchen.

»Also gut«, flüstere ich und drücke es sanft an mich. »Dann bin ich jetzt deine Mama. Komm mit. Du brauchst was zu essen!«

Clara Herzig bereitet gerade das Frühstück vor, als ich mit dem Ferkel auf dem Arm in die provisorische Küche komme. Jacqueline Schnieder ist bereits vom Kühetreiben zurück und versucht, sich am Waschzuber ein bisschen frisch zu machen.

»Was soll *das* denn?«, bemerkt sie pikiert. »Ein stinkendes Schwein in der Küche, das muss ja wohl nicht sein!«

›Dann seid ihr ja schon zwei‹, schießt es mir durch den Kopf, aber nein, nein, ich sage das nicht. Natürlich nicht. Freundlich sein, fair sein, langweilig sein. Ich lächele huldvoll.

»Ist es nicht süß?«, sage ich zu Clara, als hätte ich Jacquelines Bemerkung gar nicht gehört. »Wir brauchen etwas zu essen, Clara. Du musst mir helfen. Bitteeee!«

Clara seufzt so ähnlich, wie Willi es nur wenige Minuten zuvor getan hat. ›Genau so etwas habe ich befürchtet‹, sagt ihr Blick, aber dann erklärt sie, »ich denke, wir versuchen es erst mal mit was Flüssigem«, und damit setzt sie sich in Bewegung und kramt in der Speisekammer herum. Als sie ein paar Minuten später wieder in die Küche kommt, hat sie ein Babyfläschchen in der Hand, das mit einer weißlichen Flüssigkeit gefüllt ist.

Selig schnappe ich mir das Fläschchen und trage das Ferkel vorsichtig auf den Hof, wo ich mich mit ihm auf einem Stein niederlasse und es endlich trinken lasse. Es saugt gierig, und währenddessen kitzeln uns die ersten Sonnenstrahlen des Tages. Ich blinzele in den herbstlichen Himmel und bin auf einmal der festen Überzeugung, dass ich das hier schon alles überstehen werde. Irgendwie.

»Wir schaffen das, oder?«, sage ich zu dem kleinen Ferkel, und gleichzeitig spüre ich hinter mir etwas Warmes, Weiches. Es ist das Pferd, das mir sacht in den Nacken pustet und dann über meine Schulter hinweg sehr neugierig und vor allem sehr, sehr vorsichtig das Ferkel beschnuppert.

Ich muss lachen. Patsy hat das riesige, ziemlich altersschwache Tier schon am Vorabend wegen seiner weißen Schnauze »Koksnase« getauft, obwohl es eigentlich Peter heißt, aber Koksnase passt viel besser zu ihm. Wobei mir etwas einfällt.

»Wie nennen wir dich denn eigentlich?«, frage ich das Ferkel nachdenklich. »Du musst doch auch einen Namen haben!«

»Hee, Kumpel!«, ruft in dieser Sekunde Steven zum Küchenfenster raus, »Frühstück ist fertig!«

»Komme gleich!«, rufe ich zurück, und dann stutze ich. Kumpel. Kumpel! Warum eigentlich nicht?!

»Irrrrrrrkkks! Uaaah! Iiiiiih!« Wir schütteln uns unsisono, als wir am Sonntagabend die nächste Folge von »Land und Lust« sehen.

»Ich kann nicht glauben, dass die so was auch noch in Großaufnahme zeigen!«, stöhnt Susa, die ganz blass ist. Lüttje hat ihr Gesicht in den Armen vergraben, um nicht hinsehen zu müssen, und auch die meisten anderen wenden sich angewidert ab oder widmen sich ihren Getränken, sofern sie noch können. Nur Alf, den schwulen Friseur, stört überhaupt nicht, was da über die Leinwand flimmert. Er kann sogar gleichzeitig noch essen und schaufelt unbeeindruckt

121

Hackbällchen und Gewürzgurken in sich hinein; die einzigen Speisen, die es bei uns gibt.

»Ich bin auf einem Bauernhof groß geworden«, erklärt er mir auf meinen erstaunten Blick hin, »so eine Ferkelgeburt hab ich schon tausendmal gesehen.«

»Da hast du ja Schwein gehabt. Im wahrsten Sinne des Wortes«, stelle ich fest, und Alf grinst.

Diesmal ist sogar Guido dabei. Er sagt nicht viel, aber das sind wir ja nicht anders von ihm gewohnt. Trotzdem macht er heute einen besonders bedröppelten Eindruck. Ich rutsche neben ihm auf die Bank.

»Alles okay bei dir?«, erkundige ich mich.

Guido zuckt mit den Schultern. »Geht so«, antwortet er lapidar.

»Du hältst nicht viel von dieser Sache, oder?«, frage ich vorsichtig.

Guido lacht kurz auf. »Wer tut das schon?«, fragt er zurück. »Oder findest du das etwa gut?«

Ich seufze. »Nein, natürlich nicht. Aber Mona wird schon ihre Gründe gehabt haben, da mitzumachen.«

»Ja, ja, für ihre Karriere geht sie über Leichen«, brummt Guido. »Was ich darüber denke, ist ihr anscheinend egal. Wie ich dazu stehe, zählt ja nicht. Wie immer. Manchmal habe ich das Gefühl, ob ich da bin oder in China fällt ein Sack Reis um, ist völlig wumpe. Echt.«

Mir schwant Böses. »Aber ihr habt euch schon anständig voneinander verabschiedet, oder?«

Guido schnaubt kurz auf, und dann verfällt er wieder in ausführliches Schweigen. Ich nehme das als ein klares »Nein«. Oje, auch das noch.

»Sagt mal, kann das sein, dass Steven Dong mit Mona flirtet?«, schaltet sich Lüttje ein, ohne ihren Blick von der Leinwand abzuwenden.

122

Uaargh. Schlechtes Timing, Lüttje. Ich versuche, ihr einen unauffälligen Tritt zu verpassen, aber er landet im Leeren. Und somit bringt er auch nichts. Ganz im Gegenteil, Lüttje setzt noch einen drauf.

»Na, guckt doch mal hin«, beharrt sie. »Da! Er legt ihr sogar den Arm um die Schultern!«

Wobei er sich auf seine Zehenspitzen stellen muss, um da überhaupt ranzukommen, ergänze ich in Gedanken.

»Lüttje, du spinnst«, antworte ich verärgert. »Das ist doch lächerlich. Die beiden verstehen sich, das ist alles.«

Lüttje wirft mir einen düsteren Blick zu. »Wenn die mit dem was anfängt, das sage ich dir, dann ist hier aber Tabula rasa«, schimpft sie ohne Rücksicht auf Verluste. Beziehungsweise ohne Rücksicht auf Guido, der jetzt einfach aufsteht und geht, ohne noch ein Wort zu sagen. Ich kann ihn irgendwie verstehen.

»Halt die Klappe, Lüttje«, zische ich sie an. Manchmal denke ich wirklich, ich bin hier im Kindergarten.

Gespannt warten wir nach der Ausstrahlung auf die Ergebnisse des ersten Zuschauervotings. Dass Mona das kleine Schweinchen adoptiert hat und fortan ohne Unterlass mit sich herumschleppt, bringt ihr große Sympathien ein. Als die Ergebnisse eingeblendet werden, führt sie mit 40 Prozent aller Zuschauerstimmen vor Steven Dong, und ich glaube nicht, dass das nur daran liegt, dass wir natürlich alle für Mona angerufen haben.

Na ja, alle bis auf mich. Denn ich will ja gar nicht, dass Mona gewinnt. Ehrlich gesagt will ich immer noch, dass sie das Fernsehen Fernsehen sein lässt und sich endlich wieder um das kümmert, was wir gemeinsam angefangen haben. Aber meine Stimme wird wohl auch gar nicht gebraucht. Schade eigentlich.

Jacqueline Schnieder befindet sich auf dem dritten Platz, und drei Prozentpunkte dahinter landet Patsy de Luxe. Sie hat vermutlich deshalb nicht so gut abgeschnitten, weil sie auf dem Misthaufen heute schon lauthals gemeckert hat, dass sie es auf dem Hof bestimmt keine vier Wochen aushalten würde, und weil sie sich am Nachmittag wegen angeblicher Migräne vor der Tagesaufgabe gedrückt hat. Sie bestand darin, ein geschlachtetes Huhn zu rupfen. Ekelfernsehen erster Güte. Aber die anderen haben durchgehalten und hinterher sogar noch angefangen, das Chaos auf dem Vorderhof zu entrümpeln, wobei sich Mona richtig ins Zeug gelegt hat. Wenn sie hier nur halb so viel Engagement an den Tag gelegt hätte, wie sie es dort tut, wären wir jetzt wohl nicht da, wo wir sind. Ich seufze.

Auch an der Elvis-Front sind wir heute nicht wirklich weitergekommen. Die Versuche Eules und der Handwerker, ein Elvis-Imitat zu erschaffen, sind mehr als gescheitert. Sie haben versucht, diverse Steinstücke mit Farbe, Sprühlack, Kohle und sogar mit Schuhcreme zu schwärzen, um sie mit einem Elvis-Profil zu versehen, aber die Ergebnisse waren niederschmetternd.

»Ganz ehrlich, das sieht doch scheiße aus. Das kauft uns keiner ab«, hatte Seppl es desillusioniert auf den Punkt gebracht, und was soll ich sagen, recht hatte er.

Auch von Schlasse hat mich immer noch nicht zurückgerufen; ich werde es morgen nochmal bei ihm probieren müssen. Der einzige Hoffnungsschimmer, der sich heute ergeben hat, kommt von Jan und Mags. Die zwei sind bei ihren Untersuchungen in der Elvis-Fan-Szene auf die »Luke« gestoßen, eine Kiezkaschemme in einer Seitenstraße der Reeperbahn, die, so versichern Jan und Mags uns aufgeregt, als absolute Hochburg für Elvis-Fans gilt. Angeblich gibt es hier sogar einen wöchentlichen Elvis-Stammtisch samt Tauschbörse für Sammler. Wir müssen nur noch herausfinden, an welchem Tag.

Ich bin ein Wrack. Mir tut jeder Knochen weh. Mittlerweile habe ich die x-te Nacht kaum geschlafen, was nicht nur an Jacquelines Geschnarche liegt, sondern auch an Kumpel, der alle paar Stunden gefüttert werden will. Langsam verliere ich das Zeitgefühl. Ist heute Dienstag? Oder schon Mittwoch? Donnerstag? Wie lange noch???

Den Blasen an meinen Händen und meinem Muskelkater nach zu urteilen, müssten wir mit dem Aufräumen des Vorhofes längst fertig sein, aber ehrlich gesagt kann ich noch keine wirklichen Erfolge erkennen. Fast habe ich das Gefühl, als würde nachts jemand neuen Schrott auf dem Kopfsteinpflaster abladen. Morgen soll angeblich ein Container kommen, der einen Großteil des schon sortierten Rotzes abholt, um Platz zu machen für Farbeimer und Werkzeuge. Die meinen es tatsächlich ernst mit der Renovierung! Die Arbeit auf dem Hof kommt natürlich noch obendrauf, wobei Opa Otto uns ordentlich triezt und bei Clara Herzig Schmalhans Küchenmeister ist, aber ich habe längst aufgehört, mich darüber aufzuregen. Mittlerweile haben wir uns sogar an den Stallgeruch gewöhnt. Selbst den kuhmistgetränkten Willi nehme ich nasentechnisch kaum noch wahr, was vermutlich bedeutet, dass ich schon genauso müffele wie er. Manchmal, wenn er frisch aus dem Stall kommt, dampft Willi geradezu. Wenigstens gibt es noch kein Geruchsfernsehen! Aber das ist ein geringer Trost.

Das Ganze ist wirklich geschickt eingefädelt. Wir sind ständig so kaputt, dass es uns mittlerweile völlig egal ist, wie wir aussehen oder in welchen Situationen uns die Kameras erwischen. Und wir werden gereizter, allein schon vor Hunger. Fleisch kriegen wir nur, wenn wir ein Tier schlachten, und zwar höchstpersönlich, aber das bringen wir einfach nicht übers Herz. Es war schlimm genug zu sehen, wie Opa

125

Otto das Huhn geköpft hat. Ein Voodoopriester war nichts gegen ihn, und das Blut spritzte in alle Richtungen. Wir sahen hinterher aus wie die Schlächter vom Dienst, obwohl wir versucht hatten, Abstand zu halten. Und dem Huhn anschließend die Federn vom Leib zu rupfen war wirklich eine Erfahrung, auf die ich gern verzichtet hätte.

Nein danke, dann lieber vegetarisch. Wenigstens sind wir vier uns da einig. Noch. Auch wenn Steven schon anfängt, sehnsüchtig von Steaks und Hackbraten zu phantasieren. Ich kann es ihm nicht verdenken, denn unser Speiseplan ist sehr übersichtlich: morgens Haferschleim, der aussieht wie schon mal gegessen, je nach Gusto gezuckert oder gesalzen und mit Glück ein Ei dazu; mittags zerkochte Kartoffeln und Karotten, sehr sparsam gewürzt; abends Käsebrot. Natürlich nur, wenn Jacqueline und mir das Brot im Ofen nicht verkohlt, weil wir zwischendrin mal wieder eine ausgebüxte Kuh einfangen müssen. Mittlerweile bin ich überzeugt davon, dass die Produktion die Viecher ganz gezielt freilässt, um uns auf Trab zu halten. Oder schlicht aus purer Boshaftigkeit. Kristin wäre es definitiv zuzutrauen. Sie wird von Tag zu Tag unausstehlicher, vermutlich, weil sie sich von einer Karriere beim Fernsehen auch was anderes erhofft hat, als wochenlang auf einem maroden Bauernhof zu versauern.

Alkohol gibt es übrigens auch nicht. Dabei wäre das alles hier besoffen wirklich leichter zu ertragen, und ein ordentlicher Rausch würde mir guttun. Auch um mich davon abzulenken, dass ich alle paar Minuten an Guido denken muss.

Ich vermisse ihn, und mittlerweile tut es mir leid, dass ich vor meiner Abholung nicht wenigstens nochmal versucht habe, mit ihm zu sprechen. Er muss denken, dass er mir egal ist, aber das ist er nicht. Ganz und gar nicht! Er fehlt mir, und ein wenig überrascht mich das. Mir war nicht klar, dass das überhaupt geht, denn selbst wenn wir zusammen sind, bemerke ich ihn ja oft kaum. Aber wahr-

126

scheinlich ist es gerade das, was mich irgendwie an ihn bindet, und manchmal denke ich, dass es nicht leicht sein muss für ihn mit mir. Denn momentan wird mir ziemlich deutlich vorgeführt, wie es ist, am laufenden Band mit geltungssüchtigen Alphatieren zusammen zu sein. Die gespielt gute Laune der anderen drei und ihre auf reine Außenwirkung ausgerichteten Aktionen gehen mir ganz schön auf den Senkel. Und das wird dadurch nicht besser, dass ich mich manches Mal dabei erwische, ganz genauso zu sein. Auch wenn ich es bewusst vielleicht gar nicht will.

Bislang habe ich es ja noch geschafft, mich an mein Mantra zu halten. Ich habe über all meine Mitstreiter auf dem Misthaufen nur Positives gesagt und ansonsten ausschließlich Belanglosigkeiten von mir gegeben, aber das durchzuhalten fällt mir von Minute zu Minute schwerer. Jacqueline Schnieder geht mir extrem auf den Geist, denn sie versucht sich zu drücken, wo sie nur kann. Patsy *versucht* wenigstens noch, eine Hilfe zu sein, aber der Nikotinentzug macht ihr schwer zu schaffen, und sie wird langsam unleidlich. Ich hätte ehrlich gesagt auch nichts dagegen, mal wieder eine zu rauchen, allein schon gegen das Loch im Bauch. Jacqueline hingegen ist militante Nichtraucherin und nervt einfach nur so, ohne dass sie einen Grund dafür hat, mit dem man ihr zeitweise wirklich zickiges Benehmen entschuldigen könnte. Außerdem behandelt sie Willi schlecht.

Klar, er ist kein Traumtyp, und ich kann es durchaus nachvollziehen, dass Jacqueline sich nicht gerade darüber freut, wie er ihr ständig sabbernd hinterherläuft. Aber trotzdem. Willi ist ein herzensguter Mensch, was man vor allem daran sieht, wie er mit den Tieren umgeht, und er hat es nicht verdient, ständig schikaniert und vor der ganzen Fernsehnation als Totaldepp hingestellt zu werden.

So wie gestern Mittag zum Beispiel, als Willi beim Essen sicherlich nur nett sein und Jacqueline Milch nachschenken wollte. Dabei ist ihm vor Nervosität die Kanne ausgerutscht, und Jacqueline hatte

127

die Milch schließlich auf der Brust und nicht im Glas. Sie ist aufgesprungen wie eine Furie. Willi hat sich natürlich sofort in seiner eigenen Sprache stammelnd zu entschuldigen versucht, aber Jacqueline ist völlig ausgerastet und hat den armen Willi mit einem dermaßen kreischenden »Fuck you very much!« angekeift, dass sogar Opa Otto zusammengezuckt ist und das Geschirr auf dem Tisch ordentlich gewackelt hat. Willi weiß zwar bestimmt nicht, was »Fuck you very much!« überhaupt heißt, aber seitdem schleicht er über den Hof wie ein verwundetes Tier, wenn er sich denn überhaupt blicken lässt. Der einzige Vorteil daran ist, dass somit auch Brutus vom Burgbarg aus dem Verkehr gezogen ist, denn der massige, ständig aus dem Maul tropfende Hund weicht Willi nicht von der Seite.

Und so ganz nebenbei macht mich auch noch der Gedanke an den verschwundenen Elvis wahnsinnig. Beziehungsweise der Gedanke daran, dass ich nichts, aber auch gar nichts in dieser Sache unternehmen kann. Ich habe ein schlechtes Gewissen, weil ich Mona alleingelassen habe. Und ich mache mir echte Sorgen um unsere kleine Bar. Ich glaube kaum, dass es dort in den letzten Tagen etwas zu feiern gab. Um es zusammenzufassen, ich bin mit meinen Nerven mittlerweile echt schlecht zu Fuß. Und es ist noch lange nicht überstanden!

Wenn das so weitergeht, werde ich vermutlich irgendwann auf dem Misthaufen explodieren, denke ich, als ich nach dem Frühstück mit dem dösenden Kumpel auf dem Arm über den Hof eiere. Ich will nachsehen, was Kumpels Geschwister machen, und Kumpels Körpergröße mit der seiner Brüder und Schwestern vergleichen, um sicherzugehen, dass er ausreichend wächst. Er trinkt jedenfalls für fünf, und erleichtert stelle ich fest, dass Kumpel im direkten Vergleich ziemlich gut abschneidet. Er ist noch dazu natürlich viel sauberer als seine Verwandten und so rosa, wie ein Ferkel nur rosa sein kann, und überhaupt ist er von allen Ferkeln das niedlichste.

Ihn zu seiner Familie ins Stroh zu setzen, das wage ich nicht. Ich habe Angst, dass seine Geschwister oder seine Mama vielleicht auf ihn losgehen, weil er nach Mensch riecht, und die Muttersau ist mir nicht gerade wohlgesonnen. Jedenfalls sieht sie mich alles andere als freundlich an, und ich meine sie sogar knurren zu hören. Aber ich bleibe wenigstens ein paar Minuten mit Kumpel dicht bei ihnen, während Kumpel genießerisch mit seiner kleinen Steckdosenschnute wackelt und den Duft seiner Artgenossen inhaliert.

Dann rümpfe auch ich die Nase, denn mir steigt plötzlich und unerwartet ein Geruch in den Sinn, der zu köstlich ist, um wahr zu sein. Zigarettenrauch!!! Kann es denn sein?! Das ist Zigarettenrauch! Ich schnuppere und schnuppere und halte das Ganze im ersten Moment für eine Halluzination, aber der Geruch verschwindet nicht wieder, im Gegenteil, er wird immer stärker und immer deutlicher, bis ich mir sicher sein kann, dass er real ist. Er scheint durch den ausgefransten Durchlass im Mauerwerk zu kommen, der vom Stall nach draußen in den Schweineauslauf führt, und ich beschließe, der Sache auf den Grund zu gehen. »Pssst!«, mache ich leise zu Kumpel und schleiche mit ihm vorsichtig über die Stallgasse, hinten zum Hauptausgang raus und dann linksrum, denn durch die Schweinebox hindurch und an der Muttersau vorbei traue ich mich beim besten Willen nicht.

Und siehe da, an die Stallwand gelehnt steht Willi – und raucht. Er raucht! Juchhuuu! Ich quietsche überrascht auf. Willi qualmt genüsslich und starrt dem aufsteigenden Rauch hinterher, während Brutus vom Burgbarg neben ihm Wache hält. Als der Hund mich sieht, kläfft er einmal kurz auf, aber Willi bedeutet ihm sogleich erschrocken, den Mund zu halten, und legt sich den Zeigefinger auf die Lippen, während er schuldbewusst versucht, die Zigarette verschwinden zu lassen. Heureka!, denke ich, mein Flehen wurde erhört!!! Und es gibt doch einen Gott! Was würde ich für eine Zigarette geben!

Ob ich eine bekomme, ist die andere Frage, denn Willi scheint solche Angst vor mir zu haben, dass er es plötzlich ziemlich eilig hat und wegläuft. Ich trabe ihm hinterher.

»Bleib stehen, Willi!«, rufe ich, »ich will dir doch nichts! Es ist alles gut! Ich verrate dich auch nicht. Versprochen! Ganz großes Indianerehrenwort!«, und endlich verlangsamt Willi seine Bewegungen, bleibt schließlich ganz stehen und dreht sich zu mir um.

»Fuverfämini?«, fragt er mit großen ängstlichen Augen leise.

»Nein, Willi«, sage ich beruhigend, »ich verrate dich nicht.« Ich sehe mich vorsichtig um. Keine Kamera weit und breit. »Aber du musst mir auch eine geben. Bitte. Hast du noch eine?!«, raune ich.

Willi starrt mich an, als hätte ich ihn darum gebeten, mich zu heiraten, und dann verzieht sich sein zahnloser, schiefer Mund plötzlich zu einem breiten, kindlichen Grinsen, während er eifrig in der Brusttasche seiner Latzhose herumkramt und mir schließlich mit zitternden Fingern schüchtern eine Zigarette reicht. Ich verlagere Kumpel auf meinen linken Arm, mit der rechten Hand greife ich nach der Zigarette und kann mein Glück kaum fassen, als Willi mir Feuer gibt. Es geschehen noch Zeichen und Wunder. Diese Zigarette ist eindeutig die beste Zigarette meines Lebens.

Das kann ja wohl nicht wahr sein.

Ich stehe im Supermarkt vor dem Zeitungsregal. In meinem Einkaufswagen befinden sich Hackbällchen, Holzspieße und rote Grablichter; die einzigen Dinge für den Ladenbetrieb, die ich lieber nicht im Großmarkt kaufe, weil sie da interessanterweise teurer sind als im Einzelhandel. Müsste man eigentlich auch mal publik machen. In der Hand halte ich die aktuelle Ausgabe der »Boulevard«, und die macht mit einer Überschrift auf, die mich anfällt wie ein tollwütiger Köter.

»Land und Lust«: Zoff um kleines Schwein im Bauernhofcamp, lautet die obere, kleinere Headline, und darunter steht in fetten, schwarzen Lettern: *Mona Rittner: saumäßig gerissen?*

Von F. Bockelt, springt es mir ein kleines Stück weiter unten ins Auge. Bockelt, du Ratte! Zähneknirschend mache ich mich über den Text her. Und der sorgt nicht gerade dafür, dass Bockelt in meinem Ansehen steigt. Atemlos überfliege ich den Artikel.

Aufregung im Bauernhofcamp: Seit Ex-Moderatorin Mona Rittner auf dem wunderlichen TV-Hof das kleine Schweinchen »Kumpel« großzieht und keine Sekunde mehr allein lässt, liegt sie im Voting der Zuschauer ganz weit vorn. Aber ist ihr Verhalten wirklich reine Tierliebe? Oder spielt sie nur gerissen die Gutmenschkarte aus – weil sie um jeden Preis gewinnen will? Weiter auf S. 3!

Zähneknirschend packe ich die »Boulevard« in meinen Einkaufswagen. Für einen Moment überlege ich, ob ich den ganzen Stapel hinterherwerfen soll, aber die Vernunft sagt mir gerade noch rechtzeitig, dass das nicht wirklich etwas bringt bei einer Millionenauflage.

Eule und ich können es nicht glauben, als wir wenig später gemeinsam am Tisch sitzen und auch den Rest des Berichts studieren. Bockelt hat ganze Arbeit geleistet.

Wer ist eigentlich Mona Rittner?, fährt der Artikel im Innenteil der Zeitung fort. *Noch vor Monaten feierte sie als Gesicht der TV3-Sendung »Renovieren Um Vier« große Quotenerfolge. Seit diese nachlassen, macht Rittner eher negative Schlagzeilen – und feiert sich lieber ihren Frust von der Seele!* Klar, dass sie dazu wieder das Foto von Mona auf dem Tresen aus dem Archiv gekramt haben. *Was viele nicht wissen: Mona Rittner ist Miteigentümerin der ›parallelwelt‹, einer kleinen Bar in Hamburg-Altona. Doch der Laden läuft nicht gut: Selbst an einem*

Samstagabend bleiben zu viele Plätze leer! Kein Wunder: Im marmornen Tresen klafft ein Loch – auch hier müsste dringend mal renoviert werden. Aber stattdessen füttert die Chefin auf dem Bauernhofcamp ja lieber ein Ferkel ... Und dann, fettgedruckt: *»weil sie das Geld braucht, um ihren Laden zu retten?* »Boulevard« *bleibt für Sie dran!*

Dieses Schwein! Wütend pfeffere ich die Zeitung in die Ecke. »Das war es dann wohl«, fluche ich. »Wir sind geliefert! Jetzt kommt doch überhaupt niemand mehr zu uns! Und was soll das überhaupt heißen, ›auch hier müsste dringend mal renoviert werden‹??? Der Laden *ist* gerade frisch renoviert, verdammt nochmal!«

Eule atmet tief durch. »Du weißt doch, wie die sind bei der Presse. Und erst recht bei der ›Boulevard‹«, sagt er. »Das darf man nicht so ernst nehmen.«

»Das darf man nicht so ernst nehmen?!«, rege ich mich auf. »Das ist unser Todesurteil! Wir können den Laden dichtmachen!«

»Jetzt wart doch erst mal ab«, beschwichtigt Eule. »Hast du vergessen, was man so sagt? Egal ob positiv oder negativ – Hauptsache, Promo. Ich sag's dir, morgen Abend machen wir einen Superumsatz! Die werden uns schon allein aus Neugierde die Bude einrennen.«

So ganz überzeugt klingt er dabei nicht, und ich verkneife mir lieber jeglichen weiteren Kommentar.

»Was ich dabei nicht verstehe«, grübele ich, »TV3 und die ›Boulevard‹ sind doch eigentlich echt dicke. Wie kann TV3 zulassen, dass die Mona so in die Pfanne hauen? Ich meine, das ist Deutschlands größter und mächtigster Privatsender! Und die ›Boulevard‹ ist darauf angewiesen, dass TV3 mit ihnen zusammenarbeitet. Sonst hätten sie doch gar keine Möchtegernpromis mehr, die sich da ausziehen.«

Eule sieht mich fast mitleidig an. »Marnie«, sagt er leicht tadelnd. »Sei doch nicht so naiv. Die ziehen doch an einem Strang! Solche Storys bringen nicht nur der ›Boulevard‹ Auflage, sondern TV3 auch Quote. Und zwar massig. Was glaubst du, wie viele Leute nur aufgrund dieses beschissenen Artikels heute Abend die nächste Folge einschalten?«

Ja, ergänze ich in Gedanken bitter, und dafür ist ihnen jedes Mittel recht. Was für ein Haifischbecken!

Auf der einen Seite tut Mona mir leid. Wenn die wüsste, was hier draußen abgeht, während sie da drin in diesem bekloppten Bauernhofcamp so gar nichts mitbekommt! Auf der anderen Seite verstehe ich wieder mal nicht, warum sie sich dermaßen daran klammert, in so einem linken Geschäft heimisch zu bleiben. Ich persönlich habe es jedenfalls lieber hart, aber fair. Wie in der Gastro. Das ist zwar nicht minder anstrengend, aber übersichtlich. Und ganz klar strukturiert: Viele Gäste sind sehr gut, und keine Gäste sind gar nicht gut. Ich schätze, wir können uns für die nächste Zeit innerlich schon mal auf letztere Variante einstellen.

»Ach du Scheiße«, entfährt es mir dann plötzlich, und Eule sieht vom Tisch auf. »Was noch?«, erkundigt er sich, und ich ächze. »Von Schlasse«, sage ich knapp. »Glaubst du, der liest die ›Boulevard‹?«

Eule wiegt den Kopf. »Fragen wir mal andersrum: Wer liest die ›Boulevard‹ *nicht* – auch wenn er behauptet, er würde sie niemals in die Hand nehmen?«

Ich stöhne, und dann greife ich mir das Telefon und wähle erneut von Schlasses Nummer. Die Mailbox. Schon wieder. »Sprechen Sie oder lassen Sie's, aber tun Sie was«, befiehlt sie mir. Ich schlucke. »Herr von Schlasse«, stoße ich hervor, »der Elvis ist verschwunden. Aus dem Tresen. Ausgesägt. Ich kann nichts dafür, wirklich nicht. Es gibt keine Einbruchsspuren. Wir haben keine Ahnung, wer dahinterstecken könnte. Bitte melden Sie sich. Vielleicht wissen Sie ja was.«

Als ich am Nachmittag die aktuellen Kontoauszüge des Geschäftskontos aus dem Drucker der Haspa ziehe und auf dem Rückweg von der Bank im Treppenhaus einen Haufen Rechnungen aus dem Briefkasten fische, wird mir erneut klar, dass wir ein außerordentlich großes Problem haben werden, wenn die Umsätze in der kommenden Woche nicht wenigstens ein bisschen anziehen. Vielleicht hilft es ja, dass wir während der Laufzeit von »Land und Lust« an Ausstrahlungstagen der Sendung ab sofort auch an Ruhetagen öffnen. Zwar nur für unsere Stammgäste, sprich: die Einsatztruppe, aber Kleinvieh macht ja auch Mist.

Leider wird sogar hier die Luft dünner, denn Rocko und Thomas ziehen eine ziemliche Schnute, als ich ihr Bier kassieren will. ›Wir helfen dir hier auf der Suche nach dem Elvis und sollen trotzdem immer noch alles bezahlen?‹, sagt Rockos vorwurfsvoller Blick, und bevor er die anderen damit ansteckt, buche ich sein Bier und die obligatorischen drei Tequila lieber aufs Haus. Schade eigentlich. Wir hätten das Geld gut gebrauchen können. Und den anderen zu sagen, dass ihre Hilfe im Moment ja wohl nicht allzu viel bringt, das traue ich mich auch nicht, obwohl es so ist. Die Recherchen stagnieren; niemand hat etwas Neues auf Lager. Lediglich Jan hat in der Zwischenzeit herausgefunden, dass sich der Elvis-Fanstammtisch immer samstags in der »Luke« trifft.

»Das ist schlecht«, stelle ich fest.

»Wieso?«, fragt Jan erstaunt. »Samstag ist doch super!«

»Nein, ist es nicht«, maule ich. »Samstags kann ich hier nicht weg. Ich kann doch am Wochenende den Laden nicht einfach dichtmachen. Gerade jetzt!«

»Ja, aber *wir* können doch hingehen«, sagt Mags. »Wir berichten dir dann.«

»Nein, ich will dabei sein«, quengele ich und sehe bittend zu Eule. »Ich *muss* dabei sein. Schließlich geht es um *meinen* Elvis.«

»Um *unseren* Elvis«, korrigiert mich Eule, der natürlich sofort geschnallt hat, was Sache ist. »Ich will auf jeden Fall auch mit. Schlag dir das aus dem Kopf, Marnie. Ich werde die Schicht bestimmt nicht übernehmen, während du in der ›Luke‹ auf Tour gehst. Bei aller Liebe.«

Hrmpf. Wäre ja auch zu schön gewesen.

»Ich mach das«, bietet sich in diesem Moment Lüttje an. »Lasst mich das doch machen. Ich mein, ich kenn mich ganz gut aus hier. Und, ähm« – Lüttje schaut vorsichtig zu mir herüber, als sie das sagt –, »so viel ist im Moment ja nicht los. Das schaff ich doch bestimmt locker. Glaubt ihr nicht?«

Doch, glauben wir. Bestimmt. Juchhuu! »Abgemacht«, strahle ich. »Danke, Lüttje. Das wird super«, füge ich noch hinzu, und während ich den Beamer einschalte, bin ich schon ganz aufgeregt. An einem Samstagabend war ich seit Monaten nicht mehr aus! Klar, ich habe eine Aufgabe und gehe beileibe nicht nur aus Jux in die »Luke«. Aber wer sagt, dass man dabei nicht trotzdem auch ein bisschen Spaß haben kann?!

Mona sieht in der heutigen Folge aus wie durch den Strohhäcksler geschreddert. Trotz der vielen frischen Luft ist sie extrem blass, und wenn man sie ein bisschen kennt, dann kann man ihr auf zweihundert Meter Abstand ansehen, dass es ihr überhaupt nicht gutgeht. Aber sie verrichtet klaglos ihre Arbeit, jedenfalls in den Szenen, die wir zu Gesicht bekommen, und immerhin hat sie jemanden, der sich um sie kümmert.

Steven Dong scheint ihr den ganzen Tag nicht von der Seite zu weichen, was wohl auch der Redaktion aufgefallen ist, denn der Off-Sprecher macht am laufenden Band süffisante Bemerkungen. Und überhaupt, sie ziehen alle Register und schüren den Eindruck eines aufkeimenden Flirts nach allen Regeln der Fernsehkunst. Wenn Mona und Steven sich ansehen, schalten sie auf Zeitlupe und legen so schnulzige Musik drunter, dass es aus unseren Lautsprechern zu triefen beginnt. Und auch die Schriftzüge, die in der unteren

Bildhälfte eingeblendet werden, reiten eindeutig dieselbe Welle. »Mona Rittner & Steven Dong«, steht da in der verschnörkelten »Land und Lust«-Schrift, und in der Zeile darunter: »Deutschlands neues Traumpaar?«

Das ist ja so was von billig! Aber effektiv, das muss ich zugeben.

»Guckt euch das mal an!«, keift Lüttje aufgebracht. »Das glaub ich ja wohl nicht. Und Mona macht das auch noch mit! Da! Sie lehnt sich sogar an ihn *an*! Ich fass es nicht! Diese blöde Kuh! Die weiß doch genau, dass Steven Dong *meiner* ist! Guido, jetzt sag du doch auch mal was dazu!«

Guido sagt nichts. Was soll er auch sagen? Wir sehen es ja alle. Ich versuche, Lüttje zu beruhigen. »Lüttje«, sage ich und rolle mit den Augen. »Das, was wir hier sehen, ist der Zusammenschnitt von einem ganzen Tag. Und es ist doch klar, dass sie da nur die Szenen nehmen, aus denen man was Interessantes machen kann. Das heißt noch überhaupt nichts! Außerdem hat Steven Dong eine Freundin. Schon vergessen? Und Mona hat Guido«, füge ich noch hinzu. Nur zur Sicherheit. Guido sieht entnervt zur Seite. Ich seufze. Ein bisschen mehr Engagement könnte er schon zeigen.

Lüttje schnaubt, aber sie hält wenigstens die Klappe, denn jetzt wird Jacqueline Schnieder eingeblendet, wie sie umständlich auf den Misthaufen kraxelt, um ihr Statement des Tages abzugeben. »Uuuuh, Baby!«, ruft Thomas entzückt, als sie dabei äußerst kamerawirksam mit ihrem Hintern wackelt. Susa und ich stöhnen auf.

»Also«, sagt Jacqueline Schnieder, als sie sich endlich vor der dampfenden Kulisse eingerichtet hat, »eigentlich sind wir hier ja ein ganz gutes Team. Aber ich muss jetzt doch mal was sagen.« Dazu spielt sie mit ihren langen Haaren herum und sieht nach unten, als wäre ihr das, was jetzt kommt, äußerst unangenehm. Aber ihr Gesichtsausdruck ist irgendwie selbstgefällig. »Bislang habe ich ja nichts unternommen, weil ich dachte, das war bestimmt nur ein

136

einmaliger Ausrutscher«, fährt sie fort. »Aber das war es nicht. Und jetzt muss ich es einfach mal laut sagen. Schließlich ist es nicht nur gegen die Regeln, sondern auch gefährlich.«

»Ja, was denn?«, brüllt Rocko.

»Mona trifft sich regelmäßig mit Willi und Patsy hinterm Stall zum Rauchen!«, erklärt Jacqueline Schnieder mit Grabesstimme. »Trotz der Brandgefahr!«

»Olle Petze!«, brummt Seppl. »Schiebung!«, protestiert Manni lauthals, und sogar Susa, die Rauchen eigentlich gar nicht leiden kann, zuckt mit den Schultern. »Ja und?«, sagt sie. »Was soll das denn?! Sollen sie halt rauchen! Wen interessiert das denn?«

»Schnepfe«, bekräftigt Lüttje. »Glaubt die etwa, dass die dadurch beim Publikum punkten kann, oder was?!«

Das glaubt Jacqueline Schnieder nicht nur, sie kommt damit sogar durch. Und führt nach dem Zuschauervoting erstmals knapp vor Mona. Denn Raucher sind heutzutage automatisch schlechte Menschen, die keine Unterstützung verdienen, und das hat Jacqueline Schnieder sehr gut erkannt. Respekt. So viel Intelligenz hätte ich ihr gar nicht zugetraut.

»Schlange«, zische ich und zünde mir erst mal eine Zigarette an. So viel Solidarität muss sein.

Wir sind jetzt schon über eine Woche hier. Ich bin dazu übergegangen, jeden Abend mit Zahnpasta einen Strich auf einen der Dachbalken in unserer Schlafkammer zu schmieren, und laut meiner Buchführung, so sie denn korrekt ist, müsste heute Samstag sein. Das kann ich kaum glauben, denn ich fühle mich, als wären schon Monate vergangen. Das normale Leben ist ganz weit weg, und langsam hinterlässt das Camp auch körperliche Spuren.

Ich habe eindeutig abgenommen, jedenfalls schlackert mir meine Jeans schon ziemlich um die Hüften, und ich glaube, dass meine Oberarme durch die ganze Arbeit muskulöser geworden sind, was ja erst mal nicht schaden kann. Und überhaupt gebe ich mir alle Mühe, mir die Situation schönzureden. Zum Beispiel, indem ich die Kameras um mich herum einfach auszublenden versuche und mir einrede, ich wäre eine selbstlose, ehrenamtliche Helferin in einem Entwicklungsland, die sich ihr Schicksal selbst ausgesucht hat.

Steven und ich haben begonnen, die Fensterrahmen am Haupthaus aufzuarbeiten und abzuschleifen, und wenn alles gutgeht, können wir morgen schon lackieren. Sofern wir dazu kommen. Denn soeben hat der Futterlieferant mit unserer Hilfe Dutzende Säcke auf dem Hof abgeladen. Und so wie ich Kristin und ihre hämische Truppe kenne, werden sie es garantiert zu unserer Tagesaufgabe machen, dass wir sämtliche dieser Säcke eigenhändig in die Scheune schleppen. Vermutlich verstecken sie auch noch die beiden vorhandenen Schubkarren, um es uns möglichst schwerzumachen. Opa Otto frühstückt den Lieferanten gerade in der Küche ab, während Koksnase seine Schnauze schon tief in einem der Säcke vergraben hat, dass es staubt, und selig mampfend eine Wochenration verputzt. Ich halte ihn nicht davon ab, denn ich habe das Gefühl, dass Koksnase viel zu kurz gehalten wird. Wie sonst wäre es zu erklären, dass er neulich versucht hat, meine Haare zu essen, nur weil sie strohblond sind?

Patsy und Jacqueline sollen sich eigentlich um das Unkraut auf dem Vorhof kümmern, aber sie verbringen ihre Zeit größtenteils damit, sich gegenseitig anzuzicken. Patsys spitze Bemerkungen Jacqueline gegenüber sind regelmäßig Volltreffer, denn durch die heimlichen Zigarettenpausen mit Willi und mir hat Patsy wieder Oberwasser bekommen.

Wir treffen uns so oft wie möglich hinter dem Stall und ziehen erst mal eine durch. Steven weiß davon und deckt uns, so gut es geht, indem er Jacqueline ablenkt, die ihm in der Regel bereitwillig auf den Leim geht. Dafür haben wir den Geheimcode »Muckelchen« entwickelt: Jedes Mal, wenn Patsy und ich uns gegenseitig so nennen, weiß Steven Bescheid. So auch jetzt, als wir wie üblich draußen herumwerkeln. Kumpel liegt dabei in einem der vermoosten Blumenbeete, die wir uns auch dringend noch vorknöpfen müssen, und beobachtet mich mit schiefgelegtem Kopf. Er wächst und gedeiht, dass es eine wahre Freude ist.

»Muckelchen«, ruft Patsy zu mir herüber, »zeigst du mir mal, wo der Hammer hängt?« Ich grinse. Typisch Patsy. »Ich muss hier dringend ein paar Pflastersteine wieder festklopfen«, ergänzt sie, bevor Jacqueline schnallt, was für ein blöder Spruch das war, aber Jacqueline studiert vertieft die Gebrauchsanweisung auf der Plastikflaschenrückseite eines Unkrautbekämpfungsmittels. Oder sie tut zumindest so. »Klar«, rufe ich grinsend zurück, »ich komme«, und dann stratzen wir gemeinsam in Richtung Schuppen, während Steven Jacqueline und ihrer Flasche beflissen zu Hilfe eilt. Kurz vor dem Schuppen biegen wir kichernd ab hinter den Stall, wo Willi uns schon mit zwei Zigaretten im Anschlag erwartet.

Gegen Abend hänge ich gerade zur mir zugeteilten Zeit im Waschzuber in der Küche, als Steven plötzlich hereinkommt.

Ich weiß nicht, wie Jacqueline das macht, aber ich habe es mir angewöhnt, in Slip und T-Shirt zu baden, was sich zwar total scheiße anfühlt, genaugenommen aber gar nicht so unpraktisch ist. Denn so erspare ich mir wenigstens teilweise das Klamottenschrubben auf dem altmodischen Waschbrett, und ich habe jeden Tag eine frische Unterhose. Obwohl ich also nahezu bekleidet bin, quietsche ich erschrocken auf, als ich Steven sehe, und schaufele mir schnell etwas Seifenschaum über den Körper.

139

»Heee«, schimpfe ich, »was machst du denn hier? Das ist meine Küchenzeit! Raus mit dir!«

»Sorry«, sagt Steven und sieht mich hintergründig an. »Ich wollte nur nett sein und dir das hier bringen. Ist mein letztes frisches, aber ich dachte, du freust dich vielleicht«, und damit reicht er mir ein sorgfältig gefaltetes Handtuch. Ich nehme es verwirrt entgegen, und dann zwinkert Steven mir verschwörerisch zu und ist auch schon wieder weg.

Wow. Ein frisches Handtuch! Luxus! Ich vergrabe meine Nase darin und seufze. Es riecht sogar noch ganz leicht nach Waschmittel, obwohl es vermutlich schon seit Tagen in der schlecht durchlüfteten Schlafkammer von Steven und Patsy vor sich hin müffelt. Trotzdem. Es riecht nach echtem, ganz und gar umweltunfreundlichem Wasserweichmacherchlorbleichewaschmittel. Der reine Duft der Zivilisation!

Als ich mich erhebe und das Handtuch auseinanderfalte, segelt plötzlich ein kleiner Zettel hinunter und bleibt sacht auf einem Klacks Seifenschaum neben dem Zuber liegen. »Hups«, murmele ich, und dann tue ich so, als wäre nichts passiert, während ich mich scheinbar routiniert abtrockne und dazu ein kleines lustiges Liedchen pfeife. Als ich mich schließlich bücke, um meine Füße abzurubbeln, ergreife ich mit einem Zipfel des Handtuchs unauffällig das Zettelchen, schließe es in dem weichen Frottee vorsichtig ein und bugsiere es so versteckt aus der Küche heraus.

Meine einzige Chance, es wirklich unbeobachtet zu lesen, ist das Plumpsklo. Zwar gefällt mir der Gedanke daran gar nicht, direkt nach dem Baden wieder in Gestank und Fliegen zu versinken, aber es nützt ja nichts. Vorsichtig trage ich meine wertvolle Fracht zu dem windschiefen Holzhäuschen hinter dem Haupthaus und greife nach dem kleinen Loch in der Tür. Von innen hält leider jemand gegen.

»Besetzt!«, kreischt Jacqueline Schnieder panisch, und ich rolle mit den Augen. War klar.

»Beeil dich«, rufe ich gespielt ungeduldig und trete von einem Bein aufs andere, während ich mich vergewissere, dass die kleine Kamera an der Vorderseite des Häuschens mich auch wirklich im Blick hat, »es ist dringend!«

»Komme ja schon«, erwidert Jacqueline Schnieder dumpf durch die geschlossene Tür und tritt im nächsten Moment mit angewidertem Blick aus dem übelriechenden Kabuff. »Da«, sagt sie dann leise und drückt mir völlig unerwartet und so unauffällig wie möglich eine halbvolle Packung Taschentücher in die Hand. »Allemal besser als das raue graue Zeug da drin«, erklärt sie knapp, und ich staune Bauklötze.

»Wo hast du die denn her?«, raune ich beeindruckt, aber Jacqueline hebt nur noch die Hand und stolziert dann ohne ein weiteres Wort durch das kniehohe Gras von dannen.

Die Taschentücher sind vom Feinsten. Tempo Sensitiv. Mit Aloe Vera, registriere ich baff, nachdem ich auf dem Plumpsklo Platz genommen und mich so weit an das schummrige Dämmerlicht gewöhnt habe, dass ich überhaupt etwas erkennen kann. Ich fasse es nicht. Jacqueline Schnieder und eine gute Tat?! Hmm. Das verstehe, wer will!

Vorsichtig taste ich in dem Handtuch nach dem Zettelchen und falte es auseinander. *Heute Nacht, wenn die Kameras aus sind, im Keller,* steht da in einer krakeligen Schrift. *Raum am Ende des Ganges. Sei leise. S.*

Oha! Eine geheime Verabredung mit Steven! Was mag er wollen?

Nachdenklich zerreiße ich das Zettelchen in tausend kleine Stücke und lasse die Teile dann durch das Loch zwischen meinen Beinen in die Stinkegrube fallen. Die letzten Tage schießen mir durch den Kopf und die Frage, was Steven so Dringendes unter vier Augen mit mir zu

141

besprechen hat, und mir kommt ein Gedanke, den ich am liebsten gar nicht weiterdenken will. Er ist völlig absurd, denn er besteht aus dem Verdacht, dass Steven Dong sich in mich verliebt haben könnte.

»Nein, das kann nicht sein«, murmele ich zu mir selbst. »Das glaube ich nicht«, aber der Gedanke verschwindet nicht wieder. Im Gegenteil, je mehr ich über die vergangene Woche nachdenke und über all die Situationen, in denen Steven und ich zusammen waren, desto mehr drängt er sich auf. Er hat sich ja schon sehr bemüht, dass es mir gutgeht, denke ich, und dann lache ich unbewusst auf, obwohl mir gar nicht zum Lachen zumute ist. Steven und ich – ja klar. Wir wären die Lachnummer der Nation. Er einen Kopf kleiner als ich und ich ungefähr zwanzig Kilo schwerer als er. Ein Traum!

Vor meinem geistigen Auge sehe ich, wie Lüttje mit Schaum vorm Mund schwört, mich umzubringen, und wie Guido mich schweren Herzens freigibt, weil er meinem neuen Glück nicht im Wege stehen will.

Was für ein Quatsch! Steven ist ein netter Kerl, aber sexy finde ich ihn nicht. Ganz und gar nicht. Und deshalb werde ich ihm einen Korb geben müssen, falls er mir tatsächlich seine Liebe gesteht, was ich aber beim besten Willen nicht glauben kann. Und auch nicht hoffe. Bei aller Sympathie, aber das geht nun wirklich nicht.

Ich will gerade aufstehen, um endlich diesem widerlichen Gestank zu entkommen, da fällt mir ein weiteres Zettelchen ins Auge, das direkt vor meinen Füßen liegt, ganz knapp vor der Türritze, durch die von draußen das Tageslicht hereinscheint. Ich hebe es auf. *30 %!,* steht darauf. *Weiter so!* Sonst steht da nichts. Sehr aufschlussreich. Häää?!

Verwirrt betrachte ich den Zettel noch einen Moment und stopfe ihn dann kurz entschlossen zwischen die Taschentücher, die ich wiederum im Handtuch einwickele. Jetzt verstehe ich überhaupt nichts mehr. Was wird hier gespielt?!

Langsam fange ich an, mir Sorgen zu machen. Von Schlasse hat sich immer noch nicht zurückgemeldet, und vor meinem geistigen Auge sehe ich ihn schon tot und kalt in seiner Wohnung an der Elbchaussee liegen, inmitten all seiner Antiquitäten und ohne dass ihn irgendjemand vermisst. Außer mir natürlich.

»Ich versteh das auch nicht so richtig«, sagt Eule. »Normalerweise kann man doch gar nicht so schnell gucken, wie der sich zurückmeldet. Vielleicht ist ihm was passiert?«

»Hm«, mache ich. »Ich fahr hin«, verkünde ich dann kurz entschlossen. »Wenn er sich bis Montagmittag nicht gemeldet hat, fahr ich zu seiner Wohnung.«

»Ja«, antwortet Eule, »das ist eine gute Idee. Sag mal, bist du dir sicher, dass das das richtige Outfit ist?«

Verunsichert sehe ich an mir herunter. Ich habe mich schon für unseren Abendausflug in die »Luke« zurechtgemacht und dabei ziemlich tief in die Trickkiste gegriffen. Ausnahmsweise trage ich einen Rock, einen ziemlich kurzen sogar, dazu hohe Reiterstiefel; und meine Bluse ist so weit geöffnet, wie ich es mich hinterm Tresen niemals trauen würde, denn beim Bücken würden meine Dinger sofort fröhlich hervorspringen und vor den Augen der Gäste Samba tanzen. Aber bücken muss ich mich ja heute nicht, hurra!, denn ich habe frei, frei, frei! Und ich gehe aus! An einem Samstagabend!!! Und deshalb habe ich mir zur Feier des Tages zusätzlich noch eine verwegene Kappe aufgesetzt, unter der man statt meines praktischen Kurzhaarschnitts auch eine lange Mähne vermuten könnte, und beim Make-up ordentlich zugelangt. Rrrrr.

»Wieso?«, frage ich gespielt unschuldig, mache einen Schmollmund und zupfe an meinem BH-Träger. »Stimmt was nicht?«

»Na ja«, murmelt Eule, »man könnte fast meinen, du wolltest dir eventuell noch was dazuverdienen im Laufe der Nacht.«

Ich lache. »Jetzt übertreib mal nicht«, sage ich und setze mich kurzerhand auf Eules Schoß. »Du bist eifersüchtig«, nehme ich ihn aufs Korn und streichele ihm die Wange. »Hihiii, Eule ist eifersüchtig! Jetzt schon! Wie süüüüüüüß!«

»Mrmpf«, macht Eule.

»Ach, komm schon«, gurre ich. »Das passt doch. Immerhin gehen wir auf die Reeperbahn. Und wer weiß, wen ich heute noch bezirzen muss, um an Informationen zu kommen! Die Spioninnen bei James Bond sind doch auch immer besonders sexy. Das hilft, glaub mir. Halbnackt kommt weiter!«

Lüttje macht einen aufgeräumten, patenten Eindruck, während ich sie noch einmal grob in ihre Aufgaben einweise, und ich bin mir ziemlich sicher, dass sie mich hinterm Tresen würdig vertreten wird. »Land und Lust« gibt es heute nicht, stattdessen läuft Fußball, was keinen interessiert außer Manni, und deshalb brechen wir nach einem Aufwärmtequila schon bald auf.

Wir sind zu neunt: Eule, ich, Rocko, Thomas und Manni natürlich; dazu Susa und Alf sowie Eske und Behnke junior. Berit und Bernd haben kurzfristig abgesagt, vermutlich weil sie mal wieder mit geldsparenden Vorbereitungen für ihre Hochzeit wie dem eigenhändigen Klöppeln von Kleidern für die Blumenmädchen beschäftigt sind. Und Mags ist mit den Handwerkern und Bobo Attila Boizenburg vom »Renovieren Um Vier«-Produzenten zum Essen eingeladen worden. Wahrscheinlich, um sie sich warmzuhalten für den Fall, dass es mit der Sendung doch nochmal weitergeht. Jan will vielleicht später noch nachkommen. Aber die Reisegruppe »Luke« ist auch so groß genug.

Ich komme mir vor wie eine nur mäßig begabte Erzieherin, die mit einer Vorschulklasse unterwegs ist. Alles schnattert durcheinander, und bis im Bahnhof Altona der Letzte ein S-Bahn-Ticket aus dem Automaten gezogen hat, sind die Ersten schon unten am Bahngleis und stehen mit einem Fuß in der Tür eines Zuges, aber wir anderen sind einfach nicht schnell genug, und so müssen Manni, Rocko und Thomas den ersten Zug fahren lassen, ohne einzusteigen.

Während wir auf die nächste Bahn warten, versuche ich mich daran zu erinnern, wann ich das letzte Mal auf dem Kiez war. Gute Güte, das muss Jahre her sein! Wenig später weiß ich auch, warum, denn wir werden inmitten grölender Touristenhorden über die sogenannte Amüsiermeile geschoben. Die allgemeine Grundstimmung ist irgendwas zwischen ausgelassen und aggressiv. Überall leuchtet, blinkt und tutet es, und das Müllaufkommen ist immens. Die Abfalleimer quellen bereits über, und ich trete prompt in die Reste eines Döners, den irgendwer fallen lassen hat.

Die meisten sind jetzt schon besoffen, und dementsprechend überrascht es uns kaum, als sich ein milchgesichtiges Jüngelchen entschließt, uns direkt vor die Füße zu kotzen. Nachdem ich Manni, Rocko und Thomas von der dritten Prostituierten im Skianzug weggezerrt habe, bin ich fast schon erschöpft. Herrje, gegen den Zirkus hier ist die »parallelwelt« ja das reine Sanatorium!

Hastig stolpern wir über den Hans-Albers-Platz. Die Musikmischung, die über das Pflaster dröhnt, ist gewöhnungsbedürftig: Von blechernem Schlager, lauthals begleitet von Leuten, die besser nicht singen sollten, über schiefen Live-Folk bis hin zu fiesem, hämmerndem Discosound ist alles dabei.

»Mein Gott, was ist hier los«, stöhne ich, und Susa hält sich die Ohren zu. »Ich kann nicht glauben, dass wir das hier früher mal gut fanden!«, schreit sie mich an, und ich zucke mit den Schultern. »Wir werden alt!«, schreie ich zurück. »Ihr *seid* alt!«, setzt Rocko noch einen drauf. Na, schönen Dank auch.

Dann haben wir das Gröbste geschafft und dürfen abbiegen, in eine der ruhigeren Hintergassen des Kiezes, wohin sich nicht mehr ganz so viele Touristen verlaufen und wo man deshalb auch die Chance hat, in einer der unzähligen, verrauchten Kaschemmen auf Einheimische zu treffen. Beim ersten Mal laufen wir an der »Luke« vorbei, so unscheinbar ist sie. Erst auf dem Rückweg, als uns klargeworden ist, dass wir unser Ziel längst passiert haben müssen, entdecken wir das Schild, das auf die kleine Kneipe im Innern eines schmalen, dreigeschossigen Häuschens hinweist.

Der graue Putz fällt in handtellergroßen Stücken von der Fassade; die ehemals braun lackierte Metalltür ist geschlossen und hat tatsächlich eine kleine, von rostigen Nieten eingefasste Luke auf Augenhöhe; das kleine Schaufenster rechts neben der Eingangstür ist mit einem Tuch verhängt, und überhaupt macht das Ganze keinen wirklich vertrauenerweckenden Eindruck. Und von drinnen kommt kein Mucks. Lediglich eine blinkende Lichterkette im oberen Teil des Schaufensters zeugt davon, dass sich hinter der Tür tatsächlich Leben befinden könnte. »Dienstag Ruhetag«, steht auf einem handgeschriebenen Zettel, der darunter provisorisch von innen ins Fenster geklebt ist.

»Seid ihr sicher, dass wir hier richtig sind?«, fragt Susa zweifelnd.

»Jo«, macht Rocko, »na sicher dat«, und dann geht er beherzt auf die Tür zu und zieht daran. Sie lässt sich öffnen, na bitte, wenigstens schaut kein quasimodoähnlicher Türsteher durch die Luke und will erst mal unser polizeiliches Führungszeugnis sehen. Schüchtern schieben wir uns nacheinander ins Innere des Ladens.

Oha. Wenn Ferfried Bockelt schon der Meinung ist, dass in der »parallelwelt« dringend renoviert werden müsste, dann würde er hier wahrscheinlich die Abrissbirne empfehlen. Das Interieur, so man es denn so nennen mag, ist unglaublich, und zwar unglaublich malad. Der altersschwache Tresen scheint nur noch von eingetrockneten, klebrigen Bierpfützen zusammengehalten zu werden, und die löchrige dunkle Holzvertäfelung an den Wänden verbessert das von Rauchschwaden durchzogene Raumklima nur unwesentlich. Aber das ist nur Nebensache, denn das wirklich Interessante hier sind zweifellos die Insassen.

»Uoarh«, entfährt es Eule, und auch ich kann kaum glauben, was ich sehe, und weiß gar nicht, wo ich zuerst hingucken soll. »Elvis lebt«, flüstere ich, und das tut er tatsächlich, und zwar in ungefähr zwölffacher Ausführung. Links, rechts, vorne, hinten – überall stehen, sitzen, schunkeln, trinken und rauchen Elvisse in glitzernden Showanzügen, mit rekordverdächtigen, festbetonierten Tollen, und figurtechnisch ist für jedes Stadium in Elvis' bewegtem kurzen Leben eine Variante dabei. Einer von ihnen ist so beleibt, dass man vermuten muss, sein bunter, paillettenbesetzter Showanzug sei einmal das Manegenoutfit eines Zirkuselefanten gewesen. Er steht mit dem Rücken zu uns, vor einer altmodischen Musikbox, und füttert sie mit Münzen. »Can't Help Falling In Love«, singt der echte Elvis kratzend im Hintergrund, während der eine oder andere Hilfselvis engagiert mitbrummt, und ich kann mir tatsächlich nicht helfen, diese Szenerie ist so kurios und so wunderlich, dass ich mich auf Anhieb für immer in sie verliebe.

Es gibt Dinge, die sieht man nur einmal im Leben, und deshalb muss man sie mit seinem Hirn fotografieren, ganz bewusst, und anschließend in das Gedächtnis einfräsen, damit man sie nie wieder vergisst. Sogar Rocko ist ausnahmsweise mal sprachlos.

»Kommt nur rein«, ruft es von hinter dem Tresen, »kommt rein und macht die Tür zu, es zieht!«

Die Stimme gehört zu einer Frau, die hinter der Bar steht und soeben zwei Pils nachzapft, und ihre Erscheinung ist nicht minder beeindruckend. Sie hat pechschwarze, sehr lange Haare, hier und da von einigen wenigen grauen Strähnen durchzogen und scheinbar nachlässig aufgetürmt zu einer lockeren Hochsteckfrisur, was ihr im Zusammenspiel mit ihrem halbdunklen Teint ein gewisses Feuer verleiht. Ihr Alter ist nur schwer schätzbar, sie mag Ende fünfzig sein oder auch Ende sechzig, aber ihre dunklen Augen funkeln, und ihre Kleidung erinnert eher an eine junge Flamencotänzerin denn an eine Kiezwirtin. Sie trägt ein rotes, mit schwarzen Blüten bedrucktes Kleid und dazu Kreolenohrringe so groß wie Wagenräder. Ihre Lippen sind mindestens so rot wie der Stoff ihres Kleides, und ihre gerade, stolze Haltung lässt keine Widerrede zu. Manni schließt gehorsam die Ladentür.

Amüsiert, aber nicht unfreundlich nimmt die Wirtin uns genauer in Augenschein. »Na, min Deern«, sagt sie zu Susa, die eingeschüchtert am dichtesten von uns allen neben dem Tresen steht, »was darf's denn nu sein, hm?«

Wir sind allesamt froh, uns erst einmal mit der Getränkeauswahl beschäftigen zu können, denn insgesamt stehen wir wohl ein bisschen unter Schock. Die Wirtin scheint an solche Reaktionen gewöhnt zu sein; sie lässt unser unsicheres Gestotter geduldig über sich ergehen. Die Elvisse beobachten die Szene belustigt. Hier und da halten sich zwischen ihnen auch normal bekleidete Leute auf. Eine Handvoll von ihnen hat sich im hinteren Teil des Ladens zusammengerottet und beobachtet im Fernseher das Fußballspiel, das auf TV3 übertragen wird; und da sind auch zwei Frauen im Petticoat, die Haare zum Pferdeschwanz hochgebunden, aber im Vergleich zu den schillernden Elvissen fallen sie kaum ins Auge.

Mit uns ist die »Luke« eindeutig voll. Viel mehr als die jetzt knapp dreißig anwesenden Personen würden nicht mehr reinpassen in den kleinen verwinkelten Laden, und sowohl Augen- als auch Körperkontakt gehören bei den bescheidenen Platzverhältnissen wohl automatisch zum Programm.

»Nich so schüchtern, Honey«, ermutigt mich einer der Hilfselvisse prompt, der Kugelrunde von der Musikbox, und haut mir freundschaftlich auf den Rücken. Er hat sogar einen amerikanischen Akzent! Ob nun antrainiert oder nicht, er klingt jedenfalls sehr authentisch, und ich taufe ihn in Gedanken »Elvis Nr. 1«. »Wir tun doch nix. Allrighty-right, Benita, Sweetie, Darling, Sweetie? Wir tun nix. Wir sind zwar crazy, absolutely, aber das hat noch niemandem geschadet«, und die Wirtin nickt milde und lächelt nachsichtig.

»Benita, ein schöner Name«, sage ich zu Benita, »wo kommen Sie her? Aus Spanien?« Statt einer Antwort lächelt Benita nur und zeigt auf die Musikbox, aus der gerade Elvis' Gassenhauer »Mexico« plärrt.

Aha. Alles klar. Mit Spanien lag ich da zwar daneben, aber schöner hätte man mich vermutlich nicht darauf hinweisen können.

Der Abend wird ziemlich lustig, und er ist eines Samstagabends ganz und gar würdig. Die Hilfselvisse freuen sich über das viele frische Blut und bewerfen uns geradezu mit Schnäpsen, und ich werde ziemlich schnell ziemlich betrunken. Susa legt irgendwann sogar zu »Kiss Me Quick« mit einem der Elvisse einen Rock 'n' Roll aufs begrenzte Parkett, der sich gewaschen hat. Sie wird durch die Luft gewirbelt, dass mir schon vom Zusehen schwindlig wird, und lässt sich vom Rest des Ladens ordentlich bepfeifen und beklatschen. Wow!

»Ich wusste gar nicht, dass du das kannst«, sage ich erstaunt und auch ein bisschen neidisch zu ihr, als sie atemlos zu uns zurückkehrt. Wir anderen sind mittlerweile in eifrige Gespräche mit Elvis Nr. 1 bis 12 verwickelt und lassen uns von ihnen die Zeitungsartikel, Fotos und Elvis-Devotionalien erklären, die überall an den Wänden hängen. »Die Tollen Tollen«, nennt sich ihr Elvis-Fanclub, der erste und größte Hamburgs, angeblich, und bereitwillig geben sie uns Auskunft über ihre Aktivitäten. Ich nutze die Chance und greife den Stier schließlich bei den Hörnern.

149

»Habt ihr eigentlich mal vom marmornen Elvis gehört?«, wage ich den Vorstoß. »Der aus dieser Kneipe in Altona, diese Marienerscheinung in dem Tresen? Der angeblich Glück bringt, wenn man darauf tanzt?«

Die Hilfselvisse verstummen schlagartig, und Benita schaut vom Zapfhahn hoch und wechselt einen schnellen Blick mit Elvis Nr. 1, der trotz seines Umfangs und seines Alters noch immer einen wirklich erstaunlich echten »Elvis-The Pelvis«-Hüftschwung draufhat.

»Kokolores«, sagt Elvis Nr. 4. Er ist dem etwa fünfunddreißigjährigen Elvis zuzuordnen, noch recht schlank, aber doch schon ein wenig abgerockt, har, har. »Das ist doch nur Geldmache. Humbug! Ehrlich, Baby, wenn da was dran wär, dann wären wir wohl die Ersten, die regelmäßig drauf rocken würden, das glaub man, min Deern!«, und die anderen murmeln zustimmend.

»Aber die Legende geht doch schon seit Jahren«, werfe ich verunsichert ein. »Hätte die sich so lange gehalten, wenn da wirklich nichts dran wäre?«

Die Elvisse lachen unisono. »Man kann sich Sachen auch einbilden«, erklärt Elvis Nr. 7. »Nee, nee, Mädsche. Wie kommst du überhaupt darauf?«

Noch bevor ich den Mund öffnen und etwas erwidern kann, hat Eule mir schon von hinten den Arm um die Hüfte gelegt und kneift mich einmal kurz. Aber mit Schmackes. Ich quietsche überrascht auf, und Eule sagt statt meiner: »Ach, nur so. Wir haben da neulich von gehört, dass es das Ding angeblich geben soll, in der Kneipe von dieser Fernsehmoderatorin. Von TV3.«

»Stimmt, die von der Baustelle«, ruft Elvis Nr. 8. »Die kann den Hals nicht vollkriegen, was? Die Leute glauben heutzutage auch, sie könnten mit dem letzten Scheiß Kohle machen«, und dann lachen wieder alle.

Ich mache mich ruckartig von Eule los. »Heee«, sage ich, und ich weiß nicht, ob mein plötzlicher Mut daher stammt, dass ich angetrunken bin, oder daher, dass es hier um die Ehre geht. »Heee«, wiederhole ich und schwanke dabei schon leicht von links nach rechts, »passt auf, was ihr sagt! Mona Rittner ist nämlich zufällig eine Freundin von mir. Und ihr geht es bestimmt nicht nur ums Geld!« Wie zur Bestätigung hickse ich einmal kurz.

»Ach nein?«, bemerkt Elvis Nr. 6 halb belustigt, halb ernst. »Deshalb macht sie sich auch gerade bei ›Land und Lust‹ zum Affen, was?«

Erneut Gelächter. Grmpf. Noch so'n Spruch, Tollenbruch.

»Lass gut sein, Marnie«, raunt Eule mir zu, »das reicht für den Anfang«, und als hätte er es bestellt, klingelt in diesem Moment mein Handy. »Sorry«, sage ich böse und krame das Telefon aus meiner Handtasche, denn ein Anruf um diese Zeit, das kann eigentlich nur Lüttje aus der »parallelwelt« sein.

Sie ist es tatsächlich.

»Sag mal, ist es normal, dass hinten aus der Eismaschine Wasser rausläuft?«, erkundigt sie sich beflissen bei mir. »Ich meine, das ist nicht ungefährlich. Da liegt nämlich eine Verteilerdose direkt in der Pfütze.«

Na bravo. »Zieh erst mal einfach den Stecker raus«, seufze ich. »Ich bin gleich da.«

Als Eule und ich wenig später die »Luke« verlassen, läuft im Hintergrund wie zum Hohn »Burning Love«, während Susa schon wieder das Tanzbein schwingt und Rocko bei Benita die nächste Runde Schnaps ordert. Wer will hier eigentlich wen verarschen?!

»Hier war übrigens so ein Typ im Trenchcoat, der hat mich über das Loch im Tresen ausgequetscht«, erzählt Lüttje beiläufig, während wir gegen zwei mit Eule in der schmalen Küche stehen und die Eismaschine mit vereinten Kräften vorsichtig von der Wand abrücken. Mir schwant Böses.

»Oh nein«, entfährt es mir. »Was hast du ihm erzählt?«

»Nichts«, sagt Lüttje. Ich sehe sie prüfend an. »Na ja, halt dass der Elvis weg ist«, fügt sie hinzu. »Aber das wissen ja wohl mittlerweile alle. Ist doch kein Geheimnis, oder?«

Ich stöhne auf. »Nein«, sage ich spitz, »jetzt nicht mehr. Der Typ war nämlich von der ›Boulevard‹, und er wird sicherlich dafür sorgen, dass es am Montag jeder in dieser ganzen gottverdammten Stadt weiß. Na toll.«

Lüttje reißt die Augen auf. »Ist das schlimm?«, fragt sie bedröppelt.

»Ich befürchte, ja«, sage ich genervt. »Immerhin arbeitet der Typ gerade ziemlich motiviert daran, Monas Ruf zu schaden. Und wenn der jetzt auch noch rausfindet, dass hier alles drunter und drüber geht …«

»Ach komm, jetzt mach mal halblang«, erwidert Eule. »Wer weiß, wofür es gut ist, Marnie. Je mehr Leute davon wissen, desto mehr können schließlich die Augen aufhalten. Und wer weiß, vielleicht taucht der Elvis ja doch irgendwo mal auf, und ein pfiffiger ›Boulevard‹-Leser bringt ihn euch zurück.«

Ich schnaube. Ein pfiffiger »Boulevard«-Leser, dass ich nicht lache. Das wäre ja wie ein nicht trinkender Rocko.

Zum Glück weiß ich durch meine andauernde Schlaflosigkeit in der Dachkammer mittlerweile, wie sich die allnächtliche Kamerapause zu erkennen gibt. Gespannt liege ich mit offenen Augen regungslos in dem schmalen Bett, starre unter die Dachbalken und warte auf das leise »klack« sowie das sanfte Erlöschen der beiden stecknadelkopfgroßen Rotlichter. Das kurze Aussetzen der Aufnahmen findet meinen Beobachtungen nach von Nacht zu Nacht um etwa zehn Minuten zeitversetzt statt, und dementsprechend müsste es heute gegen zwanzig nach zwei so weit sein.

Heimlich schiele ich unter meiner Bettdecke auf meine Armbanduhr. Es ist Viertel nach. Neben mir schnauft und röchelt Jacqueline Schnieder, als würde sie drei Futtersäcke gleichzeitig auf ihrem schmalen Rücken transportieren. Ungeduldig trommele ich mit meinen Fingern auf dem klammen Laken herum.

Da! Klack. Na bitte. Jetzt – Licht eins. Und – Licht zwei, jawoll. Endlich!

Leise klettere ich aus dem Bett, ziehe dabei wohlweislich den Kopf ein und dann meine Hose an, die ich beim Ausziehen vorsorglich direkt vor dem Bettgestell habe fallen lassen. Dann schlüpfe ich in die Turnschuhe und schleiche mich mit Herzklopfen aus dem Raum.

Ich komme nur langsam vorwärts, insbesondere auf der krummen Treppe, die ohne Licht ein wahres Abenteuer ist. Aber ich kenne sie mittlerweile ganz gut, und so zehre ich von meiner Erinnerung und von dem wackeligen Handlauf, der mich zwar nicht sicher, aber immerhin doch unfallfrei nach unten geleitet. Ooooh, es ist unheimlich in dem alten Haus! Überall knarrt und quietscht es, und ich kann nicht verhindern, dass mir ein leichter Schauer über den Rücken läuft.

Auf Zehenspitzen durchquere ich den Flur und die Küche. Das Küchenfenster steht offen, und hinter den leicht wehenden Vorhängen liegt der Hof ganz im Stillen da. Nur hinter der Scheune kann ich den schwachen Lichtschein der Redaktionswohnwagen sehen und des Cateringzelts. Dagegen hebt sich die Silhouette von Koksnase ab, der dösend im Vorhof steht, ein Hinterbein angewinkelt, und im Halbschlaf entspannt schnaubt. Was für eine Idylle, denke

153

ich bitter, ein Schelm, wer Böses dabei denkt, und dann stehe ich schließlich vor der Kellertreppe und bewältige sie ähnlich tastend wie die Treppe vom Obergeschoss.

Unten angekommen, strecke ich vorsichtig einen Fuß aus, um sicherzugehen, dass keine Stufe mehr folgt. Dabei stoße ich mir das Schienbein an irgendetwas und stöhne laut auf. Schmerzen! Mit verzerrtem Gesicht reibe ich mir das Bein und zucke erneut zusammen, als ich ein Zischen höre. Es ist stockduster.

»Mona, bist du's?«, raunt es von irgendwo. Steven!

»Ja«, flüstere ich, »wo bist du?«

Statt einer Antwort sehe ich plötzlich den flackernden Lichtschein einer Kerze, und dann kommt die Kerze auf mich zu, samt Steven, der sie vorsichtig vor sich her trägt und mich bei der Hand nimmt.

»Hier lang«, sagt er leise, und wir huschen durch den modrigen, unebenen Kellergang, bis ganz hinten durch. Steven schiebt mich in den anschließenden Raum hinein, und dann schließt er hinter uns die Tür und drückt auf einen Lichtschalter.

Es ist nur eine schwache Funzel, die da unter der Decke hängt, aber das Licht reicht aus, um mich für einen Moment benommen zu machen. Ich kneife die Augen zusammen und reibe sie mir, bevor ich sie wieder öffne. Und dann reibe ich mir die Augen nochmal, weil ich nicht glauben kann, was ich sehe.

»Was ist *das* denn?«, stoße ich hervor. »Bin ich im Paradies???«

Der etwa fünfzehn Quadratmeter große Raum ist voller Regale, und in diesen Regalen stehen – Flaschen. Schnapsflaschen. Volle Schnapsflaschen. Volle, sehr lecker aussehende Schnapsflaschen. Dazwischen liegen verschiedene Gerätschaften und Küchenutensilien herum; Schläuche, Trichter, ein paar von frischem Fruchtsaft bereits verfärbte Abtropfsiebe aus Plastik. Links an der Wand steht ein Tapeziertisch mit einer Art Schnellkochtopf darauf. Ein Glühweintopf, stelle ich fest, mit Zapfvorrichtung. Na ja, oder so etwas Ähnliches jedenfalls. Kurzum: Es ist alles da, was man eben so braucht zum Schnapsbrennen.

Steven grinst. »Willkommen in unserer eigenen kleinen Privatdestillerie«, sagt er listig und breitet die Arme aus. »Na, was sagst du dazu? Schnäpschen?«, fragt er dann und schenkt uns gleich mal aus der Flasche, die er schon auf dem Tapeziertisch bereithält, zwei Gläser ein. Man soll ja auch keine Zeit verlieren.

Ich fasse es nicht. Staunend gehe ich an den Regalen entlang. Die Flaschen haben kleine, ungelenk handgemalte Früchte auf den aufgeklebten Papieretiketten. »Apfel, Pflaume, Birne«, murmele ich ungläubig, »Mirabelle, Johannisbeere, Holunder – hui, Tanne!« Vorsichtig nehme ich eine der Flaschen hoch, in der sogar ein kleiner Tannenzapfen schwimmt. Gewagt!

»Das ist jedenfalls mal was ganz anderes«, stelle ich dann fest. »Wie hast du das denn entdeckt?«

»Tja«, sagt Steven, »man soll sich ja immer genau umgucken. Na ja, war eher Zufall. Ich wollte eigentlich nur Holz holen.«

»Aber das lagert doch im Schuppen«, werfe ich ein.

Steven lacht. »Ja, das weiß ich jetzt auch. Willste auch noch meckern, oder was?«

»Um Gottes willen«, antworte ich. »Nichts läge mir ferner! Aber wer macht denn das hier unten?«, frage ich staunend, »glaubst du, das ist Opa Otto?«

Steven schüttelt den Kopf. »Willi«, antwortet er überzeugt.

»Willi???« Ich lache.

»Klar«, sagt Steven. »Ich hab mich schon immer gefragt, wie der das hier überhaupt aushält. Und manchmal hat er so einen gerissenen Zug um den Mund. So als wolle er sagen, eigentlich könnt ihr mich sowieso eh alle mal. Und überhaupt, wer raucht wie ein Schlot, der nimmt sich auch gern mal einen zur Brust. Et voilà!«

Grinsend nehme ich das Glas, das Steven mir reicht. Wir stoßen an, und ein paar Sekunden später brennt es in meinem Rachen, als hätte ich Reißzwecken verschluckt.

»Ouhauerha!«, röchele ich. »Harter Stoff.«

»Aber lecker«, ergänzt Steven. »Jetzt wird gefeiert! Auf Willi!«

»Auf Willi«, wiederhole ich und nehme noch einen kräftigen Schluck. Man gewöhnt sich schließlich an alles, und Übung macht den Meister.

Eine Dreiviertelstunde später können wir nicht mehr stehen und setzen uns lieber, Rücken an Rücken, auf den feuchten Estrich.

»MannomanndasZeuchmachtechbesoffn«, lalle ich, »auserdemwackelderFußbonschongesehn?«

»DasnichderFußbondasbisdu«, lallt Steven zurück. »OooohwasfüreineLandpartiesssogfälldmirdddas. Hicks!«

Ich muss rülpsen, und dann kichere ich. »Weissuwasicherstdachde? DassuwassvonmirwillsssChhaddeschonAngsssdassuinmichverknalltbis.«

Steven gackert amüsiert. »Nnnadaswärdochmawas«, grient er. »Alsosssubberfinnichdichschon. Ichsachdirwas, wennichauffraunstehnwürdeduwärsdieersteecht.«

Mit einem Schlag bin ich wieder nüchtern. Oder was man so nüchtern nennt.

»Wie – wenn du auf Frauen stehen würdest?!« Hicks.

»M-m-mona! Chbinschwul. ChstehaufKelle, weisse. Dashassedochwollschschongemerkt. Oderetwanich?«

Fassungslos lasse ich mich zur Seite kippen und sehe Steven von schräg unten an, der ohne meine Rückenstütze nur schwerlich sein Gleichgewicht behält. Er fixiert mich grinsend unter seinen Stirnfransen, und er dreht sich.

»Und deine Freundin?«, frage ich ungläubig.

»Mmmenschmona«, sagt Steven tadelnd, »sseidochnichsonaiv. Das's nur für die Presse unn' für die Fans so, weissu? Die W-weiber schaldnnichmehr ein wennse wissndasse bei dir im Leben nnich landen könn'. Unnummekehrt auch. Die Julia hatseidJahr'n 'ne Freunnin. Issauchschwul, weissu«, und wieder kichert Steven.

Das glaube ich jetzt alles nicht. Wie blind kann man sein! Arme Lüttje. Die fällt tot um, wenn ich ihr das erzähle.

»Wieisnbeidirso?«, erkundigt sich Steven, noch bevor ich zu dieser Angelegenheit mehr sagen kann. »Hasse'nTypenoderwa?«

Ich seufze. »Ja, so was in der Art«, sage ich, »aber der ist total sauer, weil ich hier mitmache.«

»Liebsssuihn?«, fragt Steven mitfühlend.

»Ichdenkschon«, sage ich. »Jedenfalls fühls sich so an.«

»Undasweißerauch«, sagt Steven. Es klingt mehr wie eine Feststellung als wie eine Frage, aber ich beantworte sie trotzdem.

»Da binch mir nicht so sicher«, sage ich nachdenklich. »Chglaub, er denkt, meine Karriere's mir wichtiger als er. Dabei stimmt das gar nich. Chversuch doch nur, das am Leben zu erhalten, wofür ich die letzten Monate so gekämpft habe. Aber er versteht das nicht. Oder vielleicht willers auch gar nicht verstehen.«

Steven seufzt. »Warums das zwischen Männern und Frauen eigentlich immer so kompliziert? Is doch eigentlich ganz einfach«, sagt er leichthin, »dann mussu ihm das eben mal ganz klarundeutlich mitteilen. Iss denn so schwer?«

Hmpf. Wir schweigen einen Moment. Just als einer von uns wieder etwas sagen müsste, scheppert es laut vor der Tür, und dann hören wir jemanden lauthals fluchen.

»Scheiße«, entfährt es mir ängstlich, »wers das?!« Hastig versuche ich, die Schnapsflasche, die neben mir steht, hinter meinem Rücken zu verstecken, ohne mir der Sinnlosigkeit meines Tuns bewusst zu sein. Steven rülpst.

Im nächsten Moment fliegt die Tür auf, und in ihrem niedrigen Rahmen steht eine leicht gebückte Patsy. Sie hat einen Eimer am Fuß. Aber ansonsten sieht sie top aus wie immer.

»Muckelchen, da bist du ja!«, sagt Patsy streng zu Steven und hebt strafend den Zeigefinger. »Tsssss. Na, meine kleinen Hasen? Ihr wollt doch nicht etwa ohne mich Spaß haben?« Spricht's und stolziert humpelnd in den Raum hinein.

»Du hassn Eimer am Fuß«, sage ich, und Steven prustet los.

»Das trägt man heute so, mein Hase«, erwidert Patsy ungerührt und schenkt sich erst mal einen ordentlichen Schnaps ein.

Eine halbe Stunde und noch einige Schnäpse später knutschen Patsy und Steven, dass sich die Balken biegen und ich kaum noch hinsehen mag, erst recht, als Steven Patsy langsam die Perücke vom Kopf zieht. Ich komme mir auf einmal unglaublich fehl am Platz vor, und außerdem verspüre ich eine große Sehnsucht nach Guido.

Vielleicht hat Steven recht, grübele ich. Vielleicht muss ich Guido einfach mal ganz deutlich sagen, dass ich ihn doch liebe, ohne Wenn und Aber, egal, was ich im Rest meines Lebens für einen Quatsch anstelle. Hätte ich das doch bloß getan, bevor sie mich hier in dieser Irrenanstalt weggeschlossen haben!

»Chggggehmaschlafn«, verkünde ich und stehe ächzend auf. Patsy und Steven bemerken mich kaum. Mein Pech, denn sonst hätten sie mir vielleicht angesehen, dass ich gar nicht meine, was ich soeben gesagt habe. Und vielleicht hätten sie mich dann von dem abgehalten, was ich jetzt tun werde. Besser wäre das wohl, aber mein Großhirn hat soeben sämtliche Vernunftsynapsen abgeschaltet und konzentriert sich nur noch auf ein instinktgesteuertes, übergeordnetes Ziel: meine Beziehung zu retten. Und zwar jetzt und sofort.

Und deshalb werde ich natürlich überhaupt nicht schlafen gehen. Wenn es so einfach ist, wie Steven behauptet, dann werde ich Guido jetzt endlich mal sagen, was Sache ist. Und Steven wird wohl wissen, was richtig ist. Schließlich ist er selbst ein Mann.

Wankend, aber voll motiviert (oder vielmehr: voll wie ein Eimer und motiviert, aber das vermag ich nicht mehr zu verarbeiten; wie gesagt, die Synapsen!) greife ich mir noch schnell eine der Schnaps-flaschen, als Wegzehrung. Anschließend hangele ich mich die Keller-treppe hoch, und dann mache ich mich auf den langen, beschwer-lichen Weg zum Misthaufen. Die Kamera dort läuft »twentyfour-seven«, hat Kristin gesagt, also vierundzwanzig Stunden am Tag, sie-ben Tage die Woche. Somit auch jetzt, Kamerapause hin oder her, und man soll ja alle Möglichkeiten nutzen, die einem zur Verfügung stehen. Das hat schon meine Oma immer gesagt.

Es dauert eine gefühlte Ewigkeit, bis ich den Misthaufen erklommen habe. Das ist an sich schon nicht einfach, und mit besoffenem Kopp fällt es noch mal so schwer. Aber schließlich und endlich bin ich oben und nehme auf dem Klappstuhl Platz, den die Requisiteure mit Hilfe einer großen Spanplatte und einer abenteuerlichen Seilkonstruktion oben auf dem Haufen befestigt haben.

»Könndihrmichallehörn?«, sage ich so deutlich wie möglich und versuche die Kamera zu fixieren. Seit wann sind da eigentlich zwei von den Dingern? Angestrengt kneife ich die Augen zusammen, bis sich die beiden Rotlichter endlich wieder zu einem einzigen Punkt vereinen. Ich hole tief Luft, mache mich so gerade, wie es eben noch geht, und dann fange ich an.

»Das hier 's eine Nnnaachrich für mein' Freund Guido«, verkünde ich. »Guido, schliebdisch. Ehrlisch. Sssichd zwar manchma nich so aus, aber isso. 's tuddd mir leid, wennich das hier gegn dein' Willn mache. Auch ehrlisch. Aberchmussdasmachn. Chmusschmus-schmuss. Vielleichkannssus jadocheins Tags verstehn. Glaubma nichdassdasSpaßmachhier, nur Bekloppte umein' rum. Schvermissdisch. Ganzdoll.« Ich hickse wiederholt. »Abba «, füge ich nach kurzer Atempause hinzu, »Steven und Patsy, die sinnett. Kuckma, hat Steven gefunden«, und ich halte die Flasche hoch. »Prrrosss, mei' Schatz. Die bei'n mögnsichauch, wusstessu eintlichdass Steven schwulis?«

Ich nehme noch einen kräftigen Schluck von Willis Tannenschnaps, und dann verliere ich auf der eh schon wackeligen Holzplattenklappstuhlkonstruktion plötzlich das Gleichgewicht. Einen Moment später purzele ich kreischend den Misthaufen hinunter und bleibe an seinem Fuße in einer übelriechenden Güllepfütze liegen. Vermutlich durch den Sturz löst sich eine schon viel zu lang anhaltende Blockade in meinem Gehirn, und mir fällt noch etwas ein, was ich dringend sagen muss. Dass ich darauf nicht schon viel früher gekommen bin!

»Ach ja«, rufe ich und recke kämpferisch meine linke Faust in die Luft, »fallsjemaneinStückMarmor siehtmitein'Elvisdrin, dergehört Marnieunmir. Wehewennwir denDieberwischn! Marnie, wir fin'n den wieder, versprochn!«, und dann wird um mich herum alles schwarz.

Ich springe im Dreieck, als ich am übernächsten Tag die Montagsausgabe der »Boulevard« in den Händen halte. Bockelt ist das größte Miststück auf Erden. Denn natürlich breitet er die Geschichte vom verschwundenen Elvis mit typisch boulevardesker Sensationsheischerei im Blatt aus. Und er setzt sogar noch einen drauf.

Das Geheimnis um den verschwundenen Elvis, lautet der letzte fettgedruckte Abschnitt in seinem vermaledeiten Artikel, *ein harmloser Diebstahl – oder eine Warnung mit ernst zu nehmendem Hintergrund? Denn die »parallelwelt« hat eine bewegte Geschichte: Einstmals ein Bor-*

dell, sagte man der Bar in Kiezkreisen lange die Nähe zu zwielichtigen
Gestalten nach. Schnee von gestern? Oder aktueller denn je? Und welche
Rolle spielt Mona Rittner als Inhaberin in diesem zweifelhaften Ränke-
stück? Wir informieren Sie weiter!

Ich schäume. »Der Kerl hat sie doch nicht mehr alle«, tobe ich.
»Und was meint er eigentlich mit ›Warnung mit ernst zu nehmendem Hintergrund‹?!«

»Ist doch klar«, sagt Eule kauend und greift sich das nächste Früh-
stücksbrötchen. »Schutzgelderpressung.«

»Schutzgelderspressung, dass ich nicht lache«, schnaube ich. »Das
ist doch lächerlich!«

»Für Bockelt offensichtlich nicht.«

»Gibt's so was denn heutzutage überhaupt noch?!«, frage ich.

»Klar«, antwortet Eule. »Aber eigentlich nur direkt auf dem
Kiez, soweit ich weiß. Die ›parallelwelt‹ liegt ja nun strategisch
nicht gerade günstig. Für so was suchen die sich in der Regel Läden,
die wirklich was abwerfen. Wo nix ist, kann man schließlich auch
nix holen.«

»Sehr richtig«, bestätige ich, »und deshalb ist das ja wohl völlig an
den Haaren herbeigezogen.«

»Nicht unbedingt«, wirft Eule ein. »Der Laden selbst ist vielleicht
umsatztechnisch nicht so der Kracher, aber du hast vergessen, dass
Mona mit drinhängt. Und die ist beim Fernsehen.«

»Ja, und?«

»Wer beim Fernsehen ist, der schwimmt in Geld. Das ist nun mal
die landläufige Meinung.«

»Hmm.« Ich gerate ins Grübeln, denn da hat Eule irgendwie
recht. Auch wenn diese »landläufige Meinung« nicht den Tatsachen
entspricht oder nur in eher seltenen Fällen wie vielleicht bei Thomas
Gottschalk, so hält sie sich doch hartnäckig. Die meisten denken
tatsächlich, Mona wäre jetzt Millionärin oder so was.

161

Neulich habe ich mitgekriegt, wie jemand am Tresen neidisch zu ihr sagte, sie habe ja wohl ausgesorgt für den Rest ihres Lebens. Mona ist daraufhin in schallendes Gelächter ausgebrochen und hat gesagt, »ja klar, und wenn mir danach ist, dann kaufe ich mir demnächst mit ein bisschen Kleingeld aus der Portokasse das Internet. Nee, is richtig.«

Manche Leute sind sogar beleidigt, wenn sie ihre Getränke in der Bar voll bezahlen sollen, und wenn Mona mal keinen ausgibt, dann verziehen sie sich und trinken woanders. Dabei gibt Mona schon viel zu viel aus, vermutlich weil sie Angst hat, dass andere sie für gierig oder für geizig halten und dann schlecht über sie reden. Das hilft unseren Zahlen nicht unbedingt, und wir haben uns schon mehrfach darüber gestritten, aber ich kann es ihr ja auch nicht verbieten.

Über all das muss ich nachdenken, während ich gegen Mittag in dem HVV-Bus sitze, der mich die Elbchaussee hinunterkutschiert.

Es nützt alles nichts, ich werde von Schlasse ganz gezielt nach der Vergangenheit der »parallelwelt« fragen müssen. Wenn das Objekt tatsächlich mal in krumme Geschäfte verwickelt war, dann müssen wir das wissen. Wir müssen es wissen, um Mona zu schützen. Denn Ferfried Bockelt macht nicht gerade den Eindruck, als wäre Mona seine beste Freundin. Er will sie fertigmachen, so viel ist mal klar. Und wenn einer uns jetzt noch helfen kann, dann ist es Kurt von Schlasse. »Bitte, bitte, sei zu Hause«, bete ich in Gedanken. »Es ist wichtig.«

Zügig laufe ich die letzten dreihundert Meter zu von Schlasses Haus. Er wohnt in einem dieser weißen Mehrfamilienkästen an der Elbchaussee, in denen aber in der Regel keine Familien, sondern erfolgreiche Singles leben. Oder aber alleinstehende, gutsituierte Senioren, wie von Schlasse einer ist. Seine Wohnung liegt im Hochparterre, und entschlossen stapfe ich die wenigen Stufen hinauf und drücke dann auf die goldene, runde Klingel. Von Schlasse *hat* ausgesorgt, das kann man wohl behaupten, und ob nun auf legale Art und Weise oder nicht, ist ihm im Nachhinein vermutlich auch egal.

Eine ältere Frau öffnet mir. Das bringt mich für einen Moment aus dem Konzept, aber sie scheint die Putzfrau zu sein, jedenfalls trägt sie ein Kopftuch und einen Kittel und einen Eimer in der Hand. Sie hat rosige Bäckchen und leicht ergrautes Haar, und sie erinnert mich an meine Omi. »Ja bitte?«, fragt sie neugierig.

»Guten Tag, ist Herr von Schlasse da?«, frage ich höflich. »Ich bin die Pächterin eines seiner Objekte in Altona. Ich muss dringend mit ihm sprechen. Es ist wirklich wichtig.«

Die Frau schüttelt den Kopf. »Herr von Schlasse befindet sich auf einer längeren Reise«, sagt sie bedauernd. »Das tut mir leid.«

Ich schlucke. »Wissen Sie, wann er wiederkommt?«, frage ich verzweifelt. »Oder wissen Sie, ob man ihn irgendwie erreichen kann?« Ich spüre, wie mir die Tränen in die Augen schießen, während meine Hoffnungen auf Erkenntnis und Hilfe die Treppenstufen herunterkullern und auf Nimmerwiedersehen im Erdboden versickern. Das darf nicht wahr sein.

»Weder noch«, schüttelt die Putzfrau den Kopf. »Aber Kindchen, was ist denn los?«, fragt sie teilnahmsvoll. »Ist das so schlimm?«

Ich wische mir eine Träne von der Wange und versuche mich zusammenzureißen. »Ja«, presse ich hervor, »das ist schlimm«, und ich will mich schon umdrehen und einfach wieder gehen, aber die Frau nimmt mich am Arm und schiebt mich kurzerhand durch die Tür in die Wohnung.

»Jetzt setzen Sie sich erst mal«, sagt sie fürsorglich, »Sie sind ja völlig fertig. Sie gehen mir nicht wieder, ohne dass Sie wenigstens einen Tee getrunken haben«, und wenig später sitze ich in von Schlasses antiquarischem Salon auf einem seiner Sofas und habe eine dampfende Blümchentasse vor mir. »Ich bin Elisa«, sagt die

163

Putzfrau, bevor sie sich ebenfalls setzt, »und ich bin zwar nur die Zugehfrau, aber vielleicht kann ich Ihnen ja trotzdem irgendwie helfen.«

Sie wirkt vertrauenswürdig auf mich, und so rede ich mir nach kurzem Zögern ausführlich von der Seele, was mich so bedrückt. Jetzt ist eh alles egal, und zu reden tut gut.

Elisa hört mir geduldig zu. Ab und zu seufzt sie oder nickt verständnisvoll, während ich ihr schildere, was in den letzten Tagen vor sich gegangen ist. Auf dem niedrigen Couchtisch liegt passenderweise die aktuelle Ausgabe der »Boulevard«, und so kann ich Elisa sogar Bockelts neueste Unverschämtheiten zeigen.

»Und deshalb«, schließe ich schniefend, »deshalb brauchen wir ganz dringend von Schlasses Hilfe, bevor dieser Bockelt am Ende noch schlimmere Sachen rausfindet. Er ist meine letzte Hoffnung!«

»Das klingt fast so«, nickt Elisa. »Ich befürchte allerdings, dass mir dabei auf Anhieb auch keine Lösung einfällt.« Nachdenklich rührt sie in ihrer Tasse. »Das Einzige, was ich Ihnen sagen kann, ist, dass Hasso Hohenfeld und von Schlasse tatsächlich mal zusammengearbeitet haben. Sie waren sogar befreundet. Ich bin schon sehr lange in diesem Haushalt, wissen Sie.«

Sie schweigt einen Moment, bevor sie weiterspricht. »Sie sollten versuchen, Kontakt zu Hohenfeld aufzunehmen. Vielleicht kann er Ihnen etwas sagen. Das ist das Einzige, was ich Ihnen raten kann.«

»Aber an den kommt man doch gar nicht ran«, widerspreche ich verzweifelt. »Und er wird sicherlich nicht begeistert sein, wenn plötzlich wieder jemand anfängt, in seiner Vergangenheit rumzuwühlen. Das klappt doch nie!«

»Hm«, sagt Elisa. Dann geht ein Leuchten über ihr Gesicht, und sie greift nach der »Boulevard«. »Wo war denn das«, murmelt sie eifrig und schlägt die Zeitung auf, bis hinten zu den Lokalseiten. »Da. Versuchen Sie's doch mal hierüber«, und sie zeigt auf eine kleine Meldung in der Rubrik »Stadtgeflüster«, ganz unten.

Hasso Hohenfeld: 70 Jahre für Hamburg, steht da, und ich muss unweigerlich lachen. 70 Jahre für Hamburg, ja klar. Davon etwa 30 mit unsauberen Geschäften, aber macht ja nix. Neugierig lese ich den kurzen Text.

Es wird das Fest des Jahres: Hasso Hohenfeld wird 70! Zwar sind es noch knapp zweieinhalb Wochen bis zum großen Tag, aber die Vorbereitungen laufen auf Hochtouren. An einem noch unbekannten Ort werden zahlreiche illustre Gäste aus Wirtschaft, Kultur, Politik und Unterhaltung erwartet. Auch die Stadt wird Hohenfeld die Ehre erweisen und entsendet mehrere Senatsmitglieder als Gratulanten.

»Die tun ja gerade so, als wäre Hohenfeld so eine Art Stadtheld«, empöre ich mich, und Elisa lacht.

»Ist er ja auch«, sagt sie leichthin und zwinkert mir zu. »Er ist immerhin einer der mächtigsten Immobilienhaie der Stadt. Und er besitzt Grundstücke an Stellen, da lecken sich alle die Finger nach. Auch die Politiker. *Gerade* die Politiker. Was man da alles Schönes hinbauen könnte!« Elisa kichert.

»Ja, aber«, werfe ich ein, »haben die denn alle vergessen, wie Hohenfeld da überhaupt rangekommen ist?«

»Vergessen?«, wiederholt Elisa und lacht erneut. »Man kann doch nicht vergessen, was man überhaupt nicht *weiß,* Kindchen. Hohenfeld ist noch nicht mal vorbestraft. Er ist ein gerissener Hund, das sage ich Ihnen.«

Ja, denke ich, und deshalb hält sich meine Lust, mich mit ihm anzulegen, auch in Grenzen. Ich bin mir nicht sicher, ob es wirklich eine ernstzunehmende Möglichkeit sein sollte, ihn zu kontaktieren, auf welchem Wege auch immer.

»Also«, schließt Elisa, »was auch immer Sie tun, seien Sie vorsich-

165

tig. Wenn von Schlasse sich meldet, dann gebe ich ihm Bescheid, dass Sie hier waren, versprochen. In Ordnung?«

Ich nicke und stehe auf, aber in Ordnung ist eigentlich gar nichts, das wissen wir ja wohl beide.

»Ach ja«, sagt Elisa noch, bevor ich mich zum Gehen wende, »haben Sie das hier eigentlich registriert?«, und erneut hält sie mir die Zeitung hin und zeigt auf den Kopfteil der Seite mit der Hohenfeld-Meldung. *Heute verantwortlich für das »Stadtgeflüster«: Ihr Reporter Ferfried Bockelt*, steht da, und gleich daneben prangt auch noch ein Porträtfoto von Bockelt, der alten Ratte. Uäääh, sieht der scheiße aus.

»Na, sieh mal einer an«, murmele ich. »Der hat seine Wurstfinger ja wohl überall drin.«

Mein Kopf tut weh. Ach, was rede ich. Alles! Alles tut mir weh. Ich liege im Bett, und Kumpel liegt auf meinem Bauch. Er versucht mich zu trösten, aber das hilft mir im Moment auch nicht. Ich will nie wieder aufstehen. Ich *kann* nie wieder aufstehen. Und vor allem kann ich Steven nie wieder in die Augen sehen. Ich bin das größte Kumpelschwein, das auf Erden rumläuft. Ich habe Steven verraten und verkauft, und ich möchte gar nicht wissen, was da draußen los ist. Lasst mich bloß alle in Ruhe. Ich bin tot.

»Was hat sie? Ist sie krank?«, wundert sich Bobo Attila Boizenburg am Abend, als sie in der nächsten Folge von »Land und Lust« live ins Camp schalten. »Die sieht ja aus wie ausgekotzt«, bemerkt Seppl wenig charmant.

»Das Gefühl kenn ich«, ächzt Susa. »Mir ging's gestern ähnlich.«
Ich grinse. In der »Luke« muss es noch hoch hergegangen sein.
Rocko soll Benita angeblich auf Knien seine ewige Liebe geschworen
haben, und Manni hat es heute noch nicht mal zur Arbeit geschafft,
weil er und Thomas am Sonntag noch bis zum Mittag durch die
Läden gezogen sind. Stramme Leistung, und ich bin mir noch immer nicht sicher, ob ich es denn jetzt bereuen oder mich darüber
freuen soll, den Rest der Nacht nicht mitbekommen zu haben. Statt
weiterer Informationen haben sie jedenfalls alle nur eins mitgebracht: einen ordentlichen Kater. Hätte mich auch gewundert.

Mona liegt in ihrem Bett, oben in der Dachkammer. Sie ist ganz
grün im Gesicht, und sie rührt sich nicht. Sie starrt unter die Decke,
und das Einzige, was sich bewegt, ist das Ferkel, das auf ihrem Bauch
spazieren geht. Es ist ein Bild des Jammers.

»Die könnten wenigstens mal sagen, was los ist«, quengelt Lüttje.
Guido hat die Stirn in Falten gelegt. Er macht sich Sorgen. Ich mache mir auch Sorgen. Erst recht, als sie jetzt ohne weitere Erklärung
zu Jacqueline Schnieder auf den Misthaufen umschneiden. Sie sieht
aus wie das blühende Leben. Kein Zweifel, Jacqueline Schnieder hat
Oberwasser. Und das spielt sie ohne Rücksicht auf Verluste gnadenlos aus.

»Mona geht's gar nicht gut«, plappert sie unbefangen drauflos.
»Die Ärmste! Aber so ist das halt, wenn man sich nachts zu geheimen
Rendezvous trifft. Da ist man dann eben kaputt am nächsten Tag.«

»Waaas?«, kreischt Lüttje. Guido wird blass.

»Hups«, fügt Jacqueline Schnieder hinzu und zwinkert. Dann legt
sie sich verschwörerisch den Zeigefinger auf die Lippen und beugt
sich ein Stück vor. »Ich hab nix gesagt. Aber was soll's. Ist doch schön
für sie und Steven, wenn sie sich gefunden haben. Da sieht man's mal
wieder – wo die Liebe hinfällt. Ich meine, optisch passen die zwei ja
nicht wirklich zusammen.«

Sie kichert. »Wahrscheinlich hat Mona jetzt ein schlechtes Gewissen und traut sich deshalb nicht mehr raus. Ich kann das verstehen. Ich meine, immerhin hat sie einen Freund. Und Steven hat ja auch eine Freundin. Eigentlich. So eine Situation ist sicherlich nicht einfach.«

Sie macht eine kunstvolle Pause, kräuselt medienwirksam ihre Stupsnase, und dann seufzt sie theatralisch. »Aber wenn sie wirklich Gefühle füreinander haben – was will man dagegen machen, sag ich immer. Ich freu mich jedenfalls für die zwei. Ehrlich«, und dazu lächelt sie das süßeste Lächeln, das eine Jacqueline Schnieder überhaupt nur lächeln kann.

»Du hinterhältige Bratze!«, schreit Lüttje und hüpft aufgeregt auf und ab. »Halt endlich dein elendes Schandmaul! Das glaub ich nicht! Das glaube ich einfach nicht!«

Darf ich ehrlich sein? Ich glaube es auch nicht. Das kann nicht sein. Mona ist vielleicht manchmal ein bisschen impulsiv und im Moment sicherlich auch nicht die Klarste im Kopf, aber dass sie tatsächlich mit Steven – also wirklich.

»Das reicht jetzt«, sage ich entschlossen. »Ich kann mir das nicht länger ansehen. Wir müssen etwas tun, Leute. Das kann so nicht weitergehen.«

»Das sehe ich ganz genauso. Aber *ganz* genauso!«, ruft Lüttje, und sogar Guido brummt zustimmend. Oha. Hurra, es lebt, denke ich.

»Aber was willst du tun?«, fragt Susa. »Wir *können* nichts tun.«

»Wir *müssen* aber«, erkläre ich. »Susa, du bist Monas Managerin, Herrgott nochmal. Du siehst doch selbst, was da abgeht. Da wird gerade Monas Leben ruiniert, kapierst du das nicht? Und meines noch dazu, wenn ich es mal mit Verlaub so ganz nebenbei sagen darf«, und dazu wedele ich mit der »Boulevard«.

Susa seufzt.

»Genau«, bekräftigt Eske. »Ganz ehrlich, wenn ihr mich fragt, hätte Mona das sowieso überhaupt nie machen dürfen«, und währenddessen mustert sie Susa vorwurfsvoll. Susa äfft sie lautlos nach.

»Jaaa, super. Jetzt streitet *ihr* euch auch noch«, geht Eule dazwischen. »Hört gefälligst auf damit.«

»Möchtegernmanagerin, Möchtegernmanagerin«, bewegt Eske verächtlich die Lippen, und ich trete ihr auf den Fuß. »Aufhören!«, brülle ich. Susa und Eske senken betreten den Blick. Kindergarten, ich sag's ja.

»Aber jetzt mal ganz im Ernst«, nimmt Jan den Faden wieder auf, »wir können doch wirklich nichts tun. Oder fällt hier irgendjemandem was ein?«

Betretenes Schweigen.

»Wir müssen Mona warnen«, erkläre ich. »Sie muss das mit Steven aufklären, sonst ist das ihr Tod.« Oder sich zumindest bis zum Ende des Camps zusammenreißen, falls da wider Erwarten doch was dran sein sollte, ergänze ich in Gedanken, aber ich sage es lieber nicht laut. Guido ist schon verwirrt genug. Er tut mir leid. »Das ist Wasser auf Bockelts Mühlen. Und den Sieg beim Zuschauervoting kann sie sich als angebliche Fremdgeherin wohl auch in die Haare schmieren.«

»Und sie muss wissen, was für eine fiese Kuh Jacqueline Schnieder wirklich ist«, bekräftigt Lüttje.

»Na, das wird sie ja wohl schon von allein erkannt haben«, murmelt Guido, aber Susa widerspricht ihm rundheraus.

»Da wäre ich mir nicht so sicher«, sagt sie. »Ihr kennt doch Mona. Die glaubt viel zu sehr an das Gute im Menschen. Und offene Konflikte sind ihr ein Graus, das wisst ihr genauso gut wie ich.«

Wir nicken. Das ist leider Gottes das Einzige, in dem Mona und ich uns wirklich ähnlich sind. Viel zu ähnlich. Und deshalb dauert es meistens auch viel zu lange, bis wir uns bei Problemen endlich mal

169

offen aussprechen. Im Nachhinein ist man immer schlauer, denke ich deprimiert.

»Und wie sollen wir das anstellen? Sie zu warnen, meine ich.« Eske blickt ratlos in die Runde.

»Sag du es mir«, fordere ich sie auf. »*Du* bist doch beim Fernsehen. Und du, Mags.«

»Äääähh«, macht Mags überrascht.

»Ja, genau!«, ruft Lüttje. »Ihr wisst doch, wie das da läuft. Kommt schon, euch wird ja wohl was einfallen!«

»Wenn man wenigstens wüsste, wo der Hof liegt«, sinniere ich, »dann könnte man versuchen, da aufzuschlagen und Mona eine Nachricht zukommen zu lassen.« Herausfordernd sehe ich Eske an. ›Komm schon‹, sagt mein Blick, ›jetzt beweis mal, dass eigentlich *du* Monas beste Freundin bist.‹

Eske stöhnt auf. »Schon gut, schon gut«, sagt sie dann, erhebt sich und zieht ihr Handy aus der Tasche. »Leute, das ist echt riskant für mich. Aber gut. Ich versuch's. Bin gleich wieder da«, und damit verschwindet sie durch den Windfang nach draußen auf den Bürgersteig.

Ich schnappe mir in der Zwischenzeit Behnke junior und ziehe ihn beiseite. »Sag mal«, frage ich ihn, »kannst du eigentlich einen Kontakt zu Hasso Hohenfeld herstellen? Ich meine, so von Immobilienmann zu Immobilienmann?«

»Ruf doch sein Büro an«, sagt Behnke junior leichthin. »Steht in jedem Telefonbuch.«

»Nein, so was Offizielles meine ich nicht. Ich meine eher so – so unter der Hand. Also dass man ihn mehr so zufällig irgendwo trifft.«

Behnke junior sieht mich erstaunt an. »Du willst an Hohenfeld persönlich ran? Ihn ausquetschen?«

Ich nicke, und Behnke zieht zischend Luft durch die Zähne und atmet dann langsam aus.

»Nee, Marnie. Bei aller Liebe, das ist mir zu heiß. Da kann ich dir nicht helfen.« Behnke junior schüttelt den Kopf. »Wenn der spitzkriegt, dass ich jemanden auf ihn ansetze – das kann mich meine Existenz kosten. Hohenfeld ist ziemlich mächtig. Immer noch. Und es reicht ja wohl, wenn sich einer von uns zweien aufs Glatteis begibt«, fügt er mit einem Blick in Eskes Richtung hinzu. Sie steht noch immer wild gestikulierend auf dem Bürgersteig, mit dem Telefon am Ohr.

Ich nicke enttäuscht. »Ist schon recht«, sage ich, und mir wird erneut klar, dass Hohenfeld vielleicht doch eine Nummer zu groß für uns ist. Und außerdem wird mir immer deutlicher, wie das so funktioniert im Wirtschaftsleben der Pfeffersäcke. Hohenfeld kann vermutlich machen, was er will, denn alle haben Angst vor ihm. Ist der Ruf erst ruiniert, denke ich sarkastisch. Sehr geschickt eingefädelt jedenfalls.

»Alles klar, Leute«, ruft Eske wenig später euphorisch und wedelt mit einem Zettel, »ich hab die Wegbeschreibung! Und ihr werdet staunen, das ist fast nebenan!«

Alle Achtung. »Wie hast du *das* denn gemacht so schnell?«, staune ich, und Eske grinst. »Die kollegialen Bande unter Talkshowredakteuren sind eng«, sagt sie verheißungsvoll, »auch unter Ehemaligen. Valerie arbeitet jetzt bei der Produktionsfirma, die ›Land und Lust‹ herstellt. Zwar an einem ganz anderen Projekt, aber – na ja. Geht doch!«

Valerie? Ausgerechnet Valerie! Etwas Besseres hätte uns kaum passieren können! Man muss auch mal Glück haben, denke ich erleichtert, denn Valerie ist nicht nur ein Plappermaul vor dem Herrn, sondern Mona auch noch eine Wiedergutmachung schuldig.

Ich erinnere mich gut an Monas katastrophalen Auftritt in der Talkshow von Fritjof Holland, bei dem sie auf das Übelste vorgeführt wurde, und zwar so schlimm, dass sie während der laufenden

171

Sendung in Ohnmacht gefallen ist. Und wer war schuld, weil als Redakteurinnen verantwortlich für die Sendung? Richtig: Eske und Valerie. Klar, sie hatten es eigentlich gut gemeint. Aber das Gegenteil von gut gemeint ist eben manchmal gut gemacht. Na ja. Vergeben und vergessen, resümiere ich dankbar, jetzt weiß man ja, wofür es gut war.

»Das heißt, vor Ort ist Valerie wohl nicht, was?«, ergänzt Mags ein bisschen enttäuscht, der vermutlich ahnt, was auf ihn zukommt.

»Vergiss es«, erwidert Eske. »Auf dem Silbertablett kriegen wir das Ganze nicht serviert. Also. Wer fährt hin?«, und dabei sieht sie Mags an, der augenblicklich in sich zusammenfällt.

»Also, wer fährt hin?«, wiederholt Eske und fixiert Mags weiterhin ausdauernd. »Wer kennt sich mit den Gepflogenheiten am Set einer Reality-Doku aus und weiß, wie man da gut getarnt durchkommt? Hmmm ...?«

»Ist ja schon gut«, mault Mags, »ich mach's.«

»Ich komm mit«, ergänzt Guido ohne Verzögerung, und ich sehe überrascht auf. Wow! Wenn da mal nicht jemand sein Schneckenhaus verlässt!

Susa stößt mich auffällig unauffällig an, und auch die anderen können sich ein Grinsen nicht verkneifen. Na bitte, denke ich zufrieden. So gehört sich das ja wohl auch.

»Prima«, resümiere ich, »wann?«

»Am besten an einem Tag, an dem sie nicht senden«, überlegt Mags. »Dann sind sie vermutlich nur mit der halben Mannschaft vor Ort, und es ist leichter, sich reinzuschmuggeln.«

»Das ist viel zu spät!«, ruft Eske. »Bis dahin hat Jacqueline Schnieder längst alle Zuschauer auf ihre Seite gebracht! Heute ist erst *Montag*, verdammt nochmal!«

»Ja, schon«, nickt Susa nachdenklich, »aber denk doch mal: Wenn Mags und Guido erwischt werden sollten, dann holla, die Waldfee.

172

Dann ist der Schaden für Mona nur umso größer, schließlich werden die in Windeseile rausfinden, dass Mags bei ›Renovieren Um Vier‹ arbeitet und Guido Monas Freund ist.«

»Das wäre der größte Skandal, den man sich vorstellen kann, und Mona wäre endgültig ruiniert«, tutet Mags in das gleiche Horn. »Also, es ist ganz klar: Je weniger Leute vor Ort, desto sicherer für uns. Und desto besser deshalb auch für Mona.«

Ich rolle mit den Augen. »Dann lasst euch halt nicht erwischen!«, rufe ich genervt, aber bei der anschließenden Abstimmung haben Eske und ich keine Chance. Alle bis auf wir zwei heben die Hand für Samstag.

»Ich glaube nicht, dass das reicht«, sagt Eske düster, und ich nicke. »Dann können wir es vermutlich auch gleich seinlassen«, motze ich zerknirscht.

»Das werden wir ja sehen«, sagt Mags. »Aber gut«, ergänzt er, »wir können uns ja auf einen Kompromiss einigen. Wir fahren schon Freitag gegen Abend und suchen uns erst mal einen Beobachtungsposten mit ein bisschen Abstand. Nach der Ausstrahlung um Viertel nach zehn werden die, die keine Wochenendschicht haben, sich bestimmt schnell vom Acker machen. Und vielleicht können wir in der allgemeinen Aufbruchstimmung ja schon was erreichen. Akzeptiert?«

Eske und ich sehen uns an und seufzen. »Na gut«, willigen wir schließlich ein, »besser als nichts.«

Wenn doch nur schon Freitag wäre!

Ich verstehe nicht, dass es hier so ruhig bleibt. Ist das nur die Ruhe vor dem Sturm? Oder tobt draußen bereits die Hölle, und wir hier drin bekommen schlicht nichts davon mit? Heute ist schon Mittwoch, und seit meinem unglücklichen Auftritt auf dem Misthaufen ist nichts passiert. Gar nichts!

Weder hat Kristin mich angebrüllt, noch verhält sich irgendjemand aus der Produktion anders mir gegenüber als sonst. Und von der Presse ist auch noch niemand aufgeschlagen; dabei wären die von der »Boulevard« doch sicherlich die Ersten, die auf ihrem Exklusivrecht in Sachen Interviews beharren würden, wenn Steven Dong völlig überraschend als schwul geoutet worden wäre.

Aber ich traue dem Frieden nicht. Ganz und gar nicht!

Oder haben sie meine Misthaufen-Zirkusnummer am Ende überhaupt nicht ausgestrahlt? Das kann ich kaum glauben. Welcher Sender bringt sich schon um den Quotenbrüller schlechthin?! Vielleicht waren die Kameras kaputt. Aber nein, das kann nicht sein. Ich erinnere mich zwar nicht an viel, aber an das Rotlicht, daran erinnere ich mich leider sehr deutlich.

Ooooh, ich schäme mich so. Wie konnte mir das nur passieren?! Der Teufel hat den Schnaps gemacht, das ist Eskes Lieblingsspruch, und sie hat ja so recht! Wäre ich doch bloß nie da runtergegangen, in Willis geheimen Sündenpfuhl! Dann wäre das alles nicht passiert.

Die meiste Zeit verbringe ich in diesen Tagen damit, Steven aus dem Weg zu gehen. Ich kann ihm tatsächlich nicht mehr in die Augen sehen, und ich habe keine Ahnung, wie ich jemals wiedergutmachen kann, was ich getan habe; geschweige denn, wie ich es ihm jemals beibringen soll. Aber ich werde es ihm sagen müssen, denn früher oder später kommt es eh raus. Und dann bin ich geliefert.

Steven wird nie wieder ein Wort mit mir reden, weil ich sein Leben und seine Karriere zerstört habe. Die Zuschauer werden mich als elende Petze abwatschen, und dann bin ich für immer und ewig weg vom Fenster. Jacqueline Schnieder wird strahlend »Renovieren Um Vier« moderieren und allen Handwerkern den Kopf verdrehen. Und dann werden wir auch noch die »parallelwelt« aufgeben müssen, weil keiner mehr zu uns kommt an den marmornen Tresen mit dem Loch drin.

Wahrscheinlich ist es sogar völlig egal, ob wir den Elvis denn nun wiederfinden oder nicht. Denn wer will schon bei einer abgehalfterten, gescheiterten Ex-Fernsehmoderatorin trinken, die aus Verzweiflung langsam selbst zu ihrer besten Kundin wird?! In Gedanken sehe ich mich schon mit wirren Haaren, kratziger Stimme, großporiger, geröteter, schlechter Haut und noch schlechterer Laune hinter dem Tresen stehen und die letzten Gäste vergraulen, während ich mich bereits beim nachmittäglichen Auffüllen der Kühlschränke maßlos betrinke und den Rest des Tages nur noch auf Pegel überstehe.

Meine einzige Hoffnung ist, dass wenigstens Guido begriffen hat, was ich ihm sagen wollte, und mein einziger Trost ist Kumpel. Er scheint zu spüren, dass es mir überhaupt nicht gutgeht, und weicht mir nicht von der Seite. Wenn ich es gar nicht mehr aushalte, schütze ich starke Kopfschmerzen vor und flüchte mich mit Kumpel in die Dachkammer, was die anderen so langsam ziemlich nervt. Denn wenn man versucht, zu viert einen Bauernhof zu renovieren, dann fällt jede fehlende Arbeitskraft schwer ins Gewicht. Sogar Patsy ist mittlerweile gar nicht mehr gut auf mich zu sprechen.

»Mona, was ist denn mit dir los?«, zischt Steven mir mehr als einmal während unserer gemeinsamen Arbeitseinsätze zu, aber ich bin nicht imstande, ihm die Wahrheit zu sagen, und schiebe meinen desolaten Zustand auf eine aufkeimende Grippe.

Das einzig Gute ist: Schlimmer kann es jetzt eigentlich nicht mehr werden. Willkommen in meiner Welt, und meine Welt ist schön!

MARNiE

Ferfried Bockelt kennt kein Erbarmen, er haut weiter drauf. Das ist
ja nicht anders zu erwarten gewesen, aber so langsam übertreibt er es
wirklich. In der Donnerstagsausgabe der »Boulevard« ist ein Foto
von Guido, der mit eingezogenem Kopf versucht, der Kameralinse
zu entkommen, und schützend seine Hand ausstreckt, aber man
kann ihn trotzdem erkennen.

Sieht so ein gehörnter Ex-Freund aus?, lautet die Bildüberschrift,
und darunter steht: *Mona Rittners Lebensgefährte Guido F. war gestern
nicht bereit, Stellung zu nehmen.*

Wen wundert's, denke ich. Das ist ja wohl die Höhe!

Jacqueline Schnieder leistet ebenfalls weiterhin ganze Arbeit. In
der Folge von Mittwochabend hat sie doch tatsächlich die Vermutung geäußert, Mona sei von Steven schwanger und deshalb in
den vergangenen Tagen so unleidlich. Ja, genau. Ausgerechnet
Mona, die Kindern auf fünfhundert Meter aus dem Weg geht
und für die Pille sogar die schönste Party unterbricht, wenn sie
sie mal vergessen hat. Ist klar. Diese Schnepfe lässt wirklich nichts
unversucht.

Aber in der Folge von Donnerstagabend hängt Mona ungewöhn-
licherweise immer noch ziemlich durch, und so langsam machen wir
uns ernsthafte Gedanken um ihren Zustand. Nach der Sendung versuche ich Guido aufzumuntern, so gut es geht. Er hängt am Tresen
wie ein Schluck Wasser in der Kurve, und daran ändert auch der
gute, teure Single Malt Whisky nichts, den ich ihm jetzt großzügig
einschenke.

»Geht aufs Haus«, sage ich mit einem Augenzwinkern, obwohl
wir uns das eigentlich gar nicht mehr erlauben können. Heute früh
habe ich zum ersten Mal eine Lieferung zurückgehen lassen müssen,

weil ich sie nicht bezahlen konnte. Es war einfach nicht genug Geld in der Kasse.

Abgesehen von Guido und ein paar der üblichen Verdächtigen ist auch heute wieder kaum was los, und mir wird ein bisschen schlecht, wenn ich daran denke, dass kommende Woche schon die nächste Miete fällig wird. Aber als gegen elf die Tür aufgeht und tatsächlich drei neue Gäste hereinkommen, schöpfe ich sofort wieder Hoffnung.

»'n Abend«, dröhnen sie und lassen sich, ohne zu zögern, an den Tresen fallen, als wären sie dort zu Hause. Es sind drei Männer, alle in unterschiedlichem Alter, und irgendwie kommen sie mir bekannt vor, aber ich kriege sie einfach nicht zugeordnet.

»'n Abend«, entgegne ich verwirrt und versuche, sie irgendwohin einzusortieren, aber die richtige Schublade will einfach nicht aufgehen. Sie klemmt, und zwar ausdauernd. Erst als die drei rübergehen in Richtung Musikecke und ausführlich das Loch im Tresen inspizieren, das ich in der Zwischenzeit provisorisch mit Malerkrepp von Anton zugeklebt habe, macht es »klick«. Klar! Ich schlage mir innerlich an die Stirn. Es sind Elvis Nr. 3, Nr. 5 und Nr. 7 aus der »Luke«!

»Was macht ihr denn hier?«, frage ich sie überrascht und stelle ihnen drei Bier hin.

»Wir wollten einfach mal gucken«, sagt Elvis Nr. 3, und Nr. 5 ergänzt: »Hättest du uns auch sagen können, dass du hier arbeitest.«

»Ich arbeite hier nicht nur, ich bin sogar Teilhaberin«, erkläre ich hoheitsvoll, und die drei nicken anerkennend.

»Wir haben den Artikel in der ›Boulevard‹ gelesen am Montag«, fügt Elvis Nr. 7 hinzu. »Blöde Geschichte, echt.«

»Ach. Ich denke, ihr glaubt nicht daran?«, antworte ich erstaunt, und die drei wechseln untereinander ein paar beratschlagende Blicke. Dann räuspern sie sich.

177

»Na ja, eigentlich nicht«, erklärt Nr. 3. »Aber Benita hat uns erzählt, dass sie tatsächlich mal auf dem Ding getanzt hat. Früher. Also ganz früher. Muss Jahrzehnte her sein.«

»Und, hat es funktioniert?«, erkundigt sich Eule neugierig. »Ich meine, hat sie sich was gewünscht, und hat sie's dann bekommen?«

Die drei zucken mit den Schultern. »Keine Ahnung«, sagen sie alle auf einmal, und Nr. 5 ergänzt: »Das ist doch sowieso Mädchenkram.«

»Aber jetzt wolltet ihr trotzdem einfach mal vorbeikommen und euch das Elend ansehen«, sage ich leicht verärgert. »Reiner Diebstahltourismus, haha.«

»Nein, das auch nicht«, wehrt Nr. 7 ab. »Aber angeblich war der echte Elvis mal hier. Behauptet jedenfalls Benita. Und wenn einer in Sachen Elvis Bescheid weiß, dann sie.«

Mir fällt die Kinnlade runter. Eule reißt die Augen auf, und sogar Guido verschluckt sich an seinem Whisky. »Was, echt?«, flüstere ich ungläubig. »Hier? In diesem Laden?! Wann soll denn das gewesen sein?«

»Na, während seiner deutschen Armeezeit«, sagt Elvis Nr. 5. »Also irgendwann zwischen 1958 und 1960.«

Ehrfürchtig lasse ich meinen Blick durch den Raum schweifen. »Haltet ihr das wirklich für möglich?«, frage ich mit belegter Stimme, und die drei Hilfselvisse zucken mit den Schultern.

»Möglich ist alles«, sagen sie, »bei Elvis weiß man schließlich nie«, und dann lachen sie. »Die Frage ist, ob man es beweisen kann. Aber einer möglicherweise so historischen Stätte müssen wir natürlich huldigen«, erklärt Elvis Nr. 5.

»Hmmm«, macht Eule. »Weiß man denn, ob Elvis überhaupt jemals in seinem Leben in Hamburg war?«

»Bestimmt!«, rufe ich überzeugt. »Der hat doch garantiert auch im ›Star Club‹ auf der Reeperbahn gespielt. Ihr wisst schon, da wo die Beatles groß rausgekommen sind. Da waren sie doch alle!«

Elvis Nr. 5 schüttelt den Kopf. »Alle bis auf Elvis«, erwidert er. »Elvis ist da nie aufgetreten. Leider.«

Hrmpf. Schade eigentlich.

»Was wisst ihr denn über den Laden hier?«, erkundigt sich jetzt Elvis Nr. 7. »Ich meine, war das damals überhaupt schon eine Kneipe?«

Ich wiege den Kopf. »So genau können wir das nicht sagen. Das Einzige, was wir wissen, ist, dass in der angrenzenden Wohnung in den Siebzigern auch mal ein Bordell betrieben wurde. Da war hier vorn aber wohl schon Barbetrieb.«

»Das würde jedenfalls zu Elvis passen«, grinst Elvis Nr. 7, woraufhin ihn Elvis Nr. 3 empört in die Seite stößt. »Ist doch wahr«, grummelt Nr. 7.

»Und sonst wisst ihr nichts?«

Ich schüttele den Kopf. »Leider nein. Aber wir sind dran. Dummerweise hat Hasso Hohenfeld da seine Finger mit drin, und den kann man ja wohl schlecht einfach mal kurz anrufen und fragen. Ist alles nicht so einfach.«

»Hasso Hohenfeld?!«, wiederholt Nr. 7 baff. »Was hat *der* denn damit zu tun?«

»Das wüssten wir auch gern«, sagt Eule, »aber bislang haben wir nur die Information, dass das hier mal *sein* Haus war.«

Die drei Hilfselvisse sehen sich an, und dann öffnen sie alle drei gleichzeitig ihren Mund und sagen unisono nur ein einziges Wort: »Igor!«

Igor?! Ich verstehe nur Bahnhof.

»Wer ist Igor?«, frage ich.

»Genau«, bekräftigt Eule, »wer ist Igor?«

»Igor ist Hohenfelds rechte Hand«, erklärt Elvis Nr. 5.

»Sein treu ergebener Diener, noch aus alten wilden Kiezzeiten«, ergänzt Nr. 7.

»Und ganz zufällig Stammgast in der ›Luke‹«, fügt Nr. 3 hinzu.

»Und deshalb wäre es doch gelacht«, fährt Nr. 5 fort und dreht sich schwungvoll auf einem der Barhocker einmal genau um seine Achse, »deshalb wäre es doch gelacht, wenn wir euch nicht ein bisschen unter die Arme greifen könnten bei euren Recherchen.«

»Igor ist nicht unbedingt die hellste Kerze auf der Torte«, bekräftigt Nr. 7, »und es müsste mit dem Teufel zugehen, wenn wir nicht irgendwas aus ihm rauskriegten.«

»Wow«, sage ich perplex. »Das ist ja großartig. Danke!«

»Keine Ursache«, winkt Nr. 7 ab und zwinkert mir zu. »Wir Elvis-Fans müssen doch zusammenhalten. Gell? Ich bin übrigens Thilo, und das sind Tim und Tom.«

Es hätte mich auch nicht gewundert, wenn die drei sich als Tick, Trick und Track vorgestellt hätten. Ich kritzele Thilo schnell meine Handynummer auf einen Bierdeckel und schiebe sie ihm über den Tresen. Man kann ja nie wissen.

»Eins ist sicher«, sagt Eule, als wir am nächsten Morgen beratschlagen, was als Nächstes zu tun ist, »wenn wir irgendwie beweisen könnten, dass Elvis tatsächlich mal leibhaftig im Laden war, dann wären wir alle Sorgen auf einen Schlag los. Das ist schließlich noch tausendmal besser als der marmorne Elvis im Tresen!«

Ich nicke verträumt. In Gedanken sehe ich schon ganze Reisebusse vorfahren, vollgestopft bis obenhin mit Elvis-Fanclubs und Touristen. Ich sehe Kameras, Blitzlichter und Menschenschlangen bis hoch zum Bahnhof Altona. Vor meinem geistigen Auge ist die »parallelwelt« eine groß beworbene Attraktion in jedem Hamburg-Reiseführer, und dazu stelle ich mir Kooperationen mit Pauschalanbietern vor, die ihre Musicalbesucher demnächst nach jeder Aufführung von »König der Löwen« oder »Ich war noch niemals in New York« in unsere kleine Bar karren. In meiner Vorstellung bewirten demnächst sogar Angestellte die vielen, vielen Gäste am marmornen Tresen, die die »parallelwelt« in Nullkommanix aus ihrem Tief herausgetrunken und für alle Zeiten gerettet haben. Und als krönender Höhepunkt lächeln Mona und ich Arm in Arm vom Titelblatt eines Wirtschaftsmagazins, das uns zu den »Unternehmerinnen des Jahres« kürt.

»Haaaallloooo«, sagt Eule, »Erde an Marnie!«

»Äh, was?«, mache ich, und Eule grinst. »Du träumst schon vom großen Durchbruch, was?«, fragt er.

Manchmal habe ich das Gefühl, dass Eule mich besser kennt als ich mich selbst.

»Noch ist es nicht so weit, Marnie«, holt er mich auf den Boden der Tatsachen zurück. »Also los, los, hopp, hopp! Recherchieren heißt das Gebot der Stunde!«, und gehorsam stehe ich auf und hole meinen Laptop.

Wirklich weiter sind wir eine Stunde später noch nicht. »Also, laut Wikipedia war Elvis tatsächlich vom 1. Oktober 1958 bis März 1960 in Deutschland«, murmelt Eule.

»Bei whoswho.de stand's auch so«, bestätige ich. »Aber von einem Hamburg-Besuch ist da ehrlich gesagt gar nix zu finden.«

»Nö«, seufzt Eule. »Friedberg. Friedberg in Hessen, da war er wohl stationiert. Das bringt uns nicht wirklich weiter.«

»Hmmm. Aber hier steht immerhin, dass er in Bremerhaven angekommen ist. Mit dem Schiff. Und dann ist er mit dem Zug weitergefahren«, bemerke ich. »Liegen wir da nicht auf dem Weg? Vielleicht muss man da in Hamburg umsteigen. Oder musste es damals. Vielleicht sogar in Hamburg-Altona!«, füge ich aufgeregt hinzu. »Ich meine, wenn die zwischen zwei Zügen vielleicht Aufenthalt hatten ... der Bahnhof ist ja direkt nebenan!«

Eule lacht. »Marnie! Altona ist ein Sackbahnhof, schon vergessen?«

»Ja, aber war er das schon immer?«, werfe ich ein und klicke währenddessen motiviert zur Onlineauskunft der Deutschen Bahn. Eilig gebe ich als Startbahnhof »Bremerhaven« ein und als Zielbahnhof »Friedberg« und drücke ganz fest die Daumen, während die Streckenberechnung läuft. Als der Monitor sie schließlich preisgibt, seufze ich. Zwar muss man von Bremerhaven nach Friedberg ganz schön oft umsteigen, aber leider in Bremen, Kassel-Wilhelmshöhe und gegebenenfalls noch in Hannover. Aber nicht in Hamburg.

»Ja, ja«, sagt Eule milde lächelnd, »und die Gleise, die vom Bahnhof Altona in die andere Richtung liefen, damals, als er noch kein Sackbahnhof war, die führten direkt in die Elbe. Oder wie? Das ist doch totaler Unsinn!«

»Ich weiß nicht«, sage ich störrisch. »Vielleicht haben sie ja mit Absicht einen Umweg genommen. Damit niemand weiß, wo Elvis hinfährt. Immerhin haben sie damals schon zu Tausenden auf ihn gewartet, in Bremerhaven. Er war ja schon ein Star. Und dann haben sie hier in Hamburg eben eine kleine Pause gemacht.«

»Marnie«, tadelt mich Eule, »jetzt geht deine Phantasie aber wirklich ein bisschen mit dir durch.«

»Ich halte das durchaus für realistisch«, erwidere ich trotzig.

»Ja, sicher«, antwortet Eule, »mindestens genauso realistisch, wie dass Elvis noch lebt. Schon klar.«

»Wie kommen die Leute da eigentlich drauf?«, frage ich nachdenklich zurück. »Also dass Elvis in Wirklichkeit noch lebt.«

»Lies es halt nach«, sagt Eule schulterzuckend und drückt auf der Tastatur meines Laptops auf die »Zurück«-Taste, bis wir wieder beim Wikipedia-Text landen. Ich suche nach dem entsprechenden Abschnitt und beginne zu lesen.

Am 16. August 1977, um ca. 14 Uhr, wurde Elvis Presley von seiner damaligen Freundin Ginger Alden leblos am Boden seines Badezimmers aufgefunden und im Baptist-Memorial-Hospital um 14:43 Uhr, nach mehreren Wiederbelebungsversuchen, offiziell für tot erklärt. Er wurde nur 42 Jahre alt.

Mich schaudert es beim Gedanken daran, dass ich noch nicht einmal mehr zehn Jahre zu leben hätte, falls ich selbst so früh sterben würde.

Sein Zweitname »Aron« ist auf seinem Grabstein mit zwei »A« geschrieben, lese ich weiter. *Diese Tatsache lässt, neben vielen anderen Anhaltspunkten, Verschwörungstheoretiker bis heute fest glauben, dass Elvis noch am Leben ist. Auf der offiziellen Homepage von Elvis Presley steht unter den »Frequently Asked Questions« zu seinem Zweitnamen, dass er diesen kurz vor seinem Tod auf Aaron mit zwei »A« änderte, in Anlehnung an den biblischen Aaron und weil die meisten Plattenlabel ihn bis dato sowieso meist mit zwei »A« geschrieben hatten.*

Hm, denke ich. Das klingt ja schon alles ein bisschen komisch.

Der Tod Elvis Presleys erschütterte die ganze Welt, und schon bald kamen erste Gerüchte auf, dass der King womöglich noch am Leben sei. Eine Anzahl von Autoren haben sich mit dem Tod Presleys befasst und behaupten, auf Sachverhalte gestoßen zu sein, die zu Zweifeln am Tod des King of Rock'n'Roll Anlass geben. Die Autorin Gail Brewer Giorgio, ihr Kollege Monte Nicholson sowie weitere Autoren kamen zu einer ähnlichen Schlussfolgerung: Elvis soll danach das mehr oder weniger freiwillige Opfer eines Kronzeugenschutzprogrammes des FBI geworden sein.

Ob man das jetzt glauben soll? Ich weiß ja nicht. »Siehst du«, grinst Eule, »die haben alle eine genauso blühende Phantasie wie du.«

»Mag sein«, wende ich ein, »aber immerhin sind es ganz schön viele! Hier, hör mal: *»Angeheizt wurde die Gerüchteküche auch immer wieder durch angebliche Sichtungen von Elvis nach seinem Tod an ver-*

schiedenen Orten der Welt, den sogenannten Elvis Sightings«, lese ich vor.

»... *die bisweilen bizarre und lächerliche Ausmaße annahmen«,* fährt Eule fort. »*Alle genannten Legenden, Thesen und Theorien konnten bis heute nie durch glaubhafte Fakten belegt werden, bleiben also rein spekulativ und letztendlich mehr als fragwürdig.*«

»Hm«, mache ich, und Eule grinst. »Wahrscheinlich sind die bloß alle in der ›Luke‹ gewesen«, mutmaßt er und lacht.

Manchmal könnte ich ihn auch an die Wand klatschen.

Am frühen Abend treffen wir uns alle in der Bar, um Mags und Guido in ihre wichtige Mission zu verabschieden. Mags ist schon bestens ausgestattet; um den Hals baumelt ihm so eine Art Kopfhörer mit Mikrofon dran, und in der Hand hat er zwei Klemmbretter.

»Da«, sagt er zu Guido und drückt ihm eines der Klemmbretter in die Hand, »bitte sehr. Deine Eintrittskarte in die Fernsehwelt. Lass dich niemals ohne dort blicken, hast du verstanden?«

»Ähä«, murmelt Guido unsicher.

Wir winken, als die beiden in Guidos Opel steigen und hupend um die Ecke verschwinden. Wenn das mal gutgeht.

Juchhuuuuu! Halbzeit! Heute ist Freitag, und das heißt, dass wir in genau zwei Wochen endlich wieder hier rauskommen! Sogar Kristin hat ausnahmsweise gute Laune, und die Produktion lässt zur Feier des Tages ein paar Scheiben Schinken aus dem Cateringzelt springen, die uns Kristin abends beim Abendessen hereinreicht. Wir machen uns ausgehungert darüber her. Kristin bleibt neben dem Tisch stehen und beobachtet uns dabei.

»Ich hab dann auch noch eine nicht ganz so gute Nachricht«, setzt sie an, als wir den Schinken heruntergeschlungen haben.

Alles klar, denke ich erschrocken, jetzt ist es so weit. Jetzt wird ausgepackt! Die Schonfrist ist vorbei! Gleich wird Steven erfahren, dass ich mich auf dem Misthaufen verplappert habe und die ganze Nation nun weiß, dass seine Beziehung zu Julia nur eine Scheinliebe ist. Wahrscheinlich beherrscht das Thema seit Tagen die Medien, und vermutlich hat TV3 Stevens Vertrag bei der »Ding Dong Show« schon längst in kleine Stücke zerrissen.

»Was ist mit dem Nachtisch?«, brüllt Opa Otto, der mal wieder alles falsch versteht. Ich schlucke und werde auf meinem wackeligen Holzstuhl immer kleiner. Kumpel, der mittlerweile schon ein außerordentlich kräftiger Kerl ist und neben mir auf dem Küchenboden liegt, quiekt ängstlich, als würde er spüren, dass es mir jetzt an den Kragen geht. Kristin räuspert sich. Alle sehen sie erwartungsvoll an. Alle außer mir, ich glotze angstvoll auf meinen Teller und bin zur Salzsäule erstarrt.

»Es geht um den da«, sagt Kristin und guckt runter auf den Boden. Zu Kumpel. Kumpel schnauft leise und lässt seine rosa Steckdosenschnute auf die Fliesen sinken. Clara Herzig verdreht die Augen gen Himmel und sieht aus, als wüsste sie schon, was jetzt kommt.

»Ha?«, mache ich überrascht.

»Zu eurem Abschiedsessen soll es Spanferkel geben. *Das* Spanferkel, um genau zu sein. Kum … – äh«, sie hält für eine Sekunde inne, »ähm, den da zu schlachten ist heute in zwei Wochen eure letzte große Tagesaufgabe.« Sie weist mit einem Kopfnicken erneut runter zu Kumpel.

»Was?«, stoße ich hervor. Bitte was?!

Kristin zuckt mit den Schultern. »Das hat die Redaktionsleitung beschlossen. Das kommt nicht von mir. Ich kann nichts dafür, ehr-

185

lich«, und es liegt sogar so etwas wie Bedauern in ihrer Stimme. »Es tut mir leid, dass ich euch das sagen muss. Aber ich dachte, je eher ihr es erfahrt …!« Jetzt gerät sie endgültig ins Stocken.

»Je eher wir es erfahren, desto besser können wir Kumpel in den nächsten zwei Wochen noch mästen, oder was?«, brause ich auf.

»N-nein«, wehrt Kristin ab. »Ich dachte nur …« Sie seufzt. »Ich wollte doch nur helfen«, fügt sie hinzu. Den Spruch kann sie sich jetzt auch mal schön an die Backe schmieren.

»Das ist nicht euer Ernst, oder? Habt ihr sie noch alle?!« Wütend pfeffere ich mein Messer auf den Teller.

»Also, da mach ich nicht mit«, sagt Steven, lehnt sich zurück und verschränkt die Arme.

»Ich auch nicht«, bekräftigt Patsy und schüttelt nachdrücklich ihre feuerrote Turmfrisur.

»Nie im Leben«, bestätige ich trotzig, und dann sehen wir Jacqueline an und warten auf eine Reaktion.

»Ääääh«, macht Jacqueline und blickt unsicher von Kristin zu uns und wieder zurück.

Ich kann es in ihrem Hirn quasi rattern sehen. Sie wägt ab, denke ich. Sie wägt ab, was jetzt schlauer ist und vor allem ihrem Ziel förderlicher: die gestellte Aufgabe klaglos zu erfüllen und damit allen, vor allem aber TV3 und den möglichen neuen Sponsoren von »Renovieren Um Vier« zu beweisen, dass sie ohne zu murren das tut, was man von ihr verlangt. Oder mit uns gemeinsam zu rebellieren, um nicht als teamunfähige Spalterin und noch dazu Tierquälerin durchzugehen und beim Publikum Sympathiepunkte zu sammeln.

Dass es ihr dabei nicht um Kumpel geht, ist klar. Nein, ihr geht es lediglich darum, mit welcher Variante sie die größeren Chancen hat. Elende Opportunistin!

»Jacqueline!«, zischt Patsy und gibt ihr unter dem Tisch einen kräftigen Tritt. Jacqueline verzieht das Gesicht.

186

»Können wir nicht ein anderes Ferkel nehmen?«, fragt sie. »Es muss doch nicht ausgerechnet Kumpel sein!«

Ich schnaube. War klar.

»Darum geht es doch gar nicht, Jacqueline«, antwortet Steven verärgert. »Es geht darum, dass wir überhaupt kein Ferkel schlachten wollen!«

Ich sehe hoch zu Kristin. »Damit kommt ihr eh nicht durch«, versuche ich meine Erfahrung als ehemalige Talkshowredakteurin auszuspielen. »Tierschutz, sage ich nur.«

Denn wenn es zwei Dinge gibt, die auch dem moralbefreitesten Fernsehredakteur ernsthaft zu schaffen machen können, dann sind es diese: der Jugendschutz – und der Tierschutz. Bei diesen Themen kennen die Landesmedienanstalten kein Pardon.

Ich erinnere mich nur zu gut daran, wie wir einmal eine »Fritjof-Holland-Show« mit dem Titel »Hilfe! Mein Haustier ist zu dick!« zwar produzieren, aber anschließend nicht ausstrahlen durften, weil die Medienaufsicht dagegen war. Ausschlaggebend war ein Beagleweibchen, das so fett war, dass es sich nicht mehr auf seinen Beinen, sondern ausschließlich auf seinem Hängebauch fortbewegte und dabei Geräusche machte, als gebäre es soeben vor laufenden Kameras Achtlinge. Die Medienaufsicht sah »die Würde des Tieres verletzt«, und deshalb ist diese Folge der »Fritjof-Holland-Show« für immer im Giftschrank verschwunden, in dem im Übrigen auch die von Eske produzierte Sendung »Ich saufe, bis der Arzt kommt!« aus Gründen des Jugendschutzes bis heute auf ihre Ausstrahlung wartet.

Ich stutze. Könnte es vielleicht sein, dass sie meine Misthaufennummer aus ebendiesem Grund ... – vielleicht haben sie sie wirklich nicht ausgestrahlt? Oder nicht ausstrahlen dürfen?! Es wäre zu schön, um wahr zu sein. Aber es wäre eine Möglichkeit. Und es wäre eine halbwegs realistische Erklärung, weshalb in dieser Angelegenheit noch immer nichts passiert ist.

Triumphierend sehe ich Kristin an. Sie hat sich in der Zwischenzeit wieder gefangen, und jetzt schüttelt sie milde den Kopf. »Wir sind hier auf einem *Bauernhof*«, sagt sie abgeklärt. »Da ist so etwas ganz normal. Alles schon geklärt. Schließlich haben wir ja auch die Verpflichtung, *alle* Seiten des bäuerlichen Alltags zu zeigen«, rattert sie herunter, und ihrem beflissenen Ton entnehme ich, dass man ihr genau diese Argumentation in der letzten Redaktionskonferenz vermutlich im Stakkato in den Schädel gehämmert hat.

Das reicht. Ich stehe abrupt auf und schnappe mir Kumpel, der gar nicht weiß, wie ihm geschieht. Er ist fast schon zu schwer, um ihn einfach so mit sich herumzutragen, und so muss ich ihn ruckartig an mich pressen. Er quietscht überrascht auf und vergräbt seine Nase verschüchtert in meiner Achselhöhle, während ich aus der Küche stürme. »Muckelchen!«, höre ich Patsy noch rufen, und sie hat verdammt recht. Ich brauche jetzt sofort eine Zigarette.

»Ich kann das nicht glauben«, schnaubt Patsy wenig später, als wir mit Willi hinten an der Stallwand lehnen und aufgeregt an unseren Glimmstängeln ziehen. »Die kennen ja wohl wirklich keine Gnade!«

»Wir müssen uns was überlegen, Patsy«, antworte ich. »Das geht einfach nicht. Guck doch mal. Kannst du dir vorstellen, den aufzuessen?«, frage ich verzweifelt mit einem Blick auf Kumpel, der sich genießerisch im Gras wälzt und dabei alle vier Beine gleichzeitig strampelnd in die Luft hält.

»Und wenn wir ihn wirklich einfach austauschen?«, schlägt Patsy vor.

»Dann müssten wir aber immer noch eines von den anderen umbringen«, gebe ich zu bedenken. »Und ich sag dir eins, *ich* kann das jedenfalls nicht.«

»Jacqueline hat damit vermutlich keine Probleme«, brummt Patsy, und ich stoße verächtlich Luft durch die Zähne. »Ob sie das wohl schon nach draußen gegeben haben in der Sendung? Also dass Kumpel geschlachtet werden soll?«

»Glaube ich nicht«, überlege ich. »Da würden schon im Vorfeld viel zu viele Diskussionen losbrechen. Ich schätze, die werden lediglich die Abschlussfolge als Sensation ankündigen und den Leuten bis zum Erbrechen einhämmern, dass sie sie *unbedingt* sehen müssen, weil es unfassbar dramatisch werden wird. Wahrscheinlich teasern sie sich jetzt schon tot.«

»Teasern?«, wiederholt Patsy verständnislos.

»Na, diese Trailer, wo sie kommende Sendungen ankündigen. Du weißt schon, so nach dem Motto«, ich halte mir die Nase zu und senke meine Stimme gleichzeitig um etwa eine Oktave, »*seien Sie dabei, wenn die Campbewohner zum Abschied die härteste Aufgabe ihres Lebens erfüllen müssen*«. Oh Mann. Ich könnte kotzen, echt.« Wütend gebe ich dem löchrigen Plastikeimer zu meinen Füßen einen Tritt.

»Dann sollten *wir* vielleicht auch erst mal so tun, als wäre nichts«, sinniert Patsy. »Das gibt uns Zeit nachzudenken. Und nach einer Lösung zu suchen. Und im Ernstfall können wir uns am Tag der Tage immer noch schlichtweg weigern. Sie können uns ja wohl nicht zwingen.«

Ich seufze. »Es sei denn, sie machen es so wie beim Huhn und schicken Opa Otto vor. Der kennt da nix und erledigt das mit links. »Weißt *du* nicht, was man da machen kann?«, frage ich Willi, der uns bis dato scheinbar unbeteiligt Gesellschaft geleistet hat und jetzt seinen ausgerauchten Zigarettenstummel fallen lässt, bevor er ihn mit seinem Gummistiefel austritt. Aber auch Willi ist keine große Hilfe.

»Fommfeifommfa«, brummt er nur und schlurft leicht gebeugt von dannen, vermutlich, um sich in seiner kleinen Schnapsbrennerei auf den Schrecken erst mal ordentlich einen zu genehmigen.

189

Kommt Zeit, kommt Rat? Ich seufze erneut. Hoffentlich. Jedenfalls beschließen Patsy und ich, dass wir uns erst mal nichts anmerken lassen und auch Steven und Jacqueline bitten werden, in der Gegenwart der Kameras Kumpels drohende Ermordung nicht zu thematisieren. Vielleicht fällt uns ja doch noch eine Lösung ein.

Kumpel und ich haben gerade den letzten Pflichtgang des Tages beendet, als uns auf dem Vorhof Koksnase entgegengetrottet kommt. Er wiehert leise und reibt seine weiche Pferdeschnauze an meiner Schulter, und dann scharrt er unruhig mit dem rechten Vorderhuf.

»Na, was ist los, Dicker?«, frage ich ihn. »Stimmt was nicht?« Koksnase schnaubt und wiehert erneut, und dann tut er etwas, was ich ihm auf seine alten Tage gar nicht mehr zugetraut hätte: Er steigt. Er steigt, und dabei fuchtelt er mit seinen beiden massiven Hufen in der Luft herum, als gäbe es einen Preis dafür zu gewinnen. »Hee«, rufe ich erschrocken, und dann geht alles ganz schnell.

Von irgendwo brüllt irgendjemand »Feuer! Es brennt! Feuer!!!!«, und ich drehe mich um. Hinter dem Schweinestall steigt Rauch auf, und dann bricht binnen Sekunden auf dem Hof das größte Chaos aus.

Gebannt hängen wir ab Viertel nach neun vor der Leinwand in der »parallelwelt«. Wir können zwar nur hoffen, dass wir von Mags' und Guidos Anwesenheit im Dunstkreis des Hofes nichts, aber auch wirklich gar nichts zu sehen bekommen, aber trotzdem. Das Wissen, dass sie sich schon jetzt irgendwo nahe dem Gelände aufhalten, schürt unsere Spannung außerordentlich.

Das ist aber auch das Einzige. Um ehrlich zu sein, ist die heutige Folge ziemlich langweilig. Außer dass die Bewohner zur Feier der

Halbzeit ein paar Scheiben Schinken auf die Teller geknallt kriegen, passiert nicht viel. Lüttje gähnt unterdrückt, und nach der zweiten Werbepause schauen wir eigentlich gar nicht mehr hin, sondern unterhalten uns lieber. Bis Susa plötzlich spitz aufschreit.

Wie auf Kommando verstummen wir und drehen die Köpfe in Richtung Leinwand, auf der es vorbei ist mit der bisherigen Ruhe. Die Bilder, die wir sehen, sind auf einmal völlig verwackelt.

»Die haben umgeschaltet auf Schulterkamera«, flüstert Eske professionell. »Da muss was passiert sein!«

Damit liegt sie eindeutig richtig, das ist jetzt sogar für einen Laien wie mich zu erkennen, denn die zur Schulterkamera gehörende Schulter ist ohne Unterlass in Bewegung. Der Kameramann rennt! Er rennt quer über den Hof, wir hören ihn sogar schnaufen, und er gibt ordentlich Hackengas. Jetzt ist er im Schweinestall. Das Bild ist viel zu dunkel, wir können kaum noch etwas erkennen, und im Hintergrund hört man panisch Leute schreien.

Wir halten den Atem an. »Was ist denn jetzt los?«, piepst Lüttje, und Rocko ruft: »Na, endlich passiert mal was!«

»Schschsch«, machen wir anderen.

Dann ist der Kameramann zum gegenüberliegenden Ausgang wieder aus dem Schweinestall raus, und plötzlich wird das Bild so hell, dass es uns blendet. Es sind Flammen. Es brennt! Es brennt lichterloh, und um die schlagenden Flammen herum wuseln hektisch Dutzende von Menschen, behindert von Heerscharen grunzender Schweine, die in alle Himmelsrichtung fliehen und den ein oder anderen zu Fall bringen, weil sie ihm direkt vor die Füße laufen.

Wir schreien entsetzt auf. Der Kameramann scheint sich wieder auf seine eigentliche Aufgabe zu besinnen, und so bekommen wir gezeigt, wie die Menschen jetzt eine Kette bilden. Sie bilden eine Kette, um das Feuer zu löschen, und reichen ohne Unterlass Eimer mit Wasser von einem zum andern, die das Feuer aber nur noch stärker auflodern lassen.

Dann wird das Bild schwarz, ein greller Piepton tut uns in den Ohren weh, und einen Sekundenbruchteil später erscheint auf der Leinwand eine Tafel, auf der steht: *Kurze Unterbrechung. Wir bitten die Störung zu entschuldigen.*

»Das gibt's doch gar nicht«, stammelt Eske, und Bobo Attila Boizenburg schlägt die kleinen Hände über dem Kopf zusammen.

Ich will ja nichts sagen, aber da sind Guido und Mags jetzt wirklich ein bisschen übers Ziel hinausgeschossen.

»Wir haben mit dem Feuer nichts zu tun!«, beteuert Mags wenige Stunden später. Es ist fast drei Uhr morgens, und wir sind alle schon ziemlich hinüber, aber natürlich will niemand mehr nach Hause gehen, seit Mags und Guido soeben an eine der großen Fensterscheiben geklopft haben. Sie stinken fürchterlich nach Rauch und Ruß, und dazu schleppen sie unter ihren Schuhen eine Menge Matsch und Kuhmist ein, aber da muss ich jetzt durch. Geputzt wird später.

»Wirklich nicht. Ganz ehrlich! Das Feuer war auf einmal von ganz alleine da! Auch ohne uns!«

Ja, klar. »Und das sollen wir euch glauben«, murmele ich. Die anderen sagen erst mal gar nichts.

»Es ist aber so!«, ruft Guido energisch. »Und außerdem solltet ihr erst mal nach Mona fragen«, fügt er hinzu.

Da hat er recht. Ich nicke zerknirscht. »Jetzt sag schon«, dränge ich ihn schuldbewusst.

»Nein, es ist ihr nichts passiert«, erklärt Guido. »Anscheinend ist niemandem etwas passiert. Alle gesund und munter. Auch die Tiere.«

Wir seufzen erleichtert. »Na, dann erzählt doch mal, wie's *wirklich* war«, sage ich skeptisch. »Also?«

»Hmmmm. Auf das Gelände selbst zu kommen war gar nicht so schwer«, hebt Guido an. »An der Zufahrt von der Hauptstraße stand zwar einer, aber der hat uns sofort durchgewunken.«

»Natürlich weil er die Klemmbretter und die Headsets gesehen hat«, ergänzt Mags nicht ohne Stolz. »War garantiert ein Praktikant. Wetten? Die lassen sich von so was noch beeindrucken.«

»Ja, ja«, machen wir ungeduldig. »Weiter!«

»Wir haben das Auto ganz normal bei den ganzen anderen abgestellt, auf so 'nem Acker. Ich sag's euch, da steht ein ganzer Fuhrpark. Wir sind echt nicht weiter aufgefallen. Da war total viel Gewusel.«

»Unfassbar, wie viele Leute bei so einer bescheuerten Sendung mitmachen«, ergänzt Guido nickend. Er scheint selbst am meisten darüber zu staunen, was in den vergangenen Stunden passiert ist.

»Na ja«, fährt Mags fort, »und dann sind wir in der Dämmerung halt rübergeschlichen zu der Wiese hinterm Hof, wo die Produktion und die Redaktion sich aufgebaut haben. Da, wo der Ü-Wagen steht mit der Regie und so.«

Ich reiße die Augen auf. »Seid ihr bescheuert? Das war doch viel zu riskant!«

»Schon«, erklärt Guido, »aber irgendwo mussten wir ja wohl erst mal hin. Oder hätten wir direkt auf den Hof gehen sollen, wo uns die erstbeste Kamera ablichtet und sie uns gleich schnappen?«

Stimmt auch wieder.

»Tja. Und im Grunde war es das dann auch schon«, ergänzt Mags achselzuckend. »Wir waren kaum da, da fing schon alles an zu brüllen und zu schreien und durcheinanderzurennen, und dann ist die Tür vom Ü-Wagen aufgeflogen, und die Besatzung ist auch weggerannt.«

»Das erklärt, warum die so plötzlich nur noch auf die Handkamera gegangen sind«, sinniert Eske. »Das ist für den Bimi ein kurzer Knopfdruck, und dann läuft das durch, auch ohne ihn.«

»Bimi?«, fragt Behnke junior verwirrt.

»Bildmischer«, erläutert Eske knapp. Aha.

»Ja, und dann haben wir die Gunst der Stunde genutzt«, frohlockt Mags, »und haben dem Regiewagen mal eben einen schnellen Besuch abgestattet.«

»Ihr seid in den Ü-Wagen rein?!«, sagt Lüttje bewundernd. »*Das habt ihr euch getraut?*«

»Jawoll«, sagt Mags. »Ich bin rein, und Guido hat Schmiere gestanden. Und ihr solltet froh darüber sein.« Er greift in seine Tasche und holt einen buchgroßen Gegenstand aus Kunststoff hervor. »Denn sonst«, verkündet er, »wäre es uns nie gelungen, das hier an uns zu bringen.« Das Ding ist grau und trägt eine transparente Lasche auf der Vorderseite, in der ein weißer Zettel mit einem großen roten »X« steckt. Es ist eine Bandhülle.

Eske nimmt sie in die Hand und öffnet sie. Darin steckt eine Kassette von mir unbekanntem Format. »Das ist ein Betaband«, sagt sie fachmännisch.

»Und was ist drauf?«, fragt Eule.

»Entschuldigung«, sagt Mags hoheitsvoll, »die Zeit, es uns anzusehen, hatten wir wirklich nicht. Aber das hier ist auch noch mit dabei«, sagt er, nimmt Eske die Hülle aus der Hand und zieht hinter dem weißen Zettel mit dem roten »X« darauf einen weiteren Zettel hervor. Es ist der Ausdruck einer E-Mail. Neugierig drängele ich mich hinter Mags.

Von: Kristin.Maier@tvforyou.de
An: Andreas.Koenig@tv3.de
Betreff: ja oder nein?, lese ich.

»Vorlesen«, brüllen die anderen, »vorlesen!« Ich schnappe mir den Zettel.

»*Sehr geehrter Herr König, wir schicken Ihnen heute per Kurier ein Band von letzter Nacht raus*«, zitiere ich. »*Bitte einmal ansehen und*

entscheiden, ob wir damit auf Sendung gehen sollen. Wir haben Beden-
ken wg. Steven Dong und wg. Jugendschutz. Freundliche Grüße, Kristin
Maier, CvD«

»Was heißt denn das jetzt schon wieder – CvD?«, fragt Alf.

»Chefin vom Dienst«, murmelt Eske.

»Ist doch jetzt scheißegal«, brüllt Rocko. »Is auch 'ne Antwort dabei?«

»Jupp«, sagt Mags und öffnet die Hülle erneut. Darin liegen noch zwei Zettel; ein kleinerer aus stärkerem Papier, auf dem *MAZ-Karte* steht, der aber nicht weiter ausgefüllt ist, und ein weiterer dünner A4-Bogen. Eske schnappt ihn sich und liest vor.

»Von: Andreas.Koenig@tv3.de
An: Kristin.Maier@tvforyou.de
Betreff: Nein!!!

Hallo Frau Maier, nein, keinesfalls ausstrahlen!!! Wo zum Teufel hat
die Rittner den Schnaps her???? Erwarte schnellstmöglich Aufklärung
und den Kopf des Verantwortlichen auf Silbertablett. Grüße, A. König,
Ressortleiter Unterhaltung TV3«

»Schnaps?«, wiederhole ich verwirrt. »Was für'n Schnaps?«, und wir blicken uns ratlos an.

»Hilft alles nix«, sagt Eske, »wir müssen uns dieses Band anse-hen.«

Wir nicken. »Na, mach schon«, quengelt Manni, »worauf wartest du noch? Rein damit!«

Eske lacht. »Die Frage ist nur, *wo* rein. Hat jemand von euch zufäl-lig einen Betaplayer und einen Monitor zur Hand?«

Das hat zufällig leider niemand. »Scheiße«, murmele ich.

»Nur Geduld«, erwidert Mags, »ich ruf gleich morgen früh Atze an. Kameramann bei ›Renovieren Um Vier‹«, ergänzt er auf Eules fragenden Blick hin. »Der kann in seiner Firma so ein Ding besor-gen. So lange müssen wir halt noch warten.«

195

»Und sonst?«, frage ich ungeduldig, »habt ihr sonst noch was rausgefunden? Habt ihr mit Mona gesprochen? Jetzt sagt schon!«

Guido schüttelt bedauernd den Kopf. »Leider nein«, sagt er betrübt. »Sie haben uns zum guten Schluss leider doch noch erwischt.«

»Waaas?«, schreit Eske entsetzt, aber Guido winkt entspannt ab.
»Keine Panik«, sagt er. »Sie wissen nicht, wer wir sind. Die haben
uns für Pressefuzzis gehalten. Davon waren noch ein paar da.«

»Woher wussten die denn, wo sie hinmüssen?«, fragt Lüttje verwundert. »Ich denke, der Ort ist geheim!«

»So 'ne Rauchwolke ist doch ein prima Wegweiser«, giggelt
Manni.

»Oder es waren Lokalreporter, denen gar nicht bewusst war, dass
sie auf Deutschlands heißestem Bauernhof gelandet sind, har, har«,
ergänze ich sarkastisch.

Lüttje kräuselt skeptisch die Nase.

»Ehrlich, auf dem Land ist das so«, beteuere ich. »Da hören die
den Alarm in der Feuerwehr, und dann fahren die einfach den Feu-
erwehrautos hinterher. Auf'm Dorf, da sind die Reporter manchmal
schon da, *bevor* überhaupt irgendwas passiert ist.« Ich spreche da aus
Erfahrung. Ich komme aus einem kleinen Ort in der Lüneburger
Heide, und da wussten die früher schon immer, wer Schützenkönig
wird, bevor der Adler überhaupt gefallen war. So läuft das.

»Wer weiß, vielleicht hat TV3 die Pressemeute sogar selbst informiert, um für ein bisschen Publicity zu sorgen«, sinniert Eske. »Zuzutrauen wär's ihnen.«

»Wie auch immer, da haben wir jedenfalls ziemliches Glück gehabt«, schließt Guido seinen Bericht, und die anderen nicken.

»Wie man's nimmt«, seufze ich, »nochmal könnt ihr euch da jetzt
jedenfalls nicht blicken lassen. Das wäre zu auffällig.«

»Lasst uns doch erst mal das Band abwarten«, sagt Eule und gähnt,
während er aufsteht. »Für heute ist jetzt jedenfalls Schluss. Ich kann

nicht mehr«, und wenig später drehen wir den Schlüssel in der Tür. Und zwar von außen.

»Hinter den Schweinestall!«, brüllt Kristin mich an. Sie fuchtelt schon von weitem wild mit den Armen und hetzt dann im Laufschritt an mir vorbei in Richtung Redaktionswiese, verfolgt von Brutus vom Burgbarg, der ihr kläffend hinterherspringt. »Los! Wir brauchen jede Hilfe, die wir kriegen können, sonst fackelt das hier alles ab! Jetzt mach schon!«

Verwirrt setze ich mich in Bewegung, während Kristins schrille Stimme weiter über den Hof gellt. Schon wird die Dunkelheit von flackernder Helligkeit durchbrochen. Hinter dem Schweinestall lodern die Flammen auf.

Wenige Augenblicke später finde ich mich als Teil einer Menschenkette wieder und nehme zu meiner Rechten unermüdlich Eimer voller Wasser entgegen, die ich zu meiner Linken weiterreiche. Aber unsere Löschversuche bringen kaum etwas; im Gegenteil, ich habe das Gefühl, dass das Feuer immer größer wird. Die Luft ist stickig und sirrt, und schon fangen die Ersten an zu husten. Es dauert gefühlte Ewigkeiten, bis wir endlich die entfernte Sirene der Feuerwehr hören, und noch einmal ein halbes Leben, bis wir endlich ein Blaulicht sehen.

Etwa eine halbe Stunde später ist das Feuer gelöscht, und erschöpft versammeln wir uns auf dem Vorhof. Patsys Turmfrisur ist in sich zusammengefallen, rote Haarsträhnen fallen ihr wirr ins Gesicht, und sie hat schwarze Rußschlieren im Gesicht. Steven hält sich ächzend den Rücken, und ich kann kaum noch meine Arme spüren. Sogar Jacqueline geht es nicht anders; sie sieht zum ersten Mal ebenfalls wirklich kaputt aus und schnappt japsend nach Luft. Wir werden immer mehr, bis schließlich die komplette Crew im Vorhof steht und aufgeregt durcheinanderplappert. Irgendwann biegt Kristin um die Ecke, begleitet von zwei uniformierten Feuerwehrmännern, mit denen sie lebhaft zu diskutieren scheint.

Als die kleine Gruppe uns erreicht hat, klatscht Kristin laut in die Hände. »Also, Leute, alle mal herhören«, ruft sie mit schneidender Stimme. »Wir haben wahnsinniges Glück gehabt. Wenn das Feuer aufs Haupthaus übergeschlagen wäre, dann hätten wir hier kein Land mehr gesehen.« Sie macht eine Pause, während erleichterte Seufzer und vereinzeltes Klatschen die Runde machen. »Aber«, fährt sie dann fort, »wir werden noch ein Hühnchen zu rupfen haben. Es handelt sich vermutlich um Brandstiftung.«

Ein Raunen geht durch die Crew. Ich wechsele einen besorgten Blick mit Steven.

»Hinter dem Schweinestall«, hebt Kristin erneut an, »haben wir das hier gefunden«, und sie streckt ihren Arm aus und hält etwas in die Höhe, das ich im schummrigen Licht zunächst überhaupt nicht zuordnen kann. Und dann erkenne ich es doch.

Ach du Scheiße. Ich zucke zusammen. Es handelt sich um die kleine Flasche Haarspray, die ich während der Gepäckkontrolle zurück in meine Regenjacke geschmuggelt habe. Entsetzt stöhne ich auf.

»Von den zahlreichen Zigarettenkippen ganz zu schweigen«, setzt Kristin noch einen drauf und mustert uns, einen nach dem anderen, mit scharfem Blick. »Ich sage euch eines: Wir werden den Schuldigen finden. Und dann ist hier aber Polen offen. Abtreten!«, und damit ist die Konferenz beendet.

Es wird Samstagnachmittag, bis von Mags endlich der erlösende Anruf kommt.

»Um sechs in der pwelt«, sagt er knapp. »Vorher kann Atze nicht. Sag den anderen Bescheid.«

Mit hochrotem Kopf schleifen Mags, Atze und sein Assistent Luc pünktlich um kurz nach sechs eine große Kiste in einer Aluverschalung in den Laden. Sie sieht aus wie diese Dinger, die Roadies bei Livekonzerten immer hin und her schleppen, und nachdem Atze klackend die glänzenden Scharniere geöffnet hat, kommen darin ein Monitor und eine Bandmaschine mit riesengroßen Druckknöpfen zum Vorschein.

»Bitte sehr«, ächzt Atze, »es ist angerichtet«, und er stöpselt das Ding in die Steckdose neben dem Tresendurchlass, während Mags die Maschine mit dem Band füttert. Dann macht es »fump«, der Monitor springt an, und wir beugen uns gespannt vor.

Erst mal passiert gar nichts, außer dass es furchtbar piept und auf dem Bildschirm ein paar grelle Farbbalken erscheinen. Ich halte mir erschrocken die Ohren zu.

»Ist es kaputt?«, fragt Lüttje besorgt.

Atze grinst. »Nope«, antwortet er, »alles in bester Ordnung«, und er spult ein Stückchen vor.

Na bitte. Jetzt sehen wir etwas, nämlich die Spitze des Misthaufens mit dem Klappstuhl obendrauf. Wir halten den Atem an und starren gebannt auf den Monitor, aber irgendwie bewegt sich im Bild gar nichts, bis auf ein paar wehende Äste im Hintergrund.

Wir warten ab. »Hmmm«, macht Lüttje. »Schschsch«, machen die anderen, und dann warten wir weiter. Und warten. Und warten.

»Wie Sie sehen, sehen Sie nichts«, sagt Eske irgendwann seufzend.

199

»Spul mal vor«, fordert sie Mags auf, und Mags dreht an einem kleinen Rädchen, das sich rechts neben den Druckknöpfen befindet, woraufhin das Bild beginnt, schneller zu laufen.

Der Timecode unten im Bild zeigt an, dass bereits 22 Minuten vorbei sind, als wir endlich eine Bewegung erahnen.

»Da!«, schreie ich. »Mach langsamer, mach langsamer!«

Mags spult ein Stückchen zurück, und dann sehen wir Mona, wie sie stöhnend und ächzend versucht, den Gartenstuhl zu erklimmen. Erst erscheint nur ihre Hand, die sich an der Holzplatte festhält, auf der der Stuhl befestigt ist, und dann schiebt sich umständlich ihr ganzer Körper ins Bild, bis sie schließlich prustend den Stuhl erreicht und sich fallen lässt. In der zweiten Hand hat sie eine Flasche, die sie fest an sich presst. Ich versuche das Etikett zu erkennen, aber es kommt mir weder bekannt vor, noch kann ich irgendetwas lesen.

»Ach du Scheiße«, murmelt Susa, »die ist tatsächlich besoffen! *Das* meinte König mit dem Schnaps!«

»Schschsch«, machen wir wieder, und dann hören wir fassungslos, was Mona von sich gibt. Wir müssen uns dabei wirklich Mühe geben. Die Tonqualität ist eh schon nicht die tollste, und Monas Lallen macht das Ganze nicht besser. Aber immerhin, wir verstehen letztendlich, was sie sagen will, nämlich dass sie Guido liebt und dass Steven Dong schwul ist.

»Aaaaaarghhhh!«, brüllt Lüttje, als hätte ihr jemand einen heftigen Schlag verpasst, und trommelt dann mit ihren kleinen Füßen trotzig auf dem Boden herum. »Blasphemie!!! Das kann nicht sein, das kann nicht sein, das kann nicht sein, das kann nicht sein!!!«

Sie drückt die Rückspultaste und spielt sich und uns die Szene noch einmal vor, als würde das etwas ändern, aber es bleibt dabei: Mona liebt Guido, und Steven Dong ist schwul. Mags hält das Band an. Nicht nur ihm hängt der Unterkiefer auf halb acht.

»Kann wohl sein!«, trumpft Guido jetzt auf. »Ihr wisst doch, Kinder und Betrunkene sagen die Wahrheit!« Er grinst über das ganze Gesicht und sieht sehr zufrieden aus. Des einen Freud, des anderen Leid.

»Wie geht's weiter?«, quengelt Susa. »Zeig schon«, und Mags drückt wieder auf »play«, woraufhin Mona vom Misthaufen herunterpurzelt und aus unserem Blickfeld verschwindet. »Aua«, macht Susa erschrocken. Nur eine von Monas Fäusten ist plötzlich wieder am unteren Bildrand zu sehen, und dann hören wir sie dumpf von unten über den Elvis lamentieren.

»Marnie, wir fin'n den wieder, versprochn!«, ist ihr letzter Satz, und dann wird es still.

Verwirrt sehe ich die anderen an, und dann kann ich nicht anders: Ich fange an zu lachen. Ich lache, dass mir der Bauch wehtut, und die anderen fallen ein und lachen mit. Nur Lüttje zieht beleidigt eine Schnute und verfällt in stille Agonie.

Also gut. Nur um das nochmal zusammenzufassen.

1. Es ist allein meine Schuld, dass Steven Dong in Deutschland vermutlich nie wieder einen Fuß auf die Erde bekommt, sowohl beruflich als auch privat.

2. Jemand versucht mir die Schuld an dem Brand in die Schuhe zu schieben.

3. Meine Karriere als Fernsehmoderatorin ist davon abgesehen vermutlich eh beendet.

4. Ich soll meinen kleinen Kumpel schlachten und aufessen. (Das mit dem Austauschen hat sich übrigens erledigt, denn seit ihr Stall niedergebrannt ist, sind alle anderen Schweine weg. Wo sollten sie auch wohnen?!)

5. Mein zweites Standbein als Barbetreiberin ist mehr als gefährdet. Das liegt zum einen daran, dass
6. meine Partnerin total sauer auf mich und
7. der marmorne Elvis verschwunden ist.
8. Ich muss es noch geschlagene elf Tage hier im Camp aushalten, und zwar
9. ohne Rauchpausen. Und last, but not least,
10. ob ich noch einen Freund habe, weiß ich auch nicht.

So, liebe Mona. Und jetzt gehst du schön nochmal auf »Los« und überlegst, wie du aus diesem ganzen Schlamassel wieder rauskommst. Und zwar Punkt für Punkt.

»Weißt du eigentlich, dass wir total bescheuert sind?«, entfährt es Eule Montagnachmittag. Wir brüten über der Buchhaltung und überlegen, wie wir die Miete für diesen Monat zusammengekratzt kriegen. Es ist eng. Verdammt eng. Im Grunde ist es unmöglich. Ich seufze.

»Ja, ist mir auch schon aufgefallen«, erwidere ich lapidar. »Sonst würden wir ja wohl nicht hier sitzen, oder?«

»Nein, das meine ich nicht«, quengelt Eule. »Ich meine wegen Elvis.«

»Immerhin haben wir es versucht«, sage ich achselzuckend. »Vielleicht sollten wir doch endlich die Polizei einschalten. Ich meine, jetzt ist doch eh alles zu spät. Es wissen ja sowieso schon alle Bescheid, dank Ferfried Bockelt.«

Ich wedele mit der »Boulevard«, in der heute natürlich der Brand auf dem Hof *das* Thema ist. Sie haben ihm fast eine ganze Seite gegeben.

Brandstiftung bei »Land und Lust«?, prangt in fetten schwarzen Lettern auf der Titelseite. War ja klar, dass die »Boulevard« da gleich einen kriminellen Anschlag draus macht. Der Artikel im Innenteil zeigt Fotos von der Löschaktion. Auf dem größten ist Jacqueline Schnieder zu sehen, wie sie einen Wassereimer hält und sich gleichzeitig mit der Hand über die verschmierte Stirn fährt. Ihr Hemd ist zerrissen, und ihr erschöpfter Gesichtsausdruck ist oscarreif. *Unfreiwillige Heldin: Jacqueline Schnieder kämpfte wacker gegen die Feuersbrunst*, lautet die theatralische Bildunterschrift.

Daneben findet sich die Abbildung einer kleinen Haarsprayflasche in einer durchsichtigen Plastiktüte, und darunter steht: *Nahe des Brandherdes gefunden: diese kleine Flasche Haarspray. Wurde sie als Brandbeschleuniger eingesetzt? Noch sind Polizei und Feuerwehr sich uneins, ob es sich um Brandstiftung handelt. Auch zahlreiche Zigarettenkippen wurden gefunden – trotz des strikten Rauchverbotes auf dem Gelände. Die Ermittlungen laufen auf Hochtouren.*

»Du verstehst mich falsch«, wiederholt Eule. »Ich meine: Warum versuchen wir eigentlich hintenrum an die Infos zu kommen, wenn wir sie auch direkt kriegen können? Sprich: Warum fragen wir nicht gleich Benita?«

Ja, warum eigentlich nicht? Ich stutze, und mir fällt wieder ein, was einer der Hilfselvisse gesagt hat: »Wenn einer in Sachen Elvis Bescheid weiß, dann sie.«

»Stimmt eigentlich«, überlege ich. »Wir sollten da nochmal vorbeigehen. Morgen?«

Eule schüttelt den Kopf. *»Dienstag Ruhetag«*, zitiert er den Zettel im Fenster der Luke. »Du erinnerst dich.«

Ach ja, stimmt. »Gut«, sage ich entschlossen, »dann Mittwoch. Ich werde Lüttje fragen, ob sie uns wieder vertreten kann.«

203

»Klar«, sagt Lüttje leichthin, als ich sie am Abend bitte, noch einmal die Schicht zu übernehmen. »Mach ich gern. Ich muss schließlich was für mein Karma tun.«

»Hä?«, mache ich.

»Na, ich hab was wiedergutzumachen«, erklärt Lüttje. »Immerhin habe ich Mona zugetraut, dass sie was mit Steven anfängt. Ein bisschen schäme ich mich jetzt dafür«, fügt sie kleinlaut hinzu.

»Und, hast du's schon verdaut?«, frage ich sie in Anspielung auf Stevens geschlechtliche Orientierung. Lüttje seufzt. »Geht so«, sagt sie. »Irgendwie habe ich das Gefühl, in meiner Größengruppe gibt es überhaupt keine Heteromänner mehr.«

»Bonsoir, ihr Lieben! Tihi!«, ruft in diesem Moment Bobo Attila Boizenburg mit seinem hellen Stimmchen, in dem ihm eigenen unverwechselbaren näselnden Singsang, und hüpft durch den Samtvorhang in die Bar.

»Siehst du?«, motzt Lüttje desillusioniert. »Der ist auch wieder so ein Beispiel.«

Ich lache. Bobo hat seinen riesigen Maskenkoffer dabei, der fast so groß ist wie er selbst, und laut stöhnend krabbelt er jetzt auf einen der Barhocker.

»Oh Kinder, bin ich kaputt«, ächzt er. »Das war der schlimmste Werbedreh meines Lebens. Liane wird auch nicht einfacher im Laufe der Jahre, das sage ich euch aber. Tihi!«

Ich grinse. Bobo und seine Kundinnen! Er kann nur Liane Graffeling meinen. Liane ist Schauspielerin, und sie ist eigentlich gut im Geschäft, aber wie alle verdient sie sich ganz gern was dazu. Ich seufze, während ich an unseren eigenen Kassenstand denke und an die Umsätze der vergangenen Woche. Ich würde im Moment vermutlich sogar Werbung für Damenbinden machen, wenn es sein müsste. Aber mich will ja keiner.

»Worum ging's denn?«, erkundige ich mich beflissen, und Bobo winkt ab. »Ein Werbespot für Marmelade«, erklärt er. »Find du mal einen Lippenstift, der fünfhundertmal Brötchenabbeißen mitmacht. Jesses!«, und dazu hebt er die kurzen Ärmchen gen Himmel und rollt mit seinen runden Augen.

Bobo ist der Hit, und ich glaube, wenn er nicht wäre, dann wäre Mona ganz schön am Arsch. Und das nicht nur wegen seiner Künste in Sachen Farbe und Pinsel. Nein, Bobo ist für Mona im Drehalltag eine echte Stütze, und die beiden sind mittlerweile gute Freunde.

»Besser ist das«, pflegt Bobo mit erhobenem Zeigefinger zu sagen, »denn wer laufend so eng aufeinanderhockt und sich dann nicht leiden mag, der kann sich auch gleich einen Strick nehmen. Schließlich weiß ich alles von Mona. *Alles*, Kinder. Und das ist nicht wenig. Tihi!«

»Und?«, sagt Bobo jetzt mit einem Seitenblick auf Guido, der bereits am Tresen sitzt und geduldig darauf wartet, dass es endlich Viertel nach neun wird, »hast du deine Mona jetzt wieder lieb?«

Guido lächelt hintergründig, und auch wenn er nichts weiter dazu sagt, so sieht man ihm doch an, dass ihm seit Samstagnachmittag ein Riesenstein vom Herzen gefallen ist.

»Du solltest deiner Frau übrigens ab und zu mal zu verstehen geben, dass du es schätzt und akzeptierst, wie hart sie arbeitet«, sagt Bobo und versetzt Guido einen leichten Stoß in die Seite. »Jetzt kann ich's dir ja sagen. Sie bezweifelt nämlich sehr oft, dass du überhaupt achtest, was sie tut. Und sie fühlt sich ziemlich alleingelassen, auch wenn sie es ist, die die meiste Zeit weg ist.«

Guido senkt beschämt den Blick.

»Und sich ab und zu in einen Anzug zu werfen und sie mal auf eine von diesen bekloppten Partys der oberen Zehntausend zu begleiten, könnte auch nicht schaden«, fährt Bobo streng fort, als er merkt, dass er bei Guido einen wunden Punkt erwischt hat.

»Bobo«, zische ich, »jetzt reicht's aber.«

»Stimmt doch«, mault Bobo, aber dann hält er wenigstens seine vorlaute Klappe, wenn auch vermutlich nur, weil aus dem hinteren Raum die Erkennungsmelodie von »Land und Lust« ertönt. Ich seufze. Es geht schon wieder los. So langsam wird es wirklich Zeit, dass das alles ein Ende hat.

Als Erstes bringen sie eine Zusammenfassung von dem Brand am Freitagabend. Vom Schweinestall ist nicht viel übrig geblieben, aber der Rest des Hofes scheint unversehrt zu sein, und ganz wie Guido gesagt hat, gibt es weder menschliche noch tierische Opfer zu beklagen. Wenn auch die meisten Löschhelfer am Ende eher tot als lebendig scheinen, die vier Campbewohner inklusive. Patsy sieht aus wie eine Karikatur ihrer selbst, und Monas Arme zittern, als sie nach den Löscharbeiten auf dem Vorhof steht und sie auszuschütteln versucht.

Dann erscheint auf einmal ein Gesicht auf dem Bildschirm, das wir nicht kennen. »Wer ist das denn?«, fragt Susa, aber im nächsten Moment informiert uns schon der Schriftzug, der eingeblendet wird und der rotblonden Mittdreißigerin mit dem leicht grimmigen Ausdruck einen Namen gibt.

Kristin Maier, steht da, und darunter: *Redaktion ›Land und Lust‹*. Aha. Das ist also die arme Frau, die von Andreas König unterdrückt wird. »Guck an!« ruft Eske, »die Chefin vom Dienst!«, und irgendwie sieht man der Maier sogar an, dass sie ein schweres Päcklein zu tragen hat und eigentlich gerade lieber woanders wäre. Oder bilde ich mir das nur ein?

»Nun«, sagt Kristin Maier nüchtern und sogar ein wenig gelangweilt, »wir müssen leider davon ausgehen, dass beim Feuer jemand nachgeholfen hat. Wir können Ihnen leider überhaupt noch nicht sagen, wer. Das Einzige, was wir bisher wissen, ist, dass in der Nähe des Brandherdes verbotenerweise geraucht wurde. Und dass an der

Brandstelle das hier gefunden wurde«, und dann hält sie die kleine Plastiktüte mit der Haarsprayflasche hoch, die schon in der »Boulevard« abgebildet war.

An sich nichts Neues also, aber Bobo Attila Boizenburg entfährt augenblicklich ein kleiner spitzer Schrei. Mit einem Schlag ist ihm alles Blut aus dem Gesicht gewichen, und er ist leichenblass. Alle Blicke richten sich auf ihn.

»Das ist *mein* Haarspray«, flüstert er. »Beziehungsweise Monas. Ich habe es ihr gegeben, neulich, vor der Sportlergala. Sie brauchte was für ihre Handtasche. Ich erkenne es genau wieder.«

Wir starren ihn entsetzt an.

»Ach komm, Bobo«, versetzt Susa zögerlich. »So Haarsprayflaschen gibt es doch tausendfach.«

»Nein«, beharrt Bobo, »ich bin mir sicher. Ganz sicher. Habt ihr die Marke gesehen?«

Wir schütteln den Kopf, und natürlich ist das Bild von der Leinwand längst verschwunden, aber dann erinnere ich mich an die »Boulevard« von heute.

»Moment«, sage ich und verschwinde hinter den Tresen, wo ich sie bereits auf den Altpapierstapel gelegt habe. Als ich damit zurückkehre und sie aufschlage, reißt Susa sie mir ungeduldig aus der Hand.

»Mir schwant Böses«, ächzt sie, und Bobo braucht nur einen kurzen Blick auf die Abbildung der Flasche zu werfen, um sich seiner Sache erst recht sicher zu sein.

»Die Marke, seht ihr?«, wiederholt er. »Das ist ein Haarspray aus dem Maskenbildnerfachhandel. Ein amerikanischer Import. Das kriegt man bundesweit in genau drei Läden, in München, in Berlin und in Hamburg. Und ich kenne nur wenige Kollegen, die ebenfalls damit arbeiten.« Düster blickt Bobo in die Runde. »Kinder, wir haben ein Problem. Beziehungsweise Mona hat ein Problem.«

Das ist ja nichts Neues. Kann das bitte alles endlich einfach mal aufhören?

»Ach, das ist doch lächerlich«, schnaubt Susa und feuert die »Boulevard« mit ganzer Kraft hinter den Zigarettenautomaten. »Warum sollte Mona den Hof anzünden?! Das ist doch völliger Quatsch.«

Wir schweigen ratlos, während die nächsten Szenen von »Land und Lust« an uns vorbeiziehen. Jacqueline Schnieder, jetzt wieder wie aus dem Ei gepellt, äußert sich auf dem Misthaufen zum Brand und plappert irgendetwas vor sich hin, aber ihre Worte erreichen mich kaum. Ich starre verwirrt auf die Leinwand, durch die ich mehr hindurchsehe als auf sie drauf, und deshalb halte ich es erst für eine Fata Morgana, was ich im nächsten Moment sehe oder vielmehr aus den Augenwinkeln erahne.

Jacqueline Schnieder, steht da, was ja an sich nicht weiter ungewöhnlich ist, aber der Teufel steckt im Detail. Beziehungsweise in der zweiten Zeile: *Vermutlich ein hinterhältiges Miststück,* scheint die aufleuchtende Buchstabenkombination zu ergeben, und ich reiße die Augen auf und stelle sie auf scharf, während ich ruckartig mein Gehirn wieder dazuschalte.

»Habt ihr das gesehen?«, kreische ich, aber da ist die Einblendung auch schon wieder verschwunden.

»Was denn?«, fragen die anderen verwundert.

Nur Mags grient, verschränkt die Arme vor der Brust und lehnt sich zufrieden zurück. »Hups«, macht er und baumelt entspannt mit den Beinen. »Also ich hätte ja gedacht, dass die die Dinger im Schriftcomputer vor Ausstrahlung nochmal Korrektur lesen. Aber die Chefin vom Dienst hat vermutlich gerade anderes zu tun«, sagt er süffisant und zuckt mit den Schultern. Ich starre ihn mit großen Augen an.

»Is was?«, fragt er mich und zwinkert mir zu.

»Äh«, mache ich, und noch bevor die anderen verstanden haben, was passiert ist, ergänzt Mags ernst: »Was, wenn ich recht habe?«

»Du meinst, dass Jacqueline ...?«, hebe ich an, und Mags nickt.

»Was geht denn ab?«, ruft Rocko. »Könnt ihr uns mal bitte aufklären?«

Mags und ich sehen uns an, Mags nickt mir zu, und dann äußere ich den Verdacht, dass es vielleicht Jacqueline Schnieder sein könnte, die Mona den Brand unterzuschieben versucht.

»Skandalös!«, ruft Bobo Attila Boizenburg schockiert.

»Aber nicht unwahrscheinlich«, überlegt Susa. »Es steht immerhin einiges auf dem Spiel.«

»Das mag ja alles sein«, wirft Eske ein, »aber wie sollen wir das beweisen?«

Gute Frage. Gute Frage, nächste Frage.

Es nützt alles nichts, ich muss Steven einweihen. Ich muss ihm sagen, was passiert ist und was ich getan habe. Es geht einfach kein Weg daran vorbei, denn früher oder später kommt es eh ans Licht, und ich ertrage das alles nicht mehr. Ständig fragt Steven mich, was mit mir los sei, und mittlerweile hat er sogar schon Patsy vorgeschickt, die heute früh beim Melkdienst versucht hat, mich auszuquetschen. Ich habe mit dem Hinweis auf die Kamera oben in der Stalldecke nur den Kopf geschüttelt. Aber das muss jetzt ein Ende haben.

Ich muss gestehen. Und zwar möglichst bald, damit Steven wenigstens noch eine Möglichkeit hat, sich innerlich darauf vorzubereiten, was ihn draußen erwartet. Sie werden wie die Hyänen über ihn herfallen. Und selbst, wenn sie meine Misthaufennummer am Ende tatsächlich noch nicht ausgestrahlt haben sollten, so ist es doch nur eine Frage der Zeit, bis etwas durchsickert.

Nein, es geht nicht anders, und es ist beschlossene Sache, sosehr mich der Gedanke daran auch bedrückt: Ich werde es Steven sagen. Nur wie? Und wo?

Mir fällt nur noch ein Ort ein, an dem wir uns unbeobachtet treffen können, denn »hinter dem Schweinestall« scheidet leider aus, seit es keinen Schweinestall mehr gibt. Und dieser Ort ist Willis ganz persönlicher Sündenpfuhl.

»Heute nacht um drei im Schnapskeller«, raune ich Steven zu, während wir am Abend nach einem anstrengenden Tag die wackeligen Treppen in die Dachkammern hochsteigen. Unsere Renovierungsversuche sind erst mal unter den Aufräumarbeiten begraben. Den ganzen Nachmittag haben wir Eimer voll Schutt und Asche hin und her geschleppt.

Steven nickt fast unmerklich.

Bis es so weit ist, zerfleische ich mich vor Angst und Sorge. Mein Herz klopft laut, während ich im Bett liege und dem zweistimmigen Schnarchkonzert lausche. Kumpel macht Jacqueline Schnieder in diesem Punkt mittlerweile ernstzunehmende Konkurrenz.

Auf dem Weg in den Keller falle ich über Brutus vom Burgbarg, der es sich in der Küche vor dem Ofen bequem gemacht hat. Er jault laut auf. Ich bin ihm auf den buschigen Schwanz getreten und erschrecke mich mindestens genauso sehr wie er. Bitte nicht bellen, schicke ich ein Stoßgebet zum Himmel, und mein Gebet wird erhört. Brutus grunzt nur einmal kurz und fährt mir dann mit seiner nassen Schlabberzunge über die Hand. »'tschuldigung«, murmele ich und tätschele ihn beruhigend. »Ich bin's nur, schlaf weiter«, und Brutus legt sich schnaufend wieder hin. Braver Hund.

»Na endlich«, begrüßt mich Steven erleichtert, als ich mich die Kellertreppe heruntergequält habe und durch den dunklen Gang in Willis Destillerie stolpere. Der scharfe Geruch nach Alkohol nimmt mir für einen Moment den Atem. »Ich dachte schon, du kommst nicht mehr.« Steven mustert mich. »Und ich dachte, du willst mir nie sagen, was mit dir los ist«, ergänzt er.

Statt einer Antwort breche ich augenblicklich in Tränen aus, und Steven nimmt mich erschrocken am Arm und schließt die Tür hinter mir.

»So schlimm?«, fragt er mitfühlend. »Was ist denn nur passiert?«

»Es ist sogar noch schlimmer, als du es dir überhaupt vorstellen kannst«, schluchze ich, und bevor ich es mir anders überlegen kann, beginne ich zu erzählen, so gut es eben geht. Am Anfang stocke ich noch, und Tränen kullern mir die Wangen herunter, aber je länger ich rede, desto klarer wird mir, dass ich kein Recht habe zu weinen.

Und so ziehe ich es durch, auch wenn ich mich nicht traue, Steven anzusehen. Von ihm kommt kein Laut. Mit gesenktem Kopf stehe ich vor ihm, und als ich schließlich fertig bin, schließe ich die Augen und warte einfach nur darauf, was als Nächstes passiert.

Ich erwarte alles, von Schreien und Toben über das Zerdeppern von Flaschen oder sogar Ohrfeigen, aber Steven ist still. Er sagt erst mal gar nichts. Er geht lediglich hinüber zum Tapeziertisch, greift nach einer Flasche und schenkt zwei Plastikbecher voll. Oh nein, nicht schon wieder. Mich schaudert. Tod durch Alkoholvergiftung, das geschähe mir recht.

Ich schluchze erneut. »Es tut mir so leid«, wiederhole ich.

»Hier«, sagt Steven und hält mir einen der Plastikbecher hin. »Das können wir wohl beide gebrauchen. Prost.«

Unentschlossen drehe ich den Becher in meinen Händen. Sie zittern. Ach was, ist jetzt auch egal. Ich nehme einen kräftigen Schluck und schüttele mich unwillkürlich. Dann nimmt Steven mir den Becher wieder ab, stellt ihn zusammen mit seinem auf den schiefen Fußboden, legt seine Hände an meine Wangen und hebt vorsichtig meinen Kopf.

»Sieh mich an, Mona«, sagt er.

211

Schniefend öffne ich die Augen.

»Jetzt hör mir mal zu«, sagt Steven, und er lächelt dabei sogar. »Das klingt zwar im ersten Moment komisch, aber ich bin dir nicht böse.«

»Nicht?«, frage ich, mehr aus einem Automatismus heraus denn aus Verständnis.

»Nein«, bestätigt Steven. »Eher im Gegenteil. Vielleicht werde ich dir eines Tages sogar dankbar sein. Ach, was rede ich, ich glaube, ich bin es jetzt schon.«

»Hä?«

»Mona, das ist doch klar. Was glaubst du, was das für ein Leben ist, wenn man sich die ganze Zeit selbst verleugnet? Hm?«

Ich zucke mit den Schultern.

»Genau«, bestätigt Steven. »Gar kein Leben ist das. Ich habe mich schon seit Jahren unwohl damit gefühlt. Aber ich war von Anfang an einfach schlecht beraten. Und je länger so ein Spiel dauert, desto schwieriger wird es, da wieder rauszukommen. Verstehst du?«

»Ich versuche es«, krächze ich, und Steven lacht.

»Jedenfalls«, fährt er fort, »ich wäre diesen Schritt selbst gegangen, früher oder später. Es hätte nur vielleicht noch ein bisschen gedauert, bis ich den Mut gefunden hätte. Vermutlich ist es also gar nicht so schlecht, dass du mir das abgenommen hast. Wie sagt man so schön? Lieber ein Ende mit Schrecken als ein Schrecken ohne Ende.«

Langsam, ganz langsam dämmert mir, dass Steven das, was er sagt, vielleicht ernst meint.

»Meinst du das wirklich so?«, frage ich ungläubig.

»So wahr ich hier stehe«, bestätigt Steven, »jedenfalls noch«, fügt er mit einem Blick auf die beiden Schnapsbecher zu unseren Füßen hinzu. »Ach ja, und außerdem glaube ich auch nicht, dass Patrick Bock drauf hätte, dieses Spiel mitzumachen. Du kennst ihn ja. Er ist mehr so – hm – direkt. Von daher ...«

»Moment«, werfe ich stotternd ein. »Heißt das, dass du und Patsy—«

Steven nickt und grinst. »Jupp«, sagt er. »Wir sind ein Paar.«

»Ich dachte, ihr habt nur *deshalb* geknutscht«, sage ich fassungslos und deute auf die Flaschenregale.

»Haben wir ja auch«, bestätigt Steven. »Aber das hat uns nun mal ziemlich gut gefallen. Nix gemerkt, was? Aber wir geben uns ja auch alle Mühe«, kichert er. »Gar nicht so einfach, sich jede Nacht zusammenzureißen. Aber ist ja bald vorbei.«

»Das glaube ich alles nicht«, stöhne ich.

»Tja«, sagt Steven gutgelaunt, »wärste mal eher zu Papa gekommen mit deinem Kummer, was?«

»Das meine ich nicht«, wehre ich ab, obwohl mich der Gedanke daran, was ich mir in den vergangenen Tagen alles hätte ersparen können, natürlich auch schon gestreift hat. »Aber – aber – das ist ja toll!«

»Sag ich doch«, brummt Steven, und dann gebe ich einen Jubelschrei von mir und falle ihm um den Hals, mit meiner ganzen Erleichterung, die uns beide buchstäblich umhaut, und wir landen unsanft auf dem harten, knubbeligen Estrich.

»Wusst ich's doch!«, erklingt in diesem Moment eine schrille Stimme vom Flur her, und wir fahren zusammen.

»Jacqueline!«, ächzt Steven.

»Jacqueline!«, brüllt in diesem Moment noch jemand.

»Patsy!«, rufe ich.

Was wir dann hören, klingt wie in einem billigen Actionfilm. Es macht »bumm!« und »zonk!« und »klatsch!« und »aua!«, dann fliegt die Tür auf, und darin steht mal wieder, leicht gebückt, Patsy. Hilfe, ich habe ein Déjà-vu! Nur dass Patsy diesmal keinen Eimer am Fuß hat, sondern eine verschreckte Jacqueline Schnieder. Patsy hat ihre Haare in der Hand, an der sie Jacqueline über die Schwelle schleift, und die Augen im zu den Haaren gehörenden Kopf sehen uns verschreckt an.

»Autschautschautsch«, jammert Jacqueline Schnieder, »loslassen! Lass mich endlich los!«, und dazu fuchtelt sie mit ihren Armen, so gut sie gerade eben kann.

»Willst du wohl still sein«, faucht Patsy und schüttelt Jacquelines Kopf ordentlich durch.

»Patsy«, sagt Steven gespielt streng, aber er grinst dabei von einem Ohr zum anderen, »ganz ruhig. Komm, mach sitz.«

»Patsy«, wiederhole ich mechanisch, und irgendwie habe ich das Gefühl, dass ich in so einer Art Zeitschleife stecke, »du hast eine Zecke am Fuß.«

»Was machen wir mit ihr?«, fragt Patsy. Sie hat Jacqueline immer noch am Schlafittchen. »Lasst mich gehen«, jault Jacqueline. »Ich sag auch nichts mehr über Mona und Steven. Auch nicht auf dem Misthaufen. Versprochen!«

»Über Mona und Steven?«, wiederholt Patsy verwirrt und sieht uns an.

Steven winkt ab. »Nicht weiter wichtig«, sagt er. »Die kleine Taube hier denkt, Mona und ich hätten was miteinander.«

»Ach, so ist das«, grinst Patsy. »Na, und da dachtest du, du könntest das mal ein bisschen ausspielen, ja? Zu deinen Gunsten, ja?«, sagt sie und sieht abfällig nach unten zu Jacqueline. Patsy schnaubt. »So was kann ich nicht leiden, weißt du das? Gar nicht.«

»Komm, jetzt lass sie«, wirft Steven besänftigend ein. »Ich denke, sie hat genug. Oder?«

Jacqueline Schnieder nickt verstört, worauf Patsy mit einem Ruck ihre Haare loslässt und Jacqueline fast mit dem Kopf auf den Boden knallt. Dann sucht sie, so schnell es geht, ihre gebeutelten Knochen zusammen und flieht leise schluchzend in Richtung Kellertreppe.

214

Fast tut sie mir schon wieder leid. Aber das wird ihr eine Lehre sein.

»Luder«, knurrt Patsy und versetzt der Tür einen Tritt, die laut ins Schloss fällt. »Habt ihr eure Angelegenheit geklärt?«, fragt sie dann und sieht uns erwartungsvoll an. Steven und ich nicken.

»Haben wir«, bestätigt Steven. »Erzähl ich dir später in Ruhe.«

»Na fein«, erwidert Patsy und unterdrückt ein Gähnen. »Dann können wir ja jetzt wieder in unsere Kojen kriechen, oder?«

»Ich hätte da noch was«, werfe ich zögernd ein. Punkt zwei auf meiner Liste. »Es gibt da noch ein Problem.«

»Spuck's aus«, sagt Steven aufmunternd.

»Erinnert ihr euch an die kleine Haarsprayflasche, die Kristin im Hof hochgehalten hat? Als es um die vermutete Brandstiftung ging?«

Steven und Patsy nicken, und ich seufze.

»Das ist meine«, sage ich leise. »Ich hab sie reingeschmuggelt und hatte sie immer in meiner Regenjacke. Und jetzt ist sie weg, und sie haben sie hinterm Stall gefunden.«

»Hui«, macht Steven, und Patsy kratzt sich an ihrem Perückenansatz, während sie durch die Zähne laut Luft einzieht.

»Gehe ich recht in der Annahme, dass du sie nicht selbst hinter den Stall getragen und selbstverständlich auch kein Feuer gelegt hast?«, erkundigt sich Steven.

»Gehst du«, antworte ich kraftlos.

»Und kann dir die Flasche vielleicht irgendwann bei der Stallarbeit aus der Jacke gefallen sein?«, fragt Patsy.

»Kann sie«, bestätige ich.

»Was die Sache nicht besser macht, denn sie würden dich natürlich trotzdem verdächtigen, etwas mit dem Feuer zu tun zu haben, wenn sie erst mal rausgefunden haben, dass es deine Flasche war«, schlussfolgert Steven.

Ich nicke. »Leider ist es eine sehr ungewöhnliche Flasche«, erkläre ich niedergeschlagen. »Von meinem Maskenbildner. Die Marke gibt es nicht so oft. Die werden nicht lange brauchen, um das rauszufinden.«

»Was die Sache nicht besser macht. Verdammt«, flucht Steven.

»Hmmm. Genausogut, wie sie dir aus der Jacke gefallen sein kann, kann es aber auch sein, dass irgendjemand sie mit Absicht dort platziert hat, um dich mit dem Brand in Verbindung zu bringen«, überlegt Patsy.

Ich nicke erneut.

»Jacqueline«, sagen Patsy und Steven wie aus einem Mund.

»Glaube ich nicht«, sage ich zögernd.

»Also, ich traue es ihr zu«, sagt Patsy abfällig. »Außerdem ist sie die Einzige, die ganz leicht Zugang zu deiner Jacke gehabt hätte.«

»Das stimmt nicht«, widerspreche ich. »Kristin und jeder andere von der Produktion kann locker an unsere Sachen gehen, während wir draußen arbeiten. Clara Herzig, Opa Otto und Willi auch. Das ist kein Argument.«

»Warum verteidigst du die blöde Kuh eigentlich?«, wundert sich Steven.

Ich zucke mit den Schultern. »Ich weiß nicht«, sage ich verzweifelt, »irgendwie habe ich nicht das Gefühl, dass sie wirklich zu so was fähig ist«, und ich erzähle von unserer Begegnung am Plumpsklo und den Taschentüchern.

»Wo hat sie die wohl hergehabt?«, wundert sich Patsy.

»Wie auch immer«, sinniert Steven, »es bedeutet jedenfalls, dass sie genauso gegen die Regeln verstoßen hat wie du mit deinem Haarspray. Und aus irgendeinem Grund hat sie sich darauf verlassen, dass du sie nicht verrätst. Und dir was Gutes tun wollen.«

»Eben«, sage ich knapp.

»Mir fällt aber sonst niemand ein, der Interesse daran haben könnte, dich reinzureiten, Mona«, sagt Steven nachdenklich. »Ich meine, dass die Schnieder auf deinen Moderationsposten bei ›Renovieren Um Vier‹ scharf ist, das wissen wir ja nun mittlerweile alle.«

»Und dass der Hof abfackelt, würde ja wohl auch niemand wollen, der auch nur einen Funken Verstand in der Birne hat«, ergänzt Patsy.

»Och«, sage ich, »mir würden da schon noch einige einfallen. Die Produktion selbst, weil sie noch schnell eine Quotensensation braucht kurz vor Toresschluss. Oder Willi, der die Schnauze voll davon hat, hier vor sich hin zu vegetieren, und sich von der Versicherungssumme erst mal neue Zähne kaufen will.«

Patsy und Steven blicken mehr als skeptisch drein. »Willi?«, prustet Patsy. »Mona, also bitte. Erstens mal bräuchte der kein Haarspray, um Feuer zu machen. Hier liegt doch genug anderes Zeug rum, das prima brennt. Niemand weiß das besser als Willi. Und zweitens – glaubst du wirklich, Willi würde seine geliebten Tiere gefährden? Das ist doch komplett absurd.«

Wir schweigen.

»Also ich weiß nicht«, sagt Steven schließlich. »Ich persönlich werde das Gefühl nicht los, dass die Schnieder nicht ganz sauber ist. Aber du hast recht, Mona. Beweisen können wir ihr natürlich nichts.«

»Und unternehmen können wir im Moment auch nichts«, ergänzt Patsy deprimiert.

»Nicht wirklich«, seufze ich.

»Aber wir können Jacqueline Schnieder verschärft unter Beobachtung nehmen«, erklärt Steven bestimmt. »Lasst sie uns ein bisschen unter Druck setzen. Vielleicht können wir ihr ja ein Geständnis entlocken.«

»Wie willst du das denn machen?«, frage ich.

Steven zuckt mit den Schultern. »Steter Tropfen höhlt den Stein«, sagt er, »vielleicht klappt's ja. Und mit Druck kenne ich mich aus, das glaubt mir mal. Apropos Tropfen«, und damit geht er rüber zum Flaschenregal und drückt jedem von uns zwei Flaschen Schnaps in die Hand, »die nehmen wir besser mal mit. Im Ernstfall können wir damit nachhelfen. Ihr wisst doch, was man sagt: Im Wein liegt die Wahrheit. Gell?«

»Sag mal«, frage ich Patsy wenig später, als wir vorsichtig im Dunkeln die Kellertreppe hochstapfen, »kann ich dich eigentlich jetzt Patrick nennen? So privat?«

»Sag Paddy zu mir«, kichert Patsy alias Patrick alias sie alias er. »Das passt immer.«

Schon in der Sendung von Dienstag ist der Brand kein Thema mehr, und wir atmen erleichtert auf. Jacqueline Schnieder liegt zwar im Zuschauervoting weiterhin vorn, aber Mona ist ihr dicht auf den Fersen. Noch hat sie alle Chancen, das Ding zu gewinnen. Nach der Sendung drücken wir wie die Irren auf unseren Handys herum, um für sie zu stimmen. Es ist im Moment das Einzige, was wir tun können.

»Kann jemand von euch die Folge von morgen eigentlich für Eule und mich aufnehmen?«, frage ich in die Runde. »Wir wollen nochmal in die ›Luke‹, ein bisschen recherchieren.«

Susa winkt ab. »Ich programmier sowieso jede Ausstrahlung«, erklärt sie, »für Mona. Kein Ding.«

»Und wo sollen wir morgen gucken?«, entrüstet sich Eske.

»Beruhig dich«, grinse ich, »Lüttje macht Vertretung. Alles wie gehabt.«

»Ach ja«, fällt Lüttje ein, »zeigst du mir vorher nochmal, wie man einen Mai Tai macht? Die Karteikarte mit der Rezeptur ist nicht mehr da.«

Hmm. Das mit dem Mai Tai ist gar nicht so einfach. Die Karteikarte ist tatsächlich verschollen, und ich kann mich nicht an die genaue Rezeptur erinnern, weshalb Lüttje und ich Mittwochabend schon ab halb sieben in der Bar herumwerkeln. Wir wollen aus mehreren Möglichkeiten die leckerste Mischung heraussuchen, bevor Eule und ich uns auf den Weg zu Benita machen.

Ich habe vier unterschiedliche Rezepte aus dem Internet ausgedruckt. Eule ist unsere Testperson, und er nippt gerade zögerlich an unserem ersten Versuch, als sich der Vorhang bauscht und plötzlich zwei Polizisten vor dem Tresen stehen.

»Moin«, sagen sie freundlich und tippen an ihre Mützen.

»Moin«, erwidere ich verwundert. »Ähm – was verschafft uns die Ehre? Stimmt was nicht?«

»Darf ich vorstellen«, sagt der eine Polizist, »Reinke mein Name, Revier Mörkenstraße, und das ist mein Kollege Bremer.« Bremer nickt mir versteinert zu, während Reinke mir eine Visitenkarte herüberreicht.

»Ja, äh«, sage ich verwirrt.

»Wir dachten, wir schauen mal nach dem Rechten«, sagt Reinke. »Vielleicht brauchen Sie unsere Hilfe. Wir haben gehört, Ihnen ist etwas abhandengekommen, Sie wissen schon«, und damit tippt er auf die »Boulevard« von gestern, die noch auf dem Tresen liegt. »Wir waren ja davon ausgegangen, Sie melden sich sicherlich die Tage bei uns, aber bis heute haben wir auf dem Revier nichts gehört. Da dachten wir, wir kommen mal vorbei.« Er lächelt mich an.

»D-das ist nett«, stottere ich, »aber –«

Gottogott, was sagt man denn in so einer Situation? ›Danke für das Angebot, aber wir wollen den Fall lieber selbst aufklären, weil wir nicht glauben, dass Sie da irgendwas reißen können?‹ Hilflos blicke ich zu Eule.

»Sie wissen schon, dass Sie Anzeige erstatten sollten?«, fragt Reinke.

219

»Ja, natürlich. Wir – hm – wir sind nur noch nicht dazu gekommen«, sagt Eule, »und jetzt ist es ja eigentlich auch egal.«

»Das glaube ich Ihnen aufs Wort«, sagt Reinke halb süffisant, halb amüsiert, und dabei starrt er sehnsüchtig auf den Mai Tai, der vor Eule steht.

Mein Stichwort. »Möchten Sie was trinken?«, frage ich, um überhaupt was zu sagen.

»Gern«, sagt Reinke erfreut, aber sein Kollege Bremer bremst ihn aus. »Wir sind im Dienst«, zischt er Reinke zu, und Reinke guckt enttäuscht.

»Aber ein andermal gern«, versichert er und lächelt mich erneut an. »Na ja«, ergänzt er, »wir können Sie natürlich nicht zwingen, Anzeige zu erstatten. Aber Sie wissen schon, dass es ohne Anzeige auch keinen Schadenersatz von der Versicherung gibt?«

»Wissen wir«, bestätige ich. »Wir – ähm – der Schaden ist mehr ideeller Art, falls Sie verstehen, was ich meine.«

»Und Sie sind sicher, dass sonst alles in Ordnung ist?«, beharrt Reinke mit einem kurzen Seitenblick auf Eule, der daraufhin genervt mit den Augen rollt, das Glas hebt und Reinke zuprostet.

»Ja, natürlich. Alles bestens«, versichere ich.

Reinke seufzt. »Na gut. Verraten Sie mir aber doch wenigstens noch schnell Ihren Namen«, und er nestelt einen Notizblock aus seiner Jackentasche, den er auf den Tresen legt, und einen Kugelschreiber, dessen Spitze er routiniert aufschnappen lässt. Ich trete ein Stück näher an die Bar.

»Hilchenbach«, murmele ich. »Marnie Hilchenbach.«

»Marnie?«, fragt Reinke verwundert. »Wie die Marnie aus dem Hitchcock-Film?«

»Die Kleptomanin?«, wirft Bremer ein. »Die Gestörte mit der Prostituierten als Mutter?!«

Ich nicke gequält und verfluche nicht zum ersten Mal die Senti-

220

mentalität meiner Mama, denn »Marnie« war der erste Film, den sie mit meinem Vater im Kino gesehen hat, und wer darunter letztendlich zu leiden hat, ist hiermit ja mal wieder sehr klar.

»Interessant«, murmelt Reinke, und dann lächelt er wieder und berührt mich für einen Moment am Arm. »Also«, sagt er abschließend und stopft sein Notizbuch wieder in die Jacke, »falls Sie uns brauchen – Sie können uns jederzeit anrufen. Wir sind die nächsten zwei Wochen im Spätdienst. Bis Mitternacht, und davon abgesehen sind natürlich auch die Kollegen auf dem Revier rund um die Uhr für Sie da.«

»Danke«, murmele ich, und dann sind die beiden auch schon aus der Tür. Reinke dreht sich auf dem Weg noch einmal kurz um und zwinkert mir zu.

»Na«, sagt Eule gespielt bissig und nimmt einen kräftigen Schluck vom Mai Tai, »da hast du aber einen neuen Fan.«

»Wie meinst du das?«, frage ich. Ich bin immer noch ein bisschen verstört.

Lüttje kichert. »Also, der ist jetzt verliebt in dich«, sagt sie, »der Reinke. Wie der dich angeguckt hat!«

Eule grinst. »Bullenliebchen«, zieht er mich auf, und ich werfe ihm einen Korken an den Kopf. Idiot. Noch bevor ich etwas Angemessenes erwidern kann, klingelt mein Handy.

»Thilo hier«, sagt jemand am anderen Ende, »hallo, Marnie«, und ich muss kurz überlegen. Thilo, Thilo. Thilo! Ja, klar! Einer der Elvisse!

»Thilo!«, erwidere ich erfreut. »Super Zufall! Wir wollten uns gerade auf den Weg machen zu euch in die ›Luke‹!«

»Na, das passt ja«, antwortet Thilo. »Igor ist hier, aber ich kriege nichts aus ihm raus. Er ist total misstrauisch. Ich bin wohl nicht der Erste, der ihn in diesen Tagen über Hohenfeld ausquetschen will. Ich glaube, da musst du jetzt mal ran. Mit den Waffen einer Frau. Für so was ist Igor empfänglich«, und Thilo kichert.

»Alles klar«, antworte ich, »wir sind spätestens gegen neun da«, und dann sage ich zu Eule: »Spar dir deine Eifersucht für später. Das war Thilo. Ich muss Igor bezirzen. Und da hältst du dich bitte schön raus.«

In der »Luke« ist es an diesem Abend ruhig. Es sind lediglich eine Handvoll Gäste anwesend, davon diesmal nur zwei Elvisse in voller Montur, und Benita steht summend hinter dem Tresen und poliert Biergläser. Die Musikbox ist still, aber im Hintergrund läuft wieder der Fernseher. Ich muss lachen, denn soeben beginnt die Ausstrahlung von »Land und Lust«, und die fünf, sechs Gestalten am Tresen sehen gebannt hin. Es gibt kein Entrinnen, denke ich amüsiert.

»Ach, guck mal einer an«, sagt Benita gutmütig zu uns. »Na, ihr zwei? Wollt ihr nachholen, was ihr letztes Mal verpasst habt? Ihr seid ja eine Truppe mit Kondition, das muss man mal sagen!«

»Nur ihr beiden, ihr habt schlappgemacht! Boy, 't was a night!«, sagt Elvis Nr. 1, der Dicke mit dem amerikanischen Akzent, den alle nur den »King« nennen. Er schlägt Eule auf die Schulter, und der kippt fast vornüber. Im zweiten Elvis erkenne ich Thilo, und der winkt mich zu sich heran, während er einen Platz aufrückt und auf den leeren Barhocker klopft, der sich zwischen ihm und einem glatzköpfigen Hünen befindet. Thilo zwinkert mir verschwörerisch zu und weist unauffällig nickend auf den Glatzkopf. Ich verstehe. Das muss Igor sein. Oha. Schweres Gerät.

»Du übernimmst Benita«, flüstere ich Eule ins Ohr und husche rüber zu Thilo. Igor zu meiner Rechten ist so bullig, dass ich mich nur mit Mühe in die Lücke quetschen kann.

»Setti man dahl, min Deern«, sagt Thilo in reinstem Plattdeutsch, und ich rutsche neben ihn auf den Barhocker, so gut es eben geht.

»Tach«, sage ich, sehe erst Thilo an und dann den Riesen neben mir, aber der beachtet mich gar nicht. Stattdessen starrt er mit offenem Mund auf den Fernseher.

»Das ist Igor«, sagt Thilo. »Igor, sag doch mal guten Tag!«

»Gutten Taaag«, sagt Igor guttural und streift mich beiläufig mit seinem Blick. Ich strahle ihn an, aber noch bevor ich meinen Charme spielen lassen kann, guckt er auch schon wieder weg, auf den Fernseher. Hm. Das wird nicht einfach.

Thilo zuckt mit den Schultern, zeigt auf seine Armbanduhr und fährt mit seinem Finger einmal im Kreis. Ich verstehe. Das soll wahrscheinlich bedeuten, dass Igor erst in einer Stunde wieder ansprechbar sein wird; dann nämlich, wenn »Land und Lust« vorbei ist.

Ich beschließe, mich in Geduld zu üben und ebenfalls hinzusehen, um Igor das Gefühl zu geben, dass wir etwas gemeinsam haben. Also mache ich »ahhh!« und »oooh!« und »oje!«, wann immer es sich anbietet und manchmal auch, wenn es sich gar nicht anbietet, und versuche überhaupt so deutlich wie möglich zu zeigen, dass ich am Geschehen auf dem Bildschirm mindestens so gespannt teilhabe wie er.

Viel ist auf dem Hof heute mal wieder nicht los. Alle gehen klaglos ihrer Arbeit nach; nur Jacqueline Schnieder braucht mal wieder ihren großen Auftritt. Der Misthaufen wurde nach dem Brand wohl an einer anderen Stelle wieder aufgebaut, was man daran erkennen kann, dass es im Hintergrund plötzlich ganz anders aussieht als noch in der vergangenen Woche. Und noch etwas ist anders als sonst, denn auf dem Misthaufen sitzend, hat Jacqueline Schnieder Kumpel im Arm, und das ist mal was ganz Neues.

Bislang hat sie sich von dem Ferkel immer ferngehalten, so gut es ging, und wollte Mona am Anfang sogar verbieten, es bei ihnen in der Dachkammer übernachten zu lassen. Jedenfalls sind Jacqueline und Kumpel alles andere als befreundet, und Igor wundert sich ebenfalls.

»Waas maacht sie mit Schweeiin!«, brüllt er aufgeregt und schüttelt seinen massigen Schädel, und gemeinsam halten wir die Luft an, als Jacqueline Schnieder jetzt theatralisch verkündet, dass Kumpel für das große Abschiedsessen doch tatsächlich geschlachtet und als Spanferkel serviert werden soll. Dazu presst sie sich ein paar Tränen heraus und drückt Kumpel, der gar nicht weiß, wie ihm geschieht, schluchzend an sich, und zwar so fest, dass Kumpel aufgeregt mit seinen Beinen zu zappeln beginnt und sich loszureißen versucht.

»Fass, Kumpel. Fass!«, murmele ich, und als hätte Kumpel mich gehört, holt er mit seiner Schnauze aus, grunzt warnend, was Jacqueline geflissentlich überhört, und beißt ihr dann kurz und knackig mitten ins Gesicht. Volltreffer!

»Hahaaaa!«, jubelt Igor, »guttes Schwein. Guttes Schweiiin!«, und dazu klatscht er in die Hände wie ein kleines Kind, während Jacqueline Schnieder erschrocken das Schwein fallen lässt, das quiekend im Mist landet, und sich die Hand vor die blutende Lippe schlägt. Im nächsten Moment ertönt der verspielte »Land und Lust«-Jingle, und sie schalten rüber in die Werbung. Schade eigentlich.

Ich wittere meine Chance. »Findest du Jacqueline Schnieder auch so doof?«, frage ich Igor treuherzig, und er blickt überrascht zu mir herunter, ganz so, als sähe er mich zum ersten Mal.

»Schakkeline? Scheiße«, knurrt er knapp. »Kann nix, hat nix.«

»Ich finde Mona ja auch viel besser«, antworte ich eifrig, und Igors Mund verzieht sich zu einem entzückten, breiten Grinsen.

»Ja, Moonaa«, sagt er langgezogen. »Gutte Frau. Gutte Sendung. Und dekoriert sie immer sooo schööön!« Er fuchtelt mit seinen Armen in der Luft herum und versucht dabei Monas Bewegungen nachzumachen, wenn sie mal wieder in der Nahaufnahme Gegenstände von links nach rechts schiebt.

Ich grinse. Ha, denke ich, jetzt hab ich dich. »Mona ist eine Freundin von mir«, sage ich, und Igor sieht mich überrascht an.

»Ärlich?!«, staunt er, und ich nicke, während Igor Benita zu sich heranwinkt. »Benita, machst du Getrränk für Frrreundin von Mona. Bittäää!«, und Benita serviert uns ohne weitere Fragen sogleich einen furchtbar schmeckenden Haselnusslikör aus einer Flasche, die ich nur zu gut kenne. Sie hat eine Kordel um den Bauch, und auch in der »parallelwelt« hatten wir dieses Teufelszeug mal auf der Karte. Leider hat es nie jemand bestellt, weshalb bis heute ganz hinten im Regal noch immer eine fast volle Flasche vor sich hin dümpelt, die ich nicht mehr aufkriege, weil der Deckel zu fest am Flaschenhals klebt. Igor hingegen scheint für das viel zu süße Zeug eine Schwäche zu haben und zudem daran gewöhnt zu sein, denn er kippt es sich nach dem Anstoßen auf ex hinter die Binde und schmatzt im Anschluss genießerisch. Ich hingegen nippe nur und schüttele mich sogleich innerlich.

»Und Päätsy? Auch Frreundin von dirrr? Aaaah, gutte Frau!«, giggelt Igor begeistert und zieht mit den Händen ausschweifend eine kurvige Silhouette nach. Aus den Augenwinkeln sehe ich, wie etwas aus seiner Jackentasche segelt und auf dem Fußboden landet. Ich verschlucke mich fast an meinem Bier.

»Patsy?«, mache ich entgeistert und bin ganz froh, für einen Moment mit dem Gesicht aus Igors Blickwinkel verschwunden zu sein, als ich nach unten tauche und aufheben will, was soeben runtergefallen ist, denn ich muss doch sehr lachen. Und so jemanden wie Igor lacht man wohl besser nicht aus.

Auf dem Fußboden liegen zwei schmale, längliche, buntbedruckte Flyer. Zum Aufklappen, registriere ich, als ich versuche, einen von ihnen aufzuheben und dabei nur die Vorder-, nicht aber die Rückseite zu fassen bekomme, die sich störrisch an den verklebten Holzboden schmiegt. »Einladung«, steht in bunten Lettern, die einer Las-Vegas-typischen Leuchtreklame nachempfunden sind, auf der Umschlagseite, und geistesgegenwärtig lasse ich eine der Karten in meinem Hosenbund verschwinden, während ich mit der zweiten in der Hand ächzend wieder auftauche.

»Jaaa, Päätsy!«, wiederholt Igor erfreut. »Kannst du besorrgen Autogrrramm von Päätsy? Oder sogar Verabrredung!«, fügt er strahlend hinzu und sieht mich fragend an.

Äh. Hä?! »Bestimmt«, versichere ich ihm, »also ein Autogramm auf jeden Fall. Klar. Hier, das ist dir runtergefallen«, ergänze ich und schiebe ihm den verbliebenen Flyer über den Tresen.

»Oh! Danke!«, sagt Igor und steckt den Flyer zurück in seine Jacke. Dann ist erst mal wieder Ruhe im Karton, denn »Land und Lust« wird fortgesetzt, und Igor ist wieder in einer anderen Welt und wartet gebannt darauf, einen Blick auf Patsy zu erhaschen.

Der gestohlene Flyer brennt wie Feuer an meinem Bauch, aber ich widerstehe der Versuchung, sofort nach draußen zu stürzen und ihn zu begutachten. Aus den Augenwinkeln sehe ich außerdem, wie Eule sich angeregt mit Benita unterhält, also warte ich erst einmal geduldig ab und lauere auf meine nächste Chance in der zweiten Werbepause. Um Igors Zunge zu lockern, bestelle ich uns noch ein paar Haselnussliköre, und Thilo hebt grinsend den Daumen und gibt mir dadurch zu verstehen, dass ich mich auf dem richtigen Weg befinde.

Leider ist das eine Fehleinschätzung. Denn als ich in der nächsten Werbepause die Dinge vorantreiben will, mache ich den Fehler, zu weit vorzupreschen.

»Du arbeitest für Hasso Hohenfeld, oder?«, frage ich Igor beiläufig, und Igor stutzt und sieht mich misstrauisch an.

»Was soll Frrrage!«, stößt er ablehnend hervor. »Was ist loss im Moment, dass alle wollen wiederrr von Hohenfeld wissen«, radebrecht er aufgebracht. »Steht Nummer von Bürrro in Telefonnbuch,

226

wenn du willst waas, rufst du aaan. Habe ich Reporterrr von Zeitung auch gesagt. Kapierrt, eh?«

»Kapiert«, nicke ich gehorsam, und ab diesem Moment ist aus Igor nichts mehr herauszubekommen. Schweigend sitzt er am Tresen und vernichtet einen Haselnusslikör nach dem anderen. Nach dem dritten gebe ich auf, denn wenn ich noch so einen trinken muss, dann übergebe ich mich vermutlich direkt in Igors Schoß.

»Was hast du denn auf einmal?!«, schimpft Eule, nachdem ich ihn von Benita losgeeist und auf die Straße gezogen habe. Sanft klappt die Tür zur »Luke« hinter uns zu. »Mann, ich hatte Benita fast so weit, dass sie mir vertraut und von früher erzählt, und dann kommst du und machst das alles kaputt!«

»Ich glaube nicht«, sage ich hoheitsvoll zu Eule. »Hier«, füge ich hinzu und reiche ihm den gestohlenen Flyer, den ich während eines kurzen Ausflugs auf die Toilette in der Zwischenzeit bereits inspiziert habe. Und das Ding ist verdammt heiße Ware.

»Was ist das?«, fragt Eule überrascht.

»Sieh's dir halt an«, erkläre ich frohlockend. »Ich glaube, danach bist du nicht mehr der Meinung, dass ich alles kaputtmache!«

Eule klappt den Flyer auf. »*Hasso Hohenfeld wird siebzig*«, liest er halblaut vor. »*Feiern Sie mit ihm! Bereiten Sie sich schon jetzt vor auf ein Fest der Extraklasse. Unter dem Motto ›Rock'n' Roll – die Legende kehrt zurück!‹ erwarten wir Sie phantasievoll kostümiert.* Wow«, staunt Eule anerkennend, »wo hast du die denn her?«

»Hat Igor fallen lassen«, erläutere ich stolz. »Hast du *das* gesehen?«, frage ich und zeige mit dem Finger auf einen Zusatz, der etwas kleiner gedruckt am unteren Kartenrand prangt.

»*Wir erwarten Sie am Freitag, den 14. Oktober, ab 21.00 Uhr. Der genaue Ort wird Ihnen kurzfristig bekanntgegeben (Hamburg, citynah). Um Punkt 0.00 Uhr enthüllen wir eine besondere Überraschung.*«

»Hmm«, macht Eule enttäuscht. »Das ist ja nicht so prickelnd.«
»Wieso?«, frage ich verwirrt. »Das ist doch super! So kriegen wir
Hohenfeld endlich zu fassen!«

»Und wie sollen wir rausfinden, *wo* das ist?! Im Grunde hilft uns
das überhaupt nicht weiter.« Eule klappt die Einladung wieder zu.

Auf der Rückseite ist ein Foto von Elvis Presley abgebildet, in
seinem berühmten weißen Glitzeranzug, und Elvis sieht uns geradewegs und auch ein bisschen herausfordernd an.

»Das werden wir schon noch rauskriegen«, knurre ich.

In der »Luke« wirft jemand die Musikbox an. »Land und Lust« ist
vorbei, und durch das geöffnete Oberlicht im Fenster singt Elvis leise
»Don't be cruel«. Genau.

Bei aller Fairness und Vorsicht, die ich bislang habe walten lassen:
Langsam werde ich stinkig auf Jacqueline. Aber richtig stinkig. Ich
glaube nicht, dass ich mein Mantra ihr gegenüber noch sehr lange
durchhalten kann. Irgendwann werde ich einfach explodieren, und
dann ist es mir wahrscheinlich auch egal, was das für Folgen hat.
Den absoluten Vogel hat sie gestern abgeschossen.

Steven ist Jacqueline im Rahmen unseres Beobachtungskom-
mandos nämlich unauffällig zum Misthaufen gefolgt. Und was
macht die blöde Kuh? Breitet entgegen unserer Abmachung vor
der ganzen Welt aus, dass es Kumpel an den Kragen gehen soll.
Unter Tränen natürlich, um möglichst viele Zuschauersympathien
zu sammeln.

Immerhin, auf Kumpel ist Verlass. Mit der Wunde, die er Jacqueline an ihren Schlauchbootlippen zugefügt hat, wird sie wohl noch
einige Zeit zu tun haben. Und Steven hat sie danach ordentlich zur
Sau gemacht. Ich meine natürlich angeschrien. Sorry, Kumpel.

Trösten kann mich das nicht, und Kumpel ist es wahrscheinlich eh egal, wer hier wen zur Sau macht. Er hat seit gestern ganz andere Sorgen, denn man hat ihn mir weggenommen. Er lebt jetzt in einem Verschlag im Kuhstall, und ich darf ihn zwar besuchen, aber nicht mehr rausholen. Er quiekt die ganze Zeit, und ich bin ebenfalls kurz vorm Heulen. Ich will, dass es endlich vorbei ist.

»Bockelt ist übrigens auch schon an Igor dran«, informiere ich die anderen, als wir am nächsten Abend gemeinsam überlegen, wie es weitergehen soll. »Jedenfalls faselte er irgendwas von einem Zeitungsfritzen, der ihn ebenfalls über Hohenfeld ausquetschen wollte.«

»Wo ist der eigentlich nicht dran?«, stöhnt Eske.

Jacquelines Auftritt auf dem Misthaufen vom Vorabend hat in der »Boulevard« heute eine halbe Seite bekommen, und die ganze Nation ist in hellem Aufruhr. Überall wird heiß diskutiert, ob man es zulassen darf, dass das Ferkel geschlachtet wird. Jacquelines aufgeplatzte Lippe ist das Tagesthema schlechthin, natürlich wird sie über alle Maßen bedauert. Und Bockelt macht noch ein weiteres Fass auf, indem er die Frage aufwirft, weshalb einzig Jacqueline die Größe besitzt, sich gegen den anstehenden Mord zur Wehr zu setzen.

In seinem wie immer besonders fett gedruckten letzten Satz formuliert er es wie folgt: *Jacqueline Selbstlos gegen die Kandidaten Herzlos? Weshalb lassen die anderen sie im Kampf gegen den drohenden Ferkeltod allein? Fest steht für ihre drei Mitstreiter jedenfalls: So sammelt man keine Zuschauerpunkte!*

»Ich glaube nicht, dass Mona überhaupt davon weiß, dass ihr Ferkel geschlachtet werden soll«, grübelt Eske. »Sonst wäre sie doch längst auf die Barrikaden gegangen. Also ganz ehrlich, Leute, irgendwas läuft da ganz gehörig schief.«

»Das stinkt zum Himmel«, bestätigt Susa.

»Gibt es eigentlich Neues in Sachen dieser Brandgeschichte?«, erkundigt sich Guido mit einem Blick auf die Zeitung, aber ich schüttele den Kopf.

»Steht jedenfalls nichts drin«, erkläre ich. »Und davon mal abgesehen, Leute«, ich wedele mit der Einladung zu Hohenfelds Party, »wir haben noch eine andere Baustelle, remember?«

Lüttje nimmt mir den Flyer aus der Hand. »Du glaubst doch nicht wirklich, dass du da was rausfinden kannst, oder?«, fragt sie und tippt auf das Elvis-Foto.

»Doch, das glaube ich«, entgegne ich trotzig. »Reiner Instinkt. Ich hab das im Gefühl.«

»Vielleicht stimmt mit deinem Gefühl was nicht«, unkt Rocko, und ich töte ihn mit meinen Blicken.

»Wenn ihr nicht dran glaubt, bitte schön«, sage ich achselzuckend. »Aber ich werde da hingehen. Ich werde auf dieser Party sein. Wenn ihr nicht mitkommen wollt – bitte sehr. Geh ich halt allein.«

Die anderen sehen sich betreten an.

»Ist ja schon gut«, murmelt Eske, »natürlich helfen wir dir. Ich bin jedenfalls dabei«, sagt sie und sieht so lange herausfordernd in die Runde, bis sie allen anderen ebenfalls ein zögerliches »Ich auch!« entlockt hat.

Na bitte, denke ich, geht doch.

Nur Mags hat die Arme vor der Brust verschränkt und schaut skeptisch drein. »Das ist genau der Abend, an dem ›Land und Lust‹ zu Ende geht«, gibt er zu bedenken.

»Ach ja«, murmeln die anderen. »Das geht natürlich nicht. Das müssen wir doch sehen!«

Ich rolle mit den Augen und tippe erneut auf die Einladung. »Nee, Kinners«, sage ich, »kneifen gilt nicht. Die Party fängt ja um neun überhaupt erst an.« ›Und außerdem‹, füge ich in Gedanken hinzu, hat »Land und Lust« jetzt mal wirklich lange genug unser Leben und unseren Zeitplan bestimmt.‹ Das mit dem Elvis ist jetzt einfach mal wichtiger. Jedenfalls für mich.

»Moment«, wirft Susa ein und kramt in ihrer Tasche nach einer Mappe, »wartet mal. Hier«, sie schlägt die Mappe auf und fährt mit dem Finger hastig über ein Fax, das das Logo von TV3 trägt. »Also, am Abschlusstag beginnt die Ausstrahlung von ›Land und Lust‹ schon um Viertel nach acht. Die senden zwei Stunden an dem Tag. Erst das große Finale vom Hof, ab Viertel nach neun gibt es dann eine halbstündige Zusammenfassung der vier Wochen mit den Höhepunkten. In der Zeit werden die Kandidaten zurück nach Hamburg kutschiert, und ab Viertel vor zehn sind sie dann im Studio, wo schließlich das Ergebnis des Zuschauervotings bekanntgegeben wird. Die haben ein Studio an der Rothenbaumchaussee gebucht. Ihr wisst schon, da, wo ›Kerner‹ produziert wird.«

»Aber das passt doch«, sage ich. »Dann können wir bis Viertel nach neun noch hier gucken. Wen interessiert die Zusammenfassung? Wir haben doch sowieso alles gesehen.«

»Ja, und das Zuschauervoting?«, quengelt Manni. »Wir müssen doch wissen, wie Mona abschneidet!«

»Und sie im Ernstfall trösten, wenn sie verliert«, ergänzt Lüttje. »Die schlägt doch bestimmt als Erstes hier auf nach dem ganzen Theater. Und stellt euch mal vor, dann ist hier zu und niemand ist da. Die Arme kriegt doch einen Herzinfarkt!«

»Also ich sag euch jetzt mal was«, verkündet Guido. »Ich bleib hier, in der Bar, und guck mir das an. Dann hat Mona einen Anlaufpunkt, wenn sie da raus ist. Und was spricht dagegen, wenn wir uns aufteilen?«

»Dann bleib ich auch hier«, ruft Manni eilig. Feigling.

»Klingt doch vernünftig«, sagt Eske. »Teilen wir uns auf! Außerdem, wir haben sowieso nur eine einzige Einladung für die Party. Ich

231

glaube eh nicht, dass wir da einfach so zu zehnt reinkommen mit einem einzigen Flyer.« Die anderen brummen zustimmend.

»Abgemacht«, willige ich ein. »Eine Notbesetzung bleibt hier, und wir anderen brechen um Viertel nach neun auf.«

»Ihr überseht da noch was«, belehrt uns Mags. »Bevor wir da uns da überhaupt irgendwas vornehmen können«, legt er den Finger in die Wunde, »müssen wir ja wohl erst mal rausfinden, wo diese Party überhaupt stattfindet. Darüber schon mal nachgedacht?«

»Ja, aber dafür haben wir eine geschlagene Woche Zeit«, sage ich nölig, denn Mags' Schwarzseherei geht mir gehörig auf die Nerven. Obwohl er in diesem Punkt natürlich einmal mehr recht hat, und das ärgert mich zusätzlich. »Das sollte ja wohl zu schaffen sein, oder? Ich meine, so viele Locations gibt es in Hamburg nicht, wo jemand wie Hohenfeld eine Riesenparty mit mehreren hundert Gästen veranstalten kann.«

»Rathauskeller!«, ruft Rocko.

»Hm. Ein bisschen rustikal für eine Rock-'n'-Roll-Party, oder?«, werfe ich ein.

»Elblounge!« Das kommt von Behnke junior. Könnte passen, denke ich.

»Fabrik!«, schreit Thomas. Auf jeden Fall eine Möglichkeit. Wenn auch vielleicht nicht edel genug für jemanden wie Hohenfeld. Aber es wäre praktischerweise direkt um die Ecke.

»Indochine!«, schlägt Eske vor. »Da feiern auch immer viele Promis und so.«

Nicht schlecht. »Moment, Leute«, sage ich und hole hinterm Tresen einen Block und einen Stift, und dann notieren wir insgesamt etwa ein Dutzend Locations, von der Fischauktionshalle über das East-Hotel bis hin zur Großen Freiheit.

»Ich denke, mit Kieznähe liegen wir schon ganz richtig, oder?«, fragt Jan. »Ich meine, jemand wie Hohenfeld würde ja wohl kaum in der Hafencity feiern, oder? Sonst gäbe es auch noch das Cruise Center. Das kann man auch mieten.«

»Ist immerhin noch citynah, wie es in der Einladung angekündigt wird«, überlege ich, und vorsichtshalber setze ich das Cruise Center mit auf die Liste.

»Was ist mit Blankenese?«, wirft Behnke junior ein. »Hier, Dingsda, wie heißt es, da oben auf dem Hügel.«

»Süllberg!«, brüllt Rocko engagiert.

»Also das ist nun wirklich *nicht* citynah«, schüttele ich den Kopf. »Ich glaube, das können wir getrost auslassen. Genehmigt?«

Die anderen nicken. Susa und Lüttje bieten sich an, die Locations in den kommenden Tagen abzutelefonieren und zu versuchen, etwas herauszufinden. Da fällt mir noch was ein.

»Ich rufe nochmal von Schlasse an!«, sage ich und zücke mein Handy. »Vielleicht ist er zurück von seiner Reise und hat auch eine Einladung bekommen. Und vielleicht weiß er, wo die Party steigen soll. Immerhin hat seine Zugehfrau gesagt, er und Hohenfeld wären sogar befreundet. Oder es zumindest mal gewesen.«

Ich wähle entschlossen, aber ich habe erneut kein Glück. Statt eines Freizeichens höre ich wieder nur von Schlasses sonore Stimme auf der Ansage seiner Mailbox. »Sprechen Sie oder lassen Sie's, aber tun Sie was.« Ja, ja. Wir sind ja schon dabei.

»Nada«, sage ich zerknirscht und zucke enttäuscht mit den Schultern. In diesem Moment klingelt das Festnetztelefon hinter dem Tresen. Ich zucke erstaunt zusammen. Das Wunder der Selbstreparatur?! Oder hat Eule mal wieder wahre Wunder vollbracht, ohne dass ich es mitbekommen habe? Der Gute, jedenfalls grinst er wissend, während er den Hörer abnimmt.

Eule geht ran. »Moment«, höre ich ihn sagen, und er dreht sich um und legt die Hand auf den Hörer. »Elisa!«, zischt er. »Von Schlasses Haushälterin!«

Hurtig drücke ich Eske mein Handy in die Hand, laufe hinter den Tresen und nehme den Hörer entgegen. »Elisa?«, rufe ich hinein. »Ist er zurück? Ist von Schlasse wieder da?!«

»Leider nein, Kindchen«, sagt Elisa bedauernd, »aber vor ein paar Tagen war ein Typ hier und hat eine Einladung abgegeben. Für die Geburtstagsparty von Hohenfeld, morgen in einer Woche. Ich dachte, das wäre vielleicht interessant für Sie.«

»War das so ein großer, bulliger?«, erkundige ich mich.

Elisa lacht. »Bullig war gar kein Ausdruck«, bestätigt sie, »neben dem kam ich mir vor wie eine Amöbe.«

»Und er hatte keine Haare auf dem Kopf?«, füge ich hinzu.

»Kein einziges, Kindchen.«

»Und hat er zufällig auch noch gesagt, wo die Party stattfindet?«, löchere ich sie aufgeregt.

»Wieso, steht das da nicht drauf?«, fragt Elisa überrascht zurück.

Ich stöhne. Wäre ja auch zu schön gewesen. »Nein, leider steht das da nicht drauf«, erkläre ich resigniert. »Wir haben auch schon so eine Einladung aufgetan, und da steht alles, aber nicht, wo das überhaupt stattfindet.«

Elisa macht eine Pause, und ich höre sie im Hintergrund kramen. »Sie haben recht, Kindchen. Das ist ja total blöd. Das tut mir leid.«

»Hat von Schlasse sich denn zwischenzeitlich wenigstens mal gemeldet?«, erkundige ich mich.

»Ja, aber leider nur per Postkarte. Nichts, was Ihnen weiterhelfen könnte. Leider«, fügt sie hinzu. »Ansonsten kann ich Ihnen also nichts Neues berichten. Auch wenn ich gern würde.«

»Trotzdem vielen Dank«, sage ich enttäuscht. »Nett von Ihnen, dass Sie angerufen haben.«

»Ach, Kindchen?«, ruft Elisa mir noch hinterher, als ich schon auflegen will.

»Ja?«

»Versuchen Sie's doch mal über diesen Schreiberling von der ›Boulevard‹«, sagt Elisa. »Der wird ja wohl schon wissen, wo er nächsten Freitag hinmuss, um von der Feier zu berichten. Und über das Rathaus können Sie's auch probieren. Sie wissen doch, die Senatsmitglieder.«

Die Elisa, denke ich und muss grinsen, obwohl mir eigentlich gar nicht danach ist bei der ganzen Arbeit, die uns bevorsteht. Ganz schön auf Zack. »Super Idee«, sage ich anerkennend. »Das machen wir. Die Nummer hier auf dem Display, ist das Ihre?«

»Ja«, sagt Elisa, »notieren Sie sich die mal. Sie müssen mich natürlich auf dem Laufenden halten«, also schreibe ich die Nummer schnell auf einen Zettel und hefte sie mit Klebeband an die Seitenwand des Kühlschranks, die wir als provisorische Pinnwand nutzen. Da müsste eigentlich auch mal wieder dringend ausgemistet werden.

»Wo ist eigentlich Bobo?«, erkundigt sich Lüttje, als wir wenige Minuten später den Beamer einschalten. »Der verpasst doch sonst keine Folge von ›Land und Lust.‹«

»Arbeiten, denke ich mal«, sage ich leichthin. »Der wird schon wieder auftauchen. Wenn nicht morgen, dann schlägt er spätestens Montag wieder hier auf. Und das muss er auch. Schließlich wird er gebraucht.«

»Wofür?«, wundert sich Lüttje. »Brauchst du ein neues Gesicht?«, fragt sie und lacht.

»In der Tat«, sage ich ungerührt. »Das am Freitag ist ein Kostümfest, schon vergessen? Bobo muss aus uns allen stilechte Elvisse machen. Oder zumindest sexy Rock-'n'-Roll-Girls. Sonst lassen die uns doch gar nicht erst rein.«

»Au Backe«, murmelt Lüttje und betrachtet skeptisch ihren Miniaturkörper. »Das wird nicht einfach.«

Der Finaltag rückt immer näher. Kumpel wird so gemästet, dass er mittlerweile ungefähr so viel wiegt wie drei Säcke Katzenstreu. Ich kriege ihn nur noch mit Mühe gehoben, wenn ich ihn in seinem Verschlag besuche. Außerdem kann ich es nicht mehr ertragen, wie er mich ansieht. Er scheint genau zu spüren, was ihm bevorsteht, und seine Schweinsäuglein ruhen auf mir, als wolle er sagen: ›So unternimm doch endlich was. Rette mich!‹

Nein, Kumpel will nicht sterben. Aber was kann ich denn tun?! Einmal habe ich versucht, ihn einfach freizulassen, indem ich die Verschlagtür nicht wieder geschlossen habe. Aus Versehen, ja, ja. Aber statt zu fliehen, ist Kumpel mir nur quiekend hinterhergelaufen, bis jemand von der Produktion ihn entdeckt und wieder weggesperrt hat. Mittlerweile haben sie ihn sogar angekettet, und genaugenommen ist das mal wieder allein meine Schuld.

Koksnase hat sich ebenfalls beleidigt zurückgezogen und hält sich aus Solidarität zu Kumpel nur noch im Kuhstall auf. Gestern hat er zum ersten Mal vorwurfsvoll zu muhen statt zu wiehern versucht. Als wenn das was ändern würde.

Zu allem Übel haben sie gestern Willis Schnapsbrennerei hochgenommen, nachdem Willi hochgradig betrunken frühmorgens von der Leiter zum Heuboden gefallen ist. Armer Willi. Er humpelt jetzt und hat lauter blaue Flecken im Gesicht, und seine Aussprache ist noch undeutlicher.

Kristin hingegen hat seitdem laufend eine Fahne und ist weitaus entspannter als sonst. Es scheint ihr plötzlich so ziemlich alles egal zu sein, worum ich sie sehr beneide. Mehr als einmal spiele ich mit dem Gedanken, mir die beiden Flaschen Schnaps, die ich noch unter meinem Bett versteckt halte, einzuverleiben, um auf ein ähnliches Level zu gelangen. Aber Steven hat mir deutlich zu verstehen gegeben, dass wir die eiserne Reserve behalten sollten. Für alle Fälle, weil wir sie vielleicht noch brauchen werden, erst recht, wo der Nachschub jetzt endgültig versiegt ist. »Patsy und ich haben unsere beiden Flaschen auch noch«, hat er mir zugeraunt. »Und das sollte auch erst mal so bleiben, hörst du?!«

Jacqueline spürt natürlich, dass sie laufend unter Beobachtung steht, und lässt sich nichts mehr zuschulden kommen, seit Steven sie nach ihrem letzten Misthaufenauftritt in die Mangel genommen hat. Sie ist geradezu pervers freundlich und hilfsbereit, fast so, als hätte mein Mantra sich endgültig auf sie übertragen.

Ich hingegen bin reichlich gereizt. Es stinkt bestialisch, und die ganzen Fliegen hier treiben mich in den Wahnsinn. Und wenn nicht gleich diese widerspenstige Kachel von der Wand fliegt, an der ich in der Milchkammer neben dem Kuhstall voller Wut herumhämmere, damit morgen endlich neu gefliest werden kann, dann flippe ich endgültig aus. Aber richtig.

Am Freitag erreiche ich nicht mehr viel, weder im Rathaus noch bei der »Boulevard«. Bockelt sei unterwegs, teilt man mir in der Hamburger Redaktion knapp und bündig mit, zu einem Promi-Interview. Als Nächstes versuche ich es mit der Handynummer, die auf seiner Visitenkarte steht, aber es geht niemand ran, und auch im Rathaus ist schon keiner mehr, als ich es dort versuche. Die Frau in der Telefonzentrale lacht mich geradezu aus, als ich sie bitte, mich in die Senatskanzlei durchzustellen, weil ich als engagierte Bürgerin eine wichtige Frage hätte.

»Da rufen Sie mal lieber am Montag wieder an«, sagt sie, »auf dem

Rathausmarkt hat heute Morgen das Weinfest angefangen. Ich bin die einzig Blöde, die noch nüchtern ist.«

So viel zur Bürgernähe unserer Politiker. Na ja, sei's drum. Montag ist auch noch ein Tag, und wenigstens am Samstag ist in der »parallelwelt« ein bisschen was los. Allein schon, weil Mimi irgendwann gegen zwei Uhr früh beschließt, vor den Augen der verbliebenen Gäste einmal quer über den Tresen zu laufen. Na bravo. Am Sonntag bitte ich Susa deshalb, mit Monas Katze vorbeizukommen, was sie auch tut, aber der Katze hat an Mimi so gar kein Interesse. Stattdessen kringelt er sich sofort auf der Fußmatte zusammen, gähnt einmal herzhaft und schläft ein. Ich lasse mich davon sofort anstecken und gehe ebenfalls ins Bett, zu Eule. Man muss sich auch mal erholen.

Am Montagabend sind wir wieder vollzählig. Auch Bobo ist an Bord.

»Stellt euch vor«, plappert er drauflos, als er seinen Monstermaskenkoffer in der nächsten Ecke geparkt hat, »ich war am Freitag mal wieder von Liane gebucht, und ratet mal, wer sie für die ›Boulevard‹ interviewt hat? Tihi!«

»Lass mich raten«, sage ich. »Es wird doch wohl nicht Ferfried Bockelt gewesen sein?«

»Woher weißt du das?«, fragt Bobo erstaunt.

»Na, wenn du das schon so ankündigst«, erkläre ich, »dann kann es ja nur Bockelt gewesen sein. Außerdem habe ich ihn am Freitag anzurufen versucht. Ich wollte ihn fragen, ob er vielleicht weiß, wo die Hohenfeld-Party stattfindet. Und da haben sie mir in der Redaktion gesagt, dass er bei irgendeinem Promi-Interview ist.«

»Bockelt hat versucht, mich über Mona auszuquetschen, aber ich habe natürlich nichts gesagt«, sagt Bobo eifrig. »Aber auch wirklich gar nichts«, wiederholt er stolz. »Ich bin doch nicht blöd.«

Jetzt brat mir aber einer einen Storch. Ich stutze. Auch Susa legt ihre Stirn in Falten und kräuselt die Nase. Nachtigall, ick hör dir trapsen.

»Woher wusste der denn überhaupt, dass ihr zusammenarbeitet?«, erkundige ich mich misstrauisch.

Statt einer Antwort stellt Bobo ächzend seinen Monsterkoffer auf den Tresen und lässt ihn aufschnappen. »Na, deshalb vermutlich«, erklärt er und zeigt auf die Innenseite des Kofferdeckels, an der zahlreiche Autogrammkarten und Fotos von Prominenten hängen. Monas Autogrammkarte hängt unübersehbar genau in der Mitte, und ihre Widmung »Für meinen Lieblings-Bobo« sowie der Kussmund, den sie mit dickem rotem Lippenstift auf der Karte hinterlassen hat, machen ziemlich deutlich, dass sie mit Bobo recht bekannt sein muss.

Susa und ich stöhnen auf, als wir fast gleichzeitig die Haarsprayflasche entdecken, die im Innenteil des Koffers obenauf liegt. Sie ist identisch mit der, die man in der Nähe des Brandherdes auf dem Hof gefunden hat. »Oh nein«, entfährt es mir entsetzt, und Susa springt von ihrem Barhocker auf.

»Bobo«, zischt Susa verzweifelt. »Mannmannmann, merkst du's noch?!«, schimpft sie und hält vorwurfsvoll die Flasche hoch.

Aber Bobo lacht nur. »Regt euch nicht auf«, sagt er abgeklärt, »ich sag's doch, ich bin nicht bescheuert. Die hab ich natürlich sofort aus dem Koffer verschwinden lassen, als der Fotograf gesagt hat, dass Bockelt das Interview führt. Hat die ganze Zeit schön in meiner Jacke geschlummert, gut versteckt«, ergänzt er und klopft sich auf die Brust. »Hat garantiert niemand gesehen. Tihi! Erst recht nicht der Bockelt.«

Erleichtert atmen Susa und ich auf. »Gut gemacht, Bobo«, sagt Eske und klopft Bobo anerkennend auf die Schulter.

»Dann können wir dich ja jetzt in deine große Aufgabe einweihen«, ergänze ich.

»Hä?«, macht Bobo, und voller Eifer erklären wir ihm, welche Herausforderung ihn am Freitag erwartet.

»Kein Problem«, strahlt er, als wir ihm gesagt haben, dass er uns in ein halbes Dutzend Elvisse verwandeln soll. »Das kriegen wir hin. Tihi! Hinten am Studio Hamburg gibt's diesen Kostümverleih, und« – er beginnt in seinem Koffer zu kramen – »für die schwarzen Haare gibt's das hier«, er hält eine Dose mit Farbspray hoch, »und die Tollen, die –«, er wühlt weiter, und dann hält er plötzlich verdutzt inne. »Und die Tollen«, wiederholt er, um Zeit zu gewinnen, während er in seinem Koffer noch eine Etage tiefer taucht, »die Tollen –«

Susa und ich wechseln einen besorgten Blick.

»Bobo?«, frage ich vorsichtig, »was ist?«

Langsam taucht Bobo aus seinem Sammelsurium wieder auf, und er ist hochrot im Gesicht. »Der Schaumfestiger«, krächzt er, »der Schaumfestiger ist weg.«

»Der Schaumfestiger ist weg«, wiederholen Susa und ich unisono.

»Und der Schaumfestiger war vorhin noch da?«, fragt Eske. Es klingt mehr wie eine Feststellung. Eine Tatsache, die Bobo bestätigt. Er nickt, während ihm die Röte langsam, aber beständig aus dem Gesicht sackt und er ganz blass wird. Es sieht aus, als würde jemand mal kurz eben den Farbfilter wechseln.

»Bockelt«, schreie ich. Gleich raste ich aus. »Bockelt. Jetzt hat er den Beweis, dass das Monas Haarspray war!«

»Das ist so nicht gesagt. Der Schaumfestiger war von einer anderen Marke«, krächzt Bobo, aber auch ihm scheint schon klar zu sein, dass das kein Argument ist.

»Na und?«, brülle ich. »Aber es sind deine Fingerabdrücke drauf, Bobo! Genau wie auf der Haarsprayflasche! Und was hält Fingerabdrücke besser als so kaltes Metall? Erst recht, wenn man vorher wahrscheinlich auch noch mit den Fingern in irgendwelchen Cremes und Gels gesteckt hat?!«

Bobo senkt schuldbewusst den Kopf.

»Scheiße«, knurrt Eske. »Der Typ ist ja schlimmer als jeder Hilfssheriff. Glaubst du wirklich, dass Bockelt das Ding eingesteckt hat?«

»Er wäre schön blöd, wenn nicht«, schnappe ich.

»Das stimmt leider«, bestätigt Susa bedrückt. »Für eine gute Geschichte geht der ja anscheinend über Leichen.«

»Und ich denke mal, die werden wir morgen nachlesen können«, nicke ich erschöpft. »Das war's dann wohl, Leute. Mona ist erledigt«, und dann drehe ich mich lieber schnell um, damit niemand sieht, wie mir die Tränen in die Augen schießen.

Sie rüsten sich fürs große Finale. Die Wohnwagen und Busse auf der Redaktionswiese haben sich seit Dienstag verdoppelt, ebenso wie die Besatzung. An jeder Ecke stolpert man plötzlich über Produktionsmitglieder, die neue Kabel ziehen; insbesondere im Vorhof, wo sie fürs Abschiedsessen bereits ein offenes Gartenzelt aufgebaut haben und eine lange Tafel. Neben dem Zelt prangt wie eine unheilvolle Drohung das Metallgestänge, auf dem Kumpel aufgespießt werden soll, und darunter schichtet ein Produktionshelfer gerade Holz und Kohle auf. Überall springen Kameramänner und ihre Assistenten herum, die noch einmal Detailaufnahmen von dem machen, was wir auf dem Hof an Renovierungsarbeiten geschafft haben.

Gleichzeitig ist die Küche für uns außer zu den Mahl- und Badezeiten tabu, denn dort werden nacheinander Clara Herzig, Opa Otto und auch Willi nach den vergangenen vier Wochen und vor allem nach unserem Arbeitseifer und Benehmen befragt. Als Entscheidungshilfe für die Zuschauer, die morgen nach dem Abschiedsessen erst eine halbstündige Zusammenfassung zu sehen bekommen sollen, bevor dann die Telefone fürs Abschlussvoting geschaltet werden.

Für die Ergebnisverkündung werden wir Kandidaten während der Zusammenfassung zurück in die Stadt kutschiert.

Kristin ist wieder voll in ihrem Element, ihre barsche Stimme gellt ohne Unterlass über den Hof. Ich beobachte sie argwöhnisch. Es verwirrt mich, dass in Sachen Brandstiftung noch immer nichts zu uns durchgedrungen ist. Weder hat man mich oder einen von den anderen zu der Haarsprayflasche befragt, noch ist in dieser Angelegenheit sonst irgendetwas passiert.

»Wahrscheinlich wollen sie sich den Knaller bis zum guten Schluss aufbewahren«, vermutet Steven knurrend, während wir in der Milchkammer lustlos die letzten Fliesen an die Wand pappen. Wir sind gut vorangekommen in den vergangenen Tagen; der Raum ist fast fertig. Steven nimmt die Fliesen von mir entgegen, und ich wühle derweil so laut im klirrenden Nachschub, dass wir uns nebenbei leise zischend unterhalten können.

»Und mit Jacqueline sind wir auch nicht weitergekommen«, ergänze ich tonlos. »Steven, ich habe Angst!«

»Das kann ich verstehen«, murmelt Steven. »Aber eine Nacht haben wir noch. Und die werden wir nutzen.«

»Wie meinst du das?«, flüstere ich.

Steven grinst. »Zeit für eine Radikalkur«, raunt er. »Wart's ab. Heute Nacht zur Kamerapause. Patsy und ich kommen bei euch vorbei«, kündigt er an, und dann arbeiten wir schweigend weiter. Was hat er vor?

Dienstagfrüh stürze ich sofort an den Kiosk, um die »Boulevard« zu holen, aber darin steht ausnahmsweise mal gar nichts zu »Land und Lust«. Nichts! Stattdessen gibt es eine ganze Seite über Liane Graffeling und Marmelade, und ich bin verwirrt.

»Vielleicht haben wir nur Gespenster gesehen«, sage ich am Abend hoffnungsvoll zu Eske. »Vielleicht hat das mit dem fehlenden Schaumfestiger gar nichts zu bedeuten, und Bobo hat ihn tatsächlich nur selbst verbaselt. Kann doch sein, oder?«

»Freu dich nicht zu früh«, unkt Eske. »Ich trau dem Frieden nicht. Wahrscheinlich braucht Bockelt nur ein bisschen Zeit. Ich meine, erst mal muss er ja wohl bei der Polizei vorstellig werden mit seinen angeblichen Beweisen. Und das Ganze überprüfen lassen, bevor er damit rausgeht an die Öffentlichkeit.«

»Es sei denn, er hat so wie Rocko noch einen Detektivkoffer zu Hause, mit dem er die Fingerabdrücke selbst nehmen kann«, kichert Lüttje.

Ich sehe sie böse an. Schlechter Moment, um Witze zu machen, echt.

»'tschuldigung«, murmelt Lüttje schuldbewusst.

»Hat sich bei dir vielleicht jemand gemeldet?«, frage ich Susa. »Ich meine, dich als Monas Managerin würden die ja wohl informieren, wenn Mona tatsächlich verdächtig wäre, oder?«

Susa schüttelt den Kopf. »Ich hab heute versucht, mich mit der Produktion in Verbindung zu setzen«, sagt sie bedauernd, »aber die haben mich bislang nicht zurückgerufen. Ich schätze, da ist der Teufel los, weil sie sich auf die Doppelsendung am Freitag vorbereiten. Werden wohl alle ordentlich im Stress sein.«

»Apropos Freitag, was gibt es Neues in Sachen Hohenfeld?«, erkundigt sich Eske. »Wissen wir jetzt endlich, wo diese bekloppte Party stattfindet?«

»Ich hab Bockelt immer noch nicht erreicht«, sage ich genervt. »Aber ich versuch's gleich nochmal. Habt ihr was rausgefunden?«, frage ich Susa und Lüttje.

»Na ja«, sagt Lüttje, »wie man's nimmt. Also die Große Freiheit, das Docks, das Cruise Center und die Fabrik können wir als Veranstaltungsorte schon mal ausschließen. Da sind am Freitag Konzerte. Beziehungsweise, im Cruise Center gibt es eine Tagung, von einem Pharmakonzern oder so was Ähnlichem. Auf jeden Fall nichts, was mit Spaß zu tun hat.«

»Bei den anderen Locations sind wir noch nicht wirklich weiter«, ergänzt Susa. »Aber wir bleiben natürlich dran. Was sagen die im Rathaus?«

»Dass sie mir darüber keine Auskunft geben können. Und selbst wenn sie *könnten*, dass sie es dann nicht *dürften*«, seufze ich. »Sehr hilfreich sind die da jedenfalls nicht.«

»Soll ich es nochmal versuchen?«, bietet Behnke junior an. »Ich kenn da auch ein paar Leute. Vielleicht entsenden sie ja sogar den Bausenator. Mit dem bin ich per Du.«

Ich nicke. Wir können jetzt wirklich jede Unterstützung gebrauchen, denke ich, denn die Zeit wird knapp. Verdammt knapp.

»Ja bitte«, sage ich dankbar zu Behnke junior, und dann bedeute ich Eule, dass er kurz den Tresen übernehmen soll, und ziehe mein Handy aus der Hosentasche. Ich muss es nochmal bei Bockelt versuchen, zum ungefähr hundertsten Mal heute.

»*Sie* schon wieder«, sagt die Redaktionsassistentin bei der »Boulevard« pikiert, als ich nach Bockelt frage. »Nein, er ist nicht hier, und er wird auch heute nicht mehr reinkommen.«

»Man muss ihn doch wohl irgendwie erreichen können«, sage ich verzweifelt, »an sein Handy geht er auch nicht. Den ganzen Tag schon nicht. Und gestern auch nicht!«

»Das wird wohl seinen Grund haben«, erwidert die Redaktionsassistentin zickig. »Jetzt sagen Sie mir schon endlich, worum es geht! Vielleicht kann Ihnen ja jemand anders weiterhelfen, und ich bin Sie endlich los.«

Ich zögere. Was soll's, denke ich dann, versuchen kann man's.

»Es geht um die Party von Hohenfeld am Freitag«, erkläre ich.

244

»Ich soll da Fotos machen«, schwindele ich, »und ich weiß gar nicht, wo ich hinmuss.«

»Na, sehen Sie«, sagt die Redaktionsassistentin befriedigt, »gut, dass wir drüber gesprochen haben. Die Hohenfeld-Party macht gar nicht Bockelt, der hat andere Termine. Hohenfeld macht die Heine. Kleinen Moment, ich stell Sie mal durch.«

Das war ja einfach! Ich staune. Manchmal sind die Dinge so simpel, dass man erst mal gar nicht draufkommt. Ich warte geduldig.

»Heine!«, meldet sich schließlich eine Frau am anderen Ende. Sie klingt, als würde sie mein Anruf bei etwas Wichtigem stören. Schlechte Voraussetzungen.

»Ähm, Hilchenbach hier, guten Tag«, sage ich, »es geht um die Hohenfeld-Party am Freitag. Können Sie mir vielleicht sagen, wo die stattfinden wird?«

Die Heine lacht. »Warum sollte ich?«, fragt sie zurück. »Ach ja, Sie wollen ja die Fotos machen, sagte meine Kollegin. Ha, ha. Hören Sie, versuchen Sie es mit Ihren faulen Ausreden woanders. Ich habe meinen eigenen Fotografen dabei. Wir arbeiten schon seit Monaten nicht mehr mit Freien. Die sind nämlich so teuer, wie Ihre Tricks billig sind. Merken Sie sich das, Sie Anfängerin«, und dann hat sie auch schon aufgelegt.

Grmpf. So einfach war es dann wohl doch nicht.

Bockelt lässt uns weiter schmoren. Weder geht er an sein Handy, noch erscheint am Mittwoch etwas über den Brand auf dem »Land und Lust«-Hof. Erst in der Ausgabe von Donnerstag verkündet sein Artikel, dass am Freitag während des doppelstündigen Finales mit der endgültigen Aufklärung des Brandes zu rechnen sei. Und vor allem natürlich mit der Benennung des Schuldigen.

Rechnen Sie mit einer echten Sensation!, verkündet Bockelt marktschreierisch, wie es nun mal seine Art ist. *Als exklusiver Medienpart-*

ner sind wir für Sie natürlich vor Ort. Alle Hintergründe, alle Fakten,
die Sieger und die Verlierer im großen »Boulevard«-Interview – alles am
Samstag frisch für Sie!

»Ich freu mich drauf«, knurre ich und zerknülle wütend die Zeitung.

Langsam sehe ich unsere Felle endgültig davonschwimmen. Es ist schon früher Donnerstagabend. Wir wissen immer noch nicht, wo morgen Hohenfelds Party steigt; gleichzeitig zieht sich die Schlinge um Monas Hals mit jeder Minute weiter zu. Und uns sind die Hände gebunden. Ich hasse das. Ich hasse es, ich hasse es, ich hasse es.

Aggressiv drücke ich die Wahlwiederholungstaste auf meinem Handy, um es erneut bei Bockelt zu versuchen. Wieder nichts. Wie üblich. Das unbeantwortete Freizeichen macht mich rasend. Ich schnaube aufgebracht.

»Sag mal«, erkundigt sich Eule, »wenn du den Bockelt anzurufen versuchst – unterdrückst du dann eigentlich deine Nummer, oder kann er sie sehen?«

»Bislang kann er sie sehen«, sage ich überrascht. »Warum?«

»Hm«, sagt Eule, »vielleicht solltest du das mal ändern. Wer weiß, vielleicht geht er bei dir mit Absicht nicht ran.«

»Ich hab ihm aber meine Handynummer nie gegeben«, wende ich ein. »Ich meine, wenn ich vom Festnetzanschluss der Bar anrufen würde, dann – ja, klar. Die könnte er ganz einfach nachverfolgen.«

Eule nickt nachdenklich.

»Aber mit dem Handy – woher sollte er wissen, dass *ich* es bin, die ihn anzurufen versucht?«

»Weil deine Handynummer draußen am Eingang im Kartenkasten hängt vielleicht?«, erinnert mich Eule.

Ich stöhne auf. Ja, klar. Der Kartenkasten.

Das habe ich beim Buletten-Diplom in der Handelskammer gelernt, dem Seminar für angehende Gastronomen: dass man außen am Betrieb sichtbar eine Telefonnummer für den Notfall anzubringen hat. Und natürlich habe ich mich daran gehalten.

»Shit«, stöhne ich. »Na super. Wahrscheinlich denkt er, ich wolle ihn wegen seiner Artikel zu Mona und zum Elvis ordentlich auf den Topf setzen«, sinniere ich.

»Zu Recht«, bestätigt Eule. »Und wenn er schlau ist, dann geht er so was natürlich aus dem Weg. Jedenfalls so lange, bis ›Land und Lust‹ vorbei ist.«

»Das könnte natürlich sein«, grübele ich.

»Weißt du, was du brauchst?«, sagt Eule und zieht sein Telefon hervor.

»Na?«, frage ich.

»Einen Köder. Du musst ihm einen Grund geben, dich zurückzurufen.«

»Einen Köder?«, wiederhole ich verständnislos.

»Ja, einen Köder«, sagt Eule bestimmt. »Biete ihm was an. Einen Tauschhandel. Der Veranstaltungsort von Hohenfelds Party gegen – gegen irgendwas anderes halt. Was er gut gebrauchen kann.«

Ich seufze. »Aber was?«, sage ich abweisend. »Was hab ich schon, was der brauchen kann?«

»Marnie, komm. Jetzt stell dich nicht blöder an, als du bist«, erwidert Eule.

Ich sehe ihn finster an. »Red nicht so mit mir«, maule ich, und Eule lacht und nimmt mich in den Arm. »'tschuldigung«, sagt er. »Verzeih. Ich mein's nicht so. Aber eigentlich ist es doch eigentlich ganz einfach, oder? Bockelt hat Mona auf dem Kieker. Also bietest du ihm natürlich irgendeine Information, mit der er sie endgültig drankriegen kann, wenn er sie nur genügend aufbauscht. Irgendwas aus ihrem Privatleben, was weiß ich. Denk dir halt was aus.«

»Was denn?«, jammere ich. »Ich kann doch nicht einfach irgendwas erfinden!«

»Doch, kannst du«, antwortet Eule und rollt mit den Augen. »Irgendwas Harmloses, nur für den Fall der Fälle.«

Ich knirsche unsicher mit den Zähnen.

»Aber wenn du's schlau genug anstellst«, erklärt Eule, »dann musst du's ihm ja noch nicht mal sagen. Du entlockst ihm einfach die Partylocation, *bevor* du ihm deine Info gibst. Und dann legst du halt auf. So einfach ist das. Noch nie 'n Krimi gesehen?«, fügt er hinzu und drückt mir sein Telefon in die Hand. »Jetzt mach schon. Wir haben keine Zeit mehr.«

Schweren Herzens ergreife ich sein Handy und tippe Bockelts Nummer ein. Freizeichen, wie immer. Aber diesmal geht nach dem x-ten Tuten wenigstens seine Mailbox ran. Na bitte. Ich sehe Eule an und hebe den Daumen, und Eule nickt mir aufmunternd zu.

»Äh«, sage ich nach dem Piepton, »hallo, Herr Bockelt. Marnie Hilchenbach hier. Mona Rittners Partnerin aus der ›parallelwelt‹. Ich habe da ein paar Infos für Sie über Mona, die Sie interessieren dürften. Intime Infos, falls Sie wissen, was ich meine. Rufen Sie mich doch mal zurück«, und dann diktiere ich für alle Fälle doch noch einmal meine Handynummer.

»So«, sagt Eule zufrieden, nachdem ich aufgelegt habe. »Und jetzt warten wir einfach mal ab. Es wird nicht lange dauern. Wetten?«

Den ganzen Tag lasse ich mein Telefon nicht aus den Augen, aber es schweigt anhaltend. Als um Viertel nach neun die vorletzte Folge von »Land und Lust« beginnt, ist noch immer nichts passiert.

»Das war eine Schnapsidee«, maule ich zu Eule gewandt. »Bockelt fällt nicht drauf rein. War ja klar.«

»Wenigstens war es ein Versuch«, widerspricht Eule. »Und jetzt wart es doch erst mal ab. Noch ist nicht aller Tage Abend.«

»Aber fast«, seufze ich und blicke in die Runde. Hoffnungsfroh sieht hier niemand mehr aus. Vor allem Guido lässt den Kopf hän-

248

gen, und richtig zusehen will bei der laufenden Sendung niemand mehr. Eigentlich warten wir alle nur auf das große Finale. Und somit auf die endgültige Katastrophe.

»Moment mal«, sagt Eule plötzlich scharf und starrt auf das Bild. »Das glaube ich jetzt nicht, oder? Da! Das ist doch Bockelt! Da!!! Futterlieferant, dass ich nicht lache!«

Bitte was?!

»Was ist los?!«, rufen wir alle durcheinander. »Bockelt? Wo ist Bockelt?!«

»Ich sehe nichts!«, mault Lüttje, und die anderen machen es ihr nach. »Wir auch nicht!«, echoen sie. Mir bleibt vor Überraschung derweil der Mund offen stehen.

Leider sehen wir tatsächlich nichts, denn das Bild ist bereits umgesprungen. Es zeigt Mona und Steven, die in der Milchkammer hocken und gelangweilt Fliesen an die Wand kleben.

»Du spinnst doch«, stelle ich fest. »Du hast schon Halluzinationen!«

»Ich glaube kaum«, antwortet Eule grimmig. »Susa, nimmst du diese Folge auch auf?«

Susa nickt. »Klar«, antwortet sie. »Jede. Hab ich doch gesagt.«

»Fahr nach Hause und hol die Kassette«, sagt Eule knapp. »Ich geh zu uns rüber und hol den Videorekorder«, und mit diesen Worten schnappt er sich seine Jacke, packt Susa bei der Hand und zerrt sie zur Tür hinaus.

»Wir sind in einer Viertelstunde wieder da!«, brüllt er noch, und wir anderen bleiben verwirrt zurück.

»Jetzt versteh ich überhaupt nichts mehr«, stöhnt Eske, und damit ist sie nicht allein.

Als Susa und Eule zwanzig Minuten später den Rekorder angeschlossen und das Band eingelegt haben, verstehe ich noch viel weniger. Denn der Typ, der da als angeblicher Futterlieferant in einer wenn auch sehr fernen Einstellung über den Hof hühnert, ist tatsächlich Bockelt. Ich erkenne ihn am Gang. Und an den zurückgegelten schleimigen dunklen Haaren.

»Zeig mir einen Futterlieferanten, der so eine Frisur trägt«, murmelt Eule.

»Das fasse ich nicht«, stöhne ich. »Was macht der da?!«

»Das ist auf jeden Fall nicht rechtens«, ergänzt Eske. Susa wiegt den Kopf. »Hm«, sagt sie. »Vielleicht ja doch. Die ›Boulevard‹ hat pressemäßig das Exklusivrecht, schon vergessen? Vielleicht ist das so abgemacht, dass der Bockelt ab und zu mal aufs Gelände darf.«

»Und wieso tarnt er sich dann als Futterlieferant?«, wirft Lüttje ein.

Susa zuckt die Schultern. Wir sind ratlos.

»Mir reicht's jetzt«, sagt Guido plötzlich. »Aber endgültig. Ich fahr da nochmal hin.«

Er steht entschlossen auf.

»Das ist viel zu gefährlich!«, schreie ich. »Die kennen dein Gesicht schon. Hast du das vergessen?«

»Das ist mir egal«, knurrt Guido. »Ich will jetzt wissen, was da los ist. Und ich hab mit dem Bockelt eh noch eine Rechnung offen. Ich stell den zur Rede. Ich schaff das schon irgendwie.«

»Immerhin kennt Guido sich da schon ein bisschen aus«, wirft Eske ein. »Und ihr könnt sagen, was ihr wollt, aber er hat recht. Das geht so nicht. Wir müssen Bockelt fragen, was das soll.«

»Dann nimm wenigstens noch jemanden mit«, sage ich verzweifelt. »Alleine ist doof!«

»Soll ich?«, fragt Mags bereitwillig.

»Nein«, antwortet Eule und schüttelt den Kopf. »Das sind dann schon zwei, die sie wiedererkennen könnten. Ich komme mit«, sagt er und steht ebenfalls auf.

Ich verziehe das Gesicht. »Ich will nicht, dass du da hinfährst«, jammere ich.

»Doch«, sagt Eule, »das willst du sehr wohl. Es ist nämlich unsere einzige Chance. Oder vielmehr Monas einzige Chance. Wir müssen uns den Bockelt vorknöpfen, das ist so sicher wie das Amen in der Kirche.«

Ich senke den Kopf.

»Also, Uhrenvergleich«, fährt Eule ungerührt fort. »Es ist jetzt fünf vor zehn. Wir brauchen etwa eine Dreiviertelstunde, bis wir da sind. Wir melden uns von dort, wenn wir gut angekommen sind. Also so um zwanzig vor elf. Und dann sehen wir weiter. In Ordnung?«

Wir nicken, und dann machen sich Guido und Eule auf den Weg. Auf dem Weg nach draußen nimmt Eule mich noch kurz zur Seite.

»Mach dir keine Sorgen«, flüstert er mir ins Ohr und drückt mich an sich. »Wir schaffen das, okay?« Ich sehe ihn skeptisch an.

»Hee«, sagt Eule und drückt mir einen Kuss auf den Mund. »Es geht auch um dich, vergiss das nicht. Und um das alles hier. Also, halt durch«, raunt er mir noch zu, bevor er endgültig im Windfang verschwindet.

»Ach ja«, rufe ich ihm noch hinterher, »vergesst nicht, Bockelt zu fragen, wo Hohenfelds Geburtstagssause steigt!« Romantik hin oder her, aber das ist auch wichtig.

Die folgenden anderthalb Stunden sind die längsten meines Lebens. Ich sehe alle paar Sekunden auf die Uhr, was natürlich dafür sorgt, dass die Zeit nur noch langsamer zu verstreichen scheint. Den anderen geht es nicht besser. Meine Hände zittern, während ich Getränke ausschenke und versuche, mir nicht allzu viel anmerken zu lassen. Die Minuten vergehen zäh wie Kaugummi. Es wird Viertel nach zehn, es wird halb elf, es wird Viertel vor. Irgendwann halte ich es nicht mehr aus.

»Ich versteh das nicht«, platzt es verzweifelt aus mir heraus, »es ist schon kurz nach elf, und die haben immer noch nicht angerufen!«

»Das wird schon«, versucht Susa mich zu beruhigen. »Lass sie erst mal ankommen.«

»Wer weiß, vielleicht haben sie Bockelt schon im Schwitzkasten«, ergänzt Mags aufmunternd.

»Mach dir keine Sorgen«, flötet Bobo und tätschelt mir den Arm, aber er verzichtet danach auf sein berühmtes »tihi!«, und das sagt alles. Wir machen uns alle Sorgen. Wir machen uns auch um halb zwölf noch Sorgen. Immer noch kein Anruf. Keine SMS. Nichts.

»Ich dreh durch«, stöhnt Eske.

Eine Viertelstunde später trauen wir unseren Augen nicht, denn durch die Tür kommen – Guido und Eule.

»Da sind wir wieder«, sagen sie, und sie klingen nicht nur niedergeschlagen, sondern sehen auch so aus.

»Nichts erreicht?«, frage ich, und Guido schüttelt enttäuscht den Kopf.

»Zwecklos«, sagt er düster. »Die haben das Gelände so was von abgeriegelt, da kommen wir nicht mehr durch. Überall stehen Wachposten, in jeder Lücke, schon an der Zufahrtsstraße und auch an den Feldern drum herum. Die haben ordentlich aufgerüstet.«

»Scheiße«, entfährt es Eske.

»Aber leider logisch«, nickt Susa nachdenklich. »Ich meine, da hat immerhin jemand versucht, Feuer zu legen.«

»Und aus dem Schaulustigenaufkommen bei dem Brand haben sie vermutlich noch zusätzlich ihre Konsequenzen gezogen«, ergänzt Mags nüchtern. »Eigentlich hätten wir uns das denken können.«

»Haben wir aber nicht«, sage ich mit Grabesstimme. Es herrscht Endzeitstimmung. Aber endgültig. »Und was jetzt?«

»Zwei Möglichkeiten«, sagt Eule. »Entweder wir geben auf,

oder –«, und damit rückt er hinterm Tresen an mich heran und flüstert mir einen wahnwitzigen Plan ins Ohr.

Meine Augen werden immer größer, während Eule mir erklärt, was uns als Ausweg noch bleibt.

»Du bist verrückt«, ist mein einziger Kommentar, als Eule zu Ende geflüstert hat. Sein Vorhaben ist völlig verrückt. Das klappt nie im Leben, denke ich. Und greife trotzdem zu meinem Telefon.

»Bettenkontrrrollleeee!«

Ich fahre senkrecht im Bett hoch, als Patsy und Steven in der Nacht zum Freitag gegen zwei Uhr in der Früh tatsächlich plötzlich bei uns in der Dachkammer stehen, und zum ersten Mal seit zwei Wochen stoße ich mir meinen Kopf wieder am Dachbalken.

»Aua!«, schreie ich, während Jacqueline erschrocken aufquietscht und sich die Bettdecke bis an die Nasenspitze zieht. »Was wollt ihr denn hier?«, fährt sie Steven und Patsy ängstlich an.

Aber die beiden grinsen nur. »Wir wollen mit euch Abschied feiern!«, erklärt Patsy übermütig, setzt sich zu Jacqueline aufs Bett und tätschelt ihr beruhigend das Bein.

»Und endlich mal mit euch anstoßen«, fügt Steven hinzu und hält zwei Flaschen hoch, über deren Hälse mehrere Plastikbecher gestülpt sind. »Weil wir doch so ein gutes Team waren. Morgen ist es endlich vorbei, und das muss doch gefeiert werden!«

Jacqueline sieht Patsy und Steven erstaunt an, dann lächelt sie verwirrt. »Ähh«, sagt sie, »klar. Warum nicht. Aber ich trinke keinen Schnaps«, fügt sie abwehrend hinzu. »Ich habe eine Alkoholallergie.«

»Ja klar«, prustet Patsy. »Eine Alkoholallergie. Na, sicher doch. Du bist eine Spaßbremse und eine Spielverderberin, weißt du das? Gehörst du jetzt zum Team oder nicht?«

Wow. Das nenne ich Gruppenzwang. Jacqueline seufzt. »Na gut«, sagt sie dann, »aber nur ein Schlückchen.«

»Na siehst du«, macht Patsy zufrieden.

»Mona, wo ist denn deine Reserve? Hol raus!«, fordert Steven mich auf.

»Reicht das nicht erst mal?!«, frage ich mit einem Blick auf die beiden vollen Flaschen in Stevens Hand zurück, aber Steven gibt mir mit Händen und Füßen zu verstehen, dass auch meine Vorräte dringend benötigt werden, während Patsy derweil Jacqueline ablenkt, indem sie sie zu ihrer schicken roséfarbenen Schlafbrille befragt.

»Da ist sogar Lavendel drin, damit man sich besser entspannen kann«, plappert Jacqueline, während Steven aus den Flaschen einschenkt, und ich glaube, ich verstehe. Denn während Jacqueline einen Plastikbecher aus *meinen* Flaschen bekommt, reicht Steven mir und Patsy einen Becher, der mit Klarem aus *seinen* Flaschen gefüllt ist.

Wir stoßen an. »Prost, ihr Lieben«, sagt Patsy, und wir trinken. Alles klar. Ich grinse. Wasser. Reines Wasser, sag ich mal.

Ich trinke den Becher in einem Zug aus. »Lecker«, sage ich anerkennend, während Jacqueline nur nippt und daraufhin prompt zu röcheln und zu husten beginnt.

»Nanana«, macht Patsy und klopft Jacqueline auf den Rücken, »da muss aber jemand üben, was? Komm schon, runter mit dem Zeug! Nimm dir ein Beispiel an Mona! Die ist nicht so ein Mädchen wie du!«

Skeptisch beäugt Jacqueline mich und meinen leeren Becher. Ich halte ihn hoch und lasse mir von Steven noch einmal nachschenken, während ich Jacqueline herausfordernd fixiere.

»Da kannst du dich schon mal dran gewöhnen«, sage ich süffisant, »falls du die Moderatorenstelle bei ›Renovieren Um Vier‹ bekommen solltest. Die Handwerker saufen alle. Und die verstehen keinen Spaß, wenn man da nicht mitzieht, das sage ich dir aber.«

Jacqueline starrt mich feindselig an. Dann gibt sie sich einen Ruck und kippt mit Todesverachtung den Inhalt ihres Bechers auf ex hinunter.

Danach sagt sie erst mal gar nichts mehr. Sie glotzt einfach nur mit aufgerissenen Augen auf die Bettdecke, während sie den Nachhall des scharfen Gebräus durch ihre Eingeweide mitzuverfolgen scheint. Ihre Hände zittern leicht, und dann rülpst sie vernehmlich.

»Bäuerchen?«, kichert Steven, »na, das passt ja!«

»Good girl«, sagt Patsy anerkennend, gibt Jacqueline einen Klaps und schenkt ihr unverzüglich nach. »Also, ihr Lieben! Auf ein Neues! Auf uns!«, und wir trinken wieder.

Zwanzig Minuten später ist Jacqueline voll wie ein Eimer. Wir können froh sein, dass sie bereits sitzt, aber sogar im Sitzen schwankt sie schon hin und her und erzählt wirres Zeug. Ich kann sie kaum noch verstehen, was aber auch ganz gut ist, denn das leise »klack« unter den Dachbalken hat uns soeben davon in Kenntnis gesetzt, dass die Kamerapause vorbei ist. Von daher kann es uns nur nützen, dass man Jacquelines Gebrabbel auch für Gemurmel im Schlaf halten könnte. Patsy wirft einen besorgten Blick nach oben.

»Die Zeit drängt«, flüstert sie Steven ins Ohr, und der geht daraufhin zum Angriff über.

»So, meine kleine Jacqueline«, raunt er und rückt ganz nah zu ihr, »wo wir jetzt hier schon so vertraut beisammensitzen, da möchtest du uns doch sicherlich ganz dringend was erzählen, oder?«

Jacqueline hickst. »W-was'n erzähln«, wiederholt sie verständnislos.

»Na, zum Beispiel, dass du das Feuer hinter dem Stall gelegt hast«, sagt Steven leise, aber bedrohlich. »Mit dem Haarspray, das du Mona vorher aus ihrer Jacke geklaut hast.«

255

Jacqueline hickst erneut, dann presst sie die Lippen aufeinander und schüttelt den Kopf.

»Na los, gib's zu!«, zischt Patsy, während sie schon mal einen weiteren Becher Schnaps vorbereitet.

»N-neinchwardasnich«, wehrt Jacqueline ab, »unnchwillauchnichmehrtringgn!«

»Das wollen wir doch mal sehen«, knurrt Steven und gibt Patsy mit dem Kopf ein Zeichen. Mit vereinten Kräften halten die beiden Jacqueline fest, die sich wacker zu wehren versucht, aber sie hat keine Chance, und geübt flößen Patsy und Steven ihr einen weiteren Schluck Schnaps ein. Die Hälfte des Becherinhaltes landet allerdings auf Jacquelines Kinn und auf ihrem Nachthemd, und sie verzieht das Gesicht, dass sie fast nicht mehr wiederzuerkennen ist. Erst recht in Kombination mit ihrer Wunde auf der Lippe, auf der Willis Teufelszeug brennen muss wie Zunder, denn jetzt schreit Jacqueline schmerzerfüllt auf. Schade, dass ich keinen Fotoapparat zur Hand habe; für dieses Bild würde mir die Presse vermutlich ein Vermögen zahlen, denke ich im ersten Moment; aber im nächsten Augenblick tut Jacqueline mir schon wieder leid.

»Das reicht«, wispere ich zu Steven, »lass sie doch«, aber der schüttelt nur den Kopf. »Nein, das reicht nicht«, murmelt er leise und nimmt Jacqueline mit einem kurzen Ruck in den Schwitzkasten. Jacqueline ächzt gedämpft auf.

»Jetzt sag schon«, befiehlt Steven ihr ruhig, aber deutlich. »Wir wissen genau, dass da was nicht stimmt. Besser also, du sagst uns die Wahrheit. Sonst gehen wir mit der Geschichte nach draußen. Hast du das kapiert?«

Jacqueline Schnieder reißt die Augen auf. »Mrrghmfumf«, macht sie, und Steven nimmt die Hand von ihrem Mund, damit wir auch nur ansatzweise verstehen können, was sie sagt.

»Ja'ssstimmtdasSprayhabichenomm'«, krächzt sie, »aberchhabdas-nurKristingege'm. Wirklich. Mi'mFeuerhabch nixzutun.«

Kristin?! Das glaube ich jetzt nicht.

»Bist du dir da sicher?!«, zischt Steven und verstärkt den Druck auf Jacquelines Arm noch einmal, den er ihr auf den Rücken gedreht hat.

»Hunnertprosicher«, bestätigt Jacqueline wankend. »Versprochn. Ärlich.«

»Und das wirst du auch offen sagen, sollte jemand versuchen, Mona den Brand in die Schuhe zu schieben?«, fragt Patsy streng. Jacqueline Schnieder nickt. Sie ist völlig eingeschüchtert und ganz grün im Gesicht.

»Na, dann wollen wir das mal glauben«, brummt Steven und lässt Jacqueline ruckartig los, die daraufhin nach vorn schnellt und sich kurz, aber heftig übergibt. Mitten auf ihre Bettdecke.

»Na wunderbar«, seufze ich, und ich schlafe dann doch lieber bei Kumpel im Stall. Schließlich ist es unsere letzte gemeinsame Nacht. Heul.

Polizeiobermeister Reinke ist begeistert, als er meine Stimme hört.

»Frau Hilchenbach!«, ruft er erstaunlich wach für einen Polizisten in der Spätschicht, der noch dazu in einer Viertelstunde Feierabend hat, »was können wir für Sie tun?«

»Ähm«, sage ich, »ich habe mir das überlegt. Vielleicht können Sie sich die Diebstahlstelle doch mal genauer ansehen. Also das Loch im Tresen. Kann ja sein, dass Sie noch Spuren entdecken. Sie haben ja sicherlich ein viel besseres Auge für so was als ich«, füge ich noch schmeichelnd hinzu, vorsichtshalber.

»Aber sicher, das machen wir doch«, sagt Reinke bereitwillig. »Ist es Ihnen recht, wenn wir morgen im Laufe des Nachmittags vorbeischauen?«

Ich schüttele heftig den Kopf, bis mir einfällt, dass Reinke das ja gar nicht sehen kann. »N-nein«, stottere ich schnell, »ich dachte eigentlich, Sie kommen jetzt noch kurz vorbei. Wenn es geht ...?« Den letzten Teil hauche ich fast. Puh. Ich wusste gar nicht, dass ich so mädchenhaft klingen kann. »Dann können wir im Anschluss auch gleich unser gemeinsames Getränk nachholen«, ergänze ich frohlockend und versuche diesem Zusatz einen leicht verführerischen Touch zu geben. Eule hebt begeistert den Daumen und grinst mich an.

Reinke zögert. »Jetzt noch?«, fragt er zweifelnd, aber dann gibt er sich einen Ruck. »Gut«, sagt er, »Bremer und ich sind gleich bei Ihnen.«

»Super«, freue ich mich, »dann bis gleich!« Ich lege auf, und dann ist es an mir, zu grinsen und den Daumen zu heben. »Sind gleich da«, informiere ich Eule, und der schnappt sich zwei Flaschen Bier und Guido und verschwindet mit ihm auf dem Personalklo.

»Mach das bloß gut«, raunt er mir auf dem Weg noch zu. »Und beeil dich. Auf dem Personalklo ist es ziemlich ungemütlich!«

Reinke steht schneller im Laden, als die Polizei erlaubt, haha. Seine Uniform schlägt noch Falten vom Gegenwind, als er vor dem Tresen zum Stehen kommt.

»Wo ist denn Ihr Kollege Bremer?«, erkundige ich mich freundlich, nachdem ich Reinke angemessen begeistert begrüßt habe.

»Der sucht noch einen Parkplatz für unser Streifenhörnchen«, erklärt Reinke und zwinkert mir zu.

Das wird ja immer besser!, denke ich, sie haben sogar das Polizeiauto dabei! Auf der anderen Seite ...

258

»Ach schade, Sie sind mit dem Wagen. Ich dachte, wir wollen gleich noch einen zusammen trinken«, werfe ich ein.

Reinke lacht und winkt ab. »Kein Problem«, sagt er, »zur Not lassen wir das Ding einfach hier stehen. Entspricht zwar nicht ganz den Dienstvorschriften, aber ...«, er beugt sich verbindlich über den Tresen zu mir herüber und sieht mir tief in die Augen, »aber manchmal muss man die Gunst der Stunde nutzen. Nicht?«

»J-ja, klar«, mache ich und drehe mich schnell um, um eine Flasche Bier aus dem Kühlschrank zu holen. Meine Güte, der geht aber ran.

Reinkes und Bremers gemeinsame Tatortinspektion bringt keine neuen Ergebnisse, aber was soll's. Hatte ja auch niemand erwartet.

»Fein säuberlich ausgesägt, das gute Stück«, sagt Reinke fachmännisch und schlägt tätschelnd mit der flachen Hand auf den verbliebenen Marmortresen, »aber sonst – keine verwertbaren Spuren, Frau Hilchenbach.«

Danke, denke ich, so weit waren wir auch schon. Aber ich sage natürlich was anderes. »Schade«, bedaure ich. »Sie glauben also, da waren Profis am Werk?«

»Schwer zu sagen«, sinniert Reinke. »Aber jedenfalls war es jemand, der sich mit dem Material auskennt.«

Ich seufze theatralisch, dann biete ich Reinke und Bremer einen Platz an. »Na, dann gehen wir mal zum gemütlichen Teil des Abends über«, verkünde ich und strahle die beiden an, so gut ich kann. Ich komme mir vor wie ein Breitmaulfrosch. Aber es zieht; Reinke springt die Vorfreude geradezu aus den Augen, und sogar Bremers Mund umspielt der Anflug eines erwartungsfrohen Lächelns.

»Mai Tai?«, frage ich zuckersüß und wackele verheißungsvoll mit dem Cocktailshaker in der Luft hin und her, und die beiden können sich ganz offensichtlich nichts Schöneres vorstellen. Na, dann mal an die Arbeit.

259

Reinke und Bremer auf Level zu bringen ist sogar noch einfacher, als ich es vermutet hatte. Schon nach dem zweiten Mai Tai schlagen sie sich über ihre eigenen Witze lachend auf die Schenkel und heben den allgemeinen Lärmpegel des Ladens noch um einiges. Die anderen verfolgen das Schauspiel amüsiert. »Was habt ihr eigentlich vor?«, zischt Lüttje mir zwischendurch zu, aber ich lächele sie nur an und flüstere, »das werdet ihr schon noch sehen. Und halte dich bereit, ich könnte noch deine Hilfe benötigen!«

Nach dem vierten Mai Tai wage ich den ersten Vorstoß, schiebe unsere Elvis-CD in die Anlage und fordere Reinke zum Tanzen auf. Reinke akzeptiert erfreut und schiebt mich seiner angetrunkenen Verfassung entsprechend etwas schwerfällig über den abgeschabten Holzboden. »You're The Devil In Disguise«, singt Elvis, und ich lächele diabolisch. Wenn du wüsstest, denke ich, während ich Reinke frech am Kragen seiner Uniform packe. Reinke steht drauf.

»Oh, là là«, murmelt er und nutzt den Moment, um mir seine Hände auf den Hintern zu legen. Irks.

»R-reinke!«, hickst Bremer, als er das sieht, und ich gebe Lüttje zu verstehen, dass jetzt *ihr* Einsatz erwartet wird. Entsetzt sieht sie zu Bremer und zu mir und wieder zurück und reißt die Augen auf, aber ich nicke nur streng. Da muss sie jetzt durch. Lüttje seufzt, und dann kümmert sie sich aufopferungsvoll um Bremer, der sich nur zu gern von ihr ablenken lässt. Lüttje hängt sich gekonnt an seine Dienstkrawatte und lässt ihn überhaupt nicht mehr los. Bremer gefällt's, und so schwofen wir langsam, aber sicher dem Ziel des ganzen Unterfangens entgegen. Nur ab und zu verschwinde ich hinten im Personalklo und bringe Eule und Behnke junior noch eine Bionade. Sie sollen auch nicht leben wie die Hunde.

»Ich will lieber Bier!«, jammert Eule, aber das kommt gar nicht in Frage. »Du musst noch fahren«, sage ich streng zu ihm. »Bionade oder gar nix. Du hast die Wahl. Die sind sogar mit dem Streifenwagen da, und den lenkt man am besten nicht besoffen.«

Es ist kurz vor zwei, als Reinke mir das »Du« anbietet (er heißt Detlef), und es ist Viertel nach, als er zum ersten Mal versucht, mich zu küssen. Das ist mein Startschuss. Auf geht's in den entscheidenden Angriff.

Ich winde mich schlangengleich aus Reinkes Umarmung heraus, sehe ihn lasziv an und streiche über sein Polizeihemd. »Also das kann ich nicht«, seufze ich, »einen Mann küssen, der eine Uniform trägt. Da kann man sich ja gar nicht richtig fallen lassen.«

Reinke stutzt. »A-aber es gibt Frau'n, die finn'n das sexy«, protestiert er erstaunt.

»Das mag ja sein«, gehe ich ihm schnurrend um den Bart und parke meine Zeigefinger in seinen Gürtelschlaufen, während ich mich langsam in den Hüften wiege und Reinke dabei immer näher rücke, »aber ich gehöre nun mal nicht dazu. Wollt ihr euch nicht was anderes anziehen, ihr zwei Süßen?« Uargh.

»Oder g-gleich ganz ausziehen?«, fragt Reinke zurück. Oh Hilfe, gleich fängt er an zu sabbern.

»Dafür ist es wohl noch etwas zu früh«, seufze ich gespielt unschuldig. »Ich würde ja gern«, flüstere ich ihm ins Ohr, »aber ich habe doch Schicht, Detlef.«

Detlef steht mittlerweile der Schweiß auf der Stirn.

»Im Gegensatz zu euch beiden Hübschen, ihr habt jetzt frei. Soll ich euch nicht was anderes zum Anziehen besorgen? Guck mal, dem Bremer wird die Uniform auch schon zu eng«, und ich weise mit dem Kopf auf Bremer, der mittlerweile einen hochroten Kopf hat, weil Lüttje ihm langsam, aber gekonnt den Krawattenknoten löst.

»Und dir ist ja schon viel zu warm«, füge ich hinzu und streiche Reinke liebevoll und sanft einen Schweißtropfen von der Stirn, den

261

ich mir gleich danach frivol von der Fingerspitze lecke. Uaaarrggggh. Man muss auch Opfer bringen.

Reinke zögert noch immer, aber er atmet schwer.

»Und für die anderen Gäste wäre das im Übrigen auch viel schöner, nicht mit zwei Uniformen am Tresen zu sitzen«, setze ich noch einen drauf, »guck mal, die trinken kaum, weil sie sich nicht trauen. Das ist schlecht für meinen Umsatz, und das willst du doch nicht, Detlef. Oder? Ich muss doch auch ans Geschäft denken. Zumindest jetzt noch«, hauche ich anschließend so nah an ihm dran, wie ich es ertrage. Meine Lippen berühren schon die Haare, die ihm aus den Ohren wachsen.

»J-ja«, macht Reinke, »ich meine, n-nein, aber was soll'n wir denn anziehen?«

»Das ist kein Problem«, gurre ich. »Ich hab hinten in der Garderobe noch was. Ich bring es euch, aufs Herrenklo, da könnt ihr euch in Ruhe umziehen. Soll ich?«, frage ich mit einem treuherzigen Augenaufschlag. »Ich kann euch auch dabei helfen«, will ich fast noch gurren, aber das lasse ich lieber erst mal. Falls Reinke sich weigert, muss ich noch aufrüsten können. Obwohl, es wird nicht nötig sein, Reinke macht auch so mit.

»Herrenklo?«, fragt er zurück, und ich atme innerlich auf und nicke milde. »Da wo ›Horst‹ an der Tür steht«, informiere ich ihn vielsagend. Dann zwinkere ich ihm zu und rutsche wieder hinter den Tresen, nicht ohne auf dem Weg für alle Fälle nochmal ausgiebig mit dem Hintern zu wackeln.

»Es ist so weit!«, keuche ich, während ich den Kopf durch die Personalklotür stecke. »Los, los, husch, raus aus den Klamotten!«, und Eule und Guido tun wie geheißen und reichen mir wenig später ihre Jeans, ein Hemd (Eule), ein ausgeleiertes T-Shirt (Guido) und zwei Kapuzenjacken (Eule und Guido).

Ich weiß gar nicht, was ich am Ende lustiger finden soll: Eule und

Guido in den beiden Polizeiuniformen, die ihnen beiden viel zu kurz sind; die Hosen haben Hochwasser, und die Jackenärmel gehen ihnen etwa bis zur Mitte des Unterarms. Oder Reinke und Bremer, denen Guidos und Eules Klamotten dementsprechend viel zu lang sind. Ganz abgesehen davon, dass Bremer in Eules Hose kaum atmen kann, weil sie ihm viel zu eng ist, was Bremers Kopf nur noch röter macht. Aber Lüttje nimmt sich des Problems selbstlos an und macht an der Hose schlicht den obersten Knopf auf, woraufhin Bremer erst recht fast in Ohnmacht fällt. Wir päppeln ihn mit einem weiteren Mai Tai auf, bevor ich wieder zu Eule und Guido husche.

»Sind die Autoschlüssel in einer der Uniformen?«, frage ich sie hektisch.

Guido und Eule klopfen sorgfältig sämtliche Taschen ab, und davon hat so eine Polizeiuniform eine ganze Menge, aber einen Autoschlüssel finden sie nicht. Ich seufze. »Wartet hier noch einen Moment«, befehle ich, und dann tasten Lüttje und ich Reinke und Bremer ab, auf unsere ganz eigene Art. Die beiden schweben im siebten Himmel, aber auch an ihnen ist kein Autoschlüssel zu finden. Herrje. Wo ist das Ding bloß?

›Herrenklo‹, schießt es mir dann durch den Kopf, und siehe da, ich habe recht, auf dem Boden vor der Kloschüssel liegt das gute Stück. Schwein gehabt. Ich hebe den Schlüssel auf, verstecke ihn in meiner geschlossenen Faust und bringe ihn flugs zu Eule und Guido. »Jetzt müssen wir euch nur noch irgendwie hier rausbugsieren, ohne dass die beiden euch sehen«, überlege ich. »Wie kriegen wir das hin?« Der Hinterausgang zum Treppenhaus liegt zwar einerseits leicht versteckt hinter der goldenen Säule; andererseits aber so exponiert direkt hinter dem Tresen, dass die goldene Säule auch nicht viel hilft, wenn man aus Richtung Miniküche und Personalklo kommt.

»Tja«, grinst Guido, »da hilft nur eins: Knutschen. Heftig knutschen. Mit Augen zu und so.«

»Ich will nicht«, sträube ich mich. »Das ist wirklich zu viel verlangt. Echt!«

»Dann findest du halt eine heiße Spur«, schlägt Eule geistesgegenwärtig vor. »Von den Dieben. Auf dem Fußboden.«

Ich schnippe mit den Fingern. »Das ist es. So wird's gemacht«, und während ich zurück in den Schankraum husche, schiebe ich schon mal den leicht klemmenden Samtvorhang zur Seite, der – ähnlich wie der Vorhang im Windfang – die Tür zum Treppenhaus abschirmt.

Reinke erwartet mich schon sehnsüchtig, und ich eile in seine Arme. Kurz vor dem Ziel stoppe ich abrupt ab, schreie gekonnt »Aaargh! Da!!!!« und sinke auf die Knie. Sekunden später rutschen wir zu acht auf dem Fußboden herum, samt Reinke und Bremer, und inspizieren die Schramme im Holzboden, die angeblich vor einigen Tagen noch nicht da war.

Als ich wieder auftauche, sehe ich, wie sich der Vorhang hinter der goldenen Säule gerade noch sacht bewegt. Puh. Geschafft. Eule und Guido sind raus.

»Hast du's jetzt begriffen?«, flüstere ich Lüttje zu, nachdem sich die allgemeine Aufregung gelegt hat und alle wieder auf ihre angestammten Plätze zurückkehren. Lüttje nickt langsam. »Reichlich strafbar, das alles«, raunt sie zurück, »und der härteste Teil kommt erst noch. Wie werden wir die jetzt wieder los?!«, fragt sie mit einem Seitenblick auf Reinke und Bremer, die uns nicht aus den Augen lassen und ungeduldig auf unsere erneute Zuwendung warten.

»Der Schnaps wird's richten«, zische ich, »lass mich nur machen, der nächste Mai Tai haut sie vom Hocker«, und so ist es dann auch. Jedenfalls fast, denn Reinke und Bremer sind erstaunlich trinkfest, und ich muss ihnen noch eine weitere Spezialmischung servieren, bevor sie endgültig die Zurechnungsfähigkeit verlieren und somit auch ihr Vorhaben, uns in ihre Höhlen zu zerren, schlicht vergessen.

Stattdessen versuchen sie, die Glitzerflecken zu zählen, die die sich über ihren Köpfen drehende Discokugel an die Wand malt. Nochmal Glück für uns, denn durch das ständige Hochstarren wird ihnen irgendwann so schwindelig, dass sie auch das letzte Fünkchen Körperbeherrschung verlieren. Aber das macht ihnen ja nichts mehr aus. Selig sind die Schnapsdrosseln.

Bremer schläft schließlich mit dem Kopf auf dem Tresen ein, und Reinke versucht, sich auf der Bank stehend vor dem großen Fenster zu »Love Me Tender« auszuziehen. Lüttje und ich zerren ihn mit vereinten Kräften von der Bank oder versuchen es wenigstens; daraufhin kippt Reinke zur Seite und fällt hin. Wir lassen ihn erst mal einfach liegen. Gegen fünf helfen uns Rocko, Thomas und Manni, die beiden vor die Tür zu schleifen, wo sie in aller Ruhe weiterschlafen können. Wenigstens haben sie es dank der Kapuzenjacken schön kuschelig warm.

Vorsichtshalber stecke ich Reinke noch einen Zettel zu. »Keine Sorge wegen Uniformen und Auto«, habe ich darauf gekritzelt, »kommt alles unversehrt zurück. Musste leider sein, Erklärung folgt. Als Entschädigung Freigetränke auf Lebenszeit! Sorry! M. Hilchenbach.«

Reinke grunzt genießerisch und schmatzt, als ich meine Hand in seiner Hosentasche versenke, aber davon abgesehen ist er zu keiner Regung mehr fähig. »Schlaf gut«, säusele ich und werfe ihm eine Kusshand zu, bevor ich zurück in den Laden schlüpfe und die letzten Aufräumarbeiten erledige. Mein Handy zeigt eine neue SMS an. Sie kommt von Eule.

Bei der Tarnung gar kein Problem mehr reinzukommen, schreibt er. *Haben erste Streife schon hinter uns, aber pennen natürlich alle. Übernachten außerhalb im Auto, versuchen es dann morgen wieder.*

Na fein. Dann kann ich ja jetzt ebenfalls ins Bett gehen. Was anderes könnte ich mir sowieso nicht mehr leisten. Reinke und Bremer haben natürlich auch nicht bezahlt, und das Loch in unserer Kasse ist mittlerweile so groß wie der Grand Canyon. Ein bisschen Miete abwohnen ist also das Vernünftigste, was ich tun kann.

Am nächsten Tag verschlafe ich. Aber volle Kanne! Es ist schon kurz vor eins, als es an der Tür Sturm klingelt. Shit. ›Reinke!‹, fährt es mir durch den Kopf. Hektisch steige ich in meine Jeans. Es klingelt erneut. Ich zögere. Dann höre ich durch die geschlossene Tür Lüttjes ungeduldiges Quengeln. Erleichtert drehe ich den Schlüssel und öffne.

»Moinsen!«, kräht Lüttje und schiebt sich an mir vorbei in die Küche. Ich gähne. »Verpennt?«, ruft sie mir über den Flur zu, während ich noch verschlafen meine Socken suche. »Jetzt aber mal dalli, herkommen! Ich bringe gute Nachrichten!«

»Na was?«, erkundige ich mich, während ich auf dem Küchenstuhl Platz nehme und ächzend die Socken anziehe. Irgendwie tut mir jeder Knochen weh. Vermutlich von den ungewohnten Hüft- und Hinternverrenkungen für Reinke. Ich bin zum Verführen halt nicht geschaffen.

Lüttje deutet auf die »Boulevard«, die auf dem Tisch liegt. Ich mustere beide skeptisch, sowohl Lüttje als auch die Zeitung. »Willst du mich veräppeln?«, knurre ich vorsichtig. »Seit wann steht in der ›Boulevard‹ was Positives?«

»Fernsehseite«, sagt Lüttje nur. »Schau mal auf die Fernsehseite. Und dann das Programm für Hamburg 1.«

»Hamburg 1?«, wiederhole ich verständnislos. Lüttje spinnt. Hamburg 1 *kann* heute gar nicht interessant sein, denke ich. TV3 ist an diesem Freitag das Maß aller Dinge, mit dem »Land und Lust«-Finale, und sonst nichts.

Hamburg 1 guckt doch kaum jemand, und heute wohl noch weniger. Außerdem kriegt man das über Satellit eh nicht. Nur über Kabel, und Kabel haben wir zwar in der »parallelwelt«, aber nicht zu Hause, und deshalb ist mir Hamburg 1 weitgehend unbekannt.

266

Ich greife nach der »Boulevard« und blättere lustlos darin. Dem Finale von »Land und Lust« ist eine ganze Doppelseite gewidmet. Bockelt stellt nochmal alle vier Kandidaten genauer vor und liefert dazu gleich eine Analyse der Wahrscheinlichkeit, nach der sie beim Zuschauervoting gewinnen werden. Ganz vorn liegt Jacqueline Schnieder mit 38 Prozent. Ich schnaube. Ja, klar. *Mit Abstand die attraktivste Kandidatin. Arbeitete sich langsam, aber sicher in die Herzen der Zuschauer,* schleimt Bockelt dazu. *Unvergessen ihr aufopferungsvoller Einsatz im Feuer sowie ihr Rettungsversuch für das kleine Ferkel »Kumpel«, das sich ungerechterweise durch einen Biss dafür bedankte. Jacqueline Schnieder ertrug auch dies ohne Klagen. Wird sie heute dafür belohnt?*

Mona folgt auf Platz zwei mit immerhin 32 Prozent Wahrscheinlichkeit auf den Sieg beim Zuschauervoting. Bockelts Kommentar: *Bleibt eher aufgrund ihrer zwischenmenschlichen Verwirrungen im Gedächtnis der Zuschauer. Hat sie nun eine Beziehung zu Mitkandidat Steven Dong – oder hat sie nicht? Allein die Neugier des Publikums, dies schnellstmöglich zu erfahren, könnte Mona Rittner im Zuschauervoting ganz nach vorn katapultieren. Aber – reicht das für Platz 1?*

Dass ich nicht lache, denke ich. Bockelt ist doch echt ein Schwein. Den wird es aus den Latschen hauen, wenn er erfährt, dass Steven Dong in Wirklichkeit schwul ist. Aber das geschieht ihm recht. Außerdem verliert er kein Wort darüber, dass Mona und Steven auf dem Hof fast die ganze Arbeit allein gemacht haben! Vielleicht wenigstens bei Steven?! Er und Patsy landen gemeinsam auf Platz 3, mit jeweils 15 Prozent.

Ein eher unauffälliger Kandidat mit Sunnyboy-Appeal, schreibt Bockelt zu Steven Dong. *Schürte die Eifersucht der weiblichen Zuschauer durch seine Anbändelei mit »Renovieren-Um-Vier«-Moderatorin Mona Rittner. Positiver Nebeneffekt: Um sie zu beeindrucken, arbeitete er noch mal so hart! Seine Freundin tauchte derweil unter. Ob das eine das andere wettmacht – unklar.* Seine Freundin, ha, ha. Die hat sich überhaupt die ganze Zeit nicht ein einziges Mal zu dem ganzen Zirkus geäußert, und ich glaube, ich ahne langsam, warum. Vermutlich hat Steven Dong seine angebliche Beziehung zu einer Frau nur für Leute wie Bockelt inszeniert. Man kann's ihm nicht verdenken, denn solange Leute wie Bockelt in diesem Land Meinung machen, hat jemand wie Steven es nicht leicht.

Das zeigt sich auch im nächsten Abschnitt. Denn ganz besonders fies ist Bockelt zu Patsy de Luxe. *Mit Abstand die schillerndste Gestalt unter den Kandidaten – aber wohl auch die fürs Landleben ungeeignetste,* lese ich stirnrunzelnd. *Beeindruckte eher durch flotte Sprüche und turmhohe Frisuren denn durch Taten. Unwahrscheinlich, dass die Zuschauer sich für diese Mogelpackung entscheiden!*

»Und, hast du's gefunden?«, fragt Lüttje und setzt sich mir gegenüber an den Küchentisch, nachdem sie die Kaffeemaschine eingeschaltet hat. Sie sieht mich erwartungsvoll an.

»Äh – was? Ach so«, murmele ich und blättere hastig weiter, bis ich endlich das Fernsehprogramm vor mir liegen habe. Ich überfliege es, bis ich die Spalte »Hamburg im TV« gefunden habe. Unter »Hamburg 1« steht da: *21.00 Uhr – Partyqueen Jeannie X on tour. Heute live von der Geburtstagsfeier Hasso Hohenfelds.*

»Cool, oder?« Lüttje strahlt. »Das löst all unsere Probleme! Wir brauchen um neun nur Hamburg 1 einschalten – und flupp! Schon wissen wir, wo die Party stattfindet. Ist das gut, oder ist das gut?«

»Wow«, sage ich beeindruckt. »Ja, das ist gut. Das ist sogar sehr gut! Well done!« Lüttje hält die Hand hoch, und wir klatschen uns ab.

»Das heißt«, sagt sie und lehnt sich zufrieden zurück, »das heißt, dass wir jetzt in aller Ruhe den Abend abwarten können. Prima, oder?«

»In aller Ruhe ist gut«, seufze ich. »Du vergisst unser anderes Projekt«, und mit diesen Worten stehe ich auf und hole mein Mobiltelefon aus dem Schlafzimmer, das ich beim Schlafengehen direkt neben dem Bett platziert habe.

Wieder eine SMS von Eule. *Sind wieder drin*, steht da, *aber von Bockelt keine Spur. Bleiben dran.* Die Nachricht wurde um zehn gesendet. Ich sehe auf die Uhr. Das ist jetzt drei Stunden her.

»Und, haben sie Bockelt schon am Wickel?«, fragt Lüttje neugierig.

»Noch nicht«, sage ich, »aber sie sind wohl dran. Ich ruf gleich mal an und frage nach, wie's läuft. Aber erst nach dem Kaffee. Ich sterbe, wenn ich nicht gleich einen Kaffee kriege.«

Hier geht es zu wie in einem Wespennest. Ich schaffe es kaum, mich auf meine letzte Aufgabe zu konzentrieren. Oder die vorletzte vielmehr, aber Kumpels anstehende Schlachtung verdränge ich, so gut es eben geht. Man hat mich als Wohnexpertin dazu abgestellt, die Tafel fürs Abschiedsessen zu dekorieren. Für das Kumpel-Aufessen! Ausgerechnet!

Lustlos rupfe ich ein paar Zweige und anderes Gedöns von den Bäumen und aus der Erde. Lustlos verteile ich es auf dem Tisch, und ebenso lustlos mache ich mich hinterher daran, die Gästeliste zu studieren, denn es soll auch noch Tischkärtchen geben. Was für ein Quatsch!

Wir werden zu zehnt sein: Wir vier Kandidaten natürlich sowie Opa Otto, Clara Herzig und Willi. Dann sind noch ein paar Leute dabei, die auf dem Hof ein und aus gehen – der Tierarzt Dr. Busch, ein grobschlächtiger Kerl, der Kumpel zur Not wahrscheinlich auch mit der flachen Hand erledigen würde; der Futterlieferant mit den schleimigen Haaren namens Fritz Behrens und zur Krönung auch noch der Ortsvorsteher des Dörfchens, in dem wir uns befinden. Sein Name ist Hein Heimig, wie schön, das passt ja. Wie der Ort heißt, dem er vorsteht, weiß ich immer noch nicht, aber das ist jetzt auch egal. Wir bleiben ja nicht mehr lange.

Nur ansatzweise engagiert watschele ich rüber in die Milchkammer, in der noch ein Haufen nicht verarbeiteter weißer Billigfliesen rumliegt. Ich schnappe mir zehn Stück vom Stapel, klaue anschließend Willis Edding, der mit Hilfe eines schlichten Bindfadens neben der Milchertragsliste an der Wand baumelt, und schreibe in meiner schönsten Grundschulschrift die Namen von der Gästeliste darauf. Dann verteile ich sie auf den Tellern. Danach falte ich noch ein paar Servietten zu komischen undefinierbaren Gebilden und lege sie daneben. Ich denke, wenn mich jemand fragt, werde ich behaupten, dass es Blumen sein sollen. Und ich denke, das muss an Deko reichen.

Ich verbringe jetzt lieber noch ein paar Minuten bei Kumpel. In zwei Stunden soll er sich bereits auf dem Metallgestänge drehen und dabei braun und knusprig werden. Als Schlächter vom Dienst haben sie übrigens nicht Opa Otto abgestellt, sondern Willi, weil der vor der Kamera »einfach besser wirkt«, wie Kristin sagte. Mir ist jetzt schon schlecht. Und ich glaube, Willi könnte sich auch was Schöneres vorstellen.

»Bitte, *wo* seid ihr?«, kreische ich in mein Telefon, als ich nach dem Kaffee mein Wort halte und einen Kontrollanruf bei Eule und Guido starte.

»Beim Schlachter!«, brüllt Eule. Im Hintergrund knallt es immer wieder laut. Wahrscheinlich bearbeitet der Dorfmetzger gerade ein paar Schnitzel. »Wir wollen ein Spanferkel kaufen!«

»Ihr wollt *was*?«, schreie ich wieder. Es ist doch nicht zu fassen. »Habt ihr nichts Besseres zu tun?! Was wollt ihr mit einem Spanferkel?!«

»Mann, Marnie«, ruft Eule, »manchmal bist du echt schwer von Begriff. Wir wollen das Ferkel retten, natürlich! Wenn wir denen irgendwie ein Spanferkel unterschieben können, das schon tot *ist*, dann brauchen sie Monas Kumpel nicht mehr zu schlachten! Geht das in dein Gehirn?! Was ist denn mit dir los?!«

»Aber wie wollt ihr das Ferkel da reinschmuggeln?«, frage ich.

»Das lass mal unsere Sorge sein«, gibt Eule angestrengt zurück. »Das schaffen wir schon irgendwie! Und selbst wenn wir Bockelt nicht zu fassen kriegen sollten, dann hatte die ganze Aktion wenigstens *irgend*einen Sinn.«

»Das stimmt«, brülle ich gegen das Gehämmer im Hintergrund an, das immer lauter wird. »Aber ihr gebt doch nicht auf, oder? Ihr seid doch noch an Bockelt dran, oder?«

»Ja klar!«, röhrt Eule. Er hat schon eine ganz raue Stimme. »Aber wir müssen gleich erst noch ein Dorf weiter, der Schlachter hier hat grad kein Spanferkel da!«

Ich seufze. »Das glaube ich gerne«, murmele ich, »da gibt's nur weichgeklopftes Schnitzel.«

»Was hast du gesagt?«, schreit Eule.

»Nichts!«, schreie ich zurück. »Meldet euch wieder!«

»Machen wir!«, erwidert Eule, und dann hat er auch schon aufgelegt. Ich lasse verdattert das Telefon sinken.

»Hab ich das richtig verstanden?«, fragt Lüttje ungläubig, »die wollen ein fertiges Spanferkel kaufen und da reinschmuggeln? Um das andere Ferkel zu retten?«

Ich nicke.

»Wow«, sagt Lüttje, und jetzt ist *sie* beeindruckt. »Ganz schön schlau von den beiden. Du und Mona, ihr habt echt Glück mit euren Typen, weißt du das?«

Sie seufzt und sieht mich neidvoll an. »Vielleicht stimmt das ja doch nicht, dass Steven Dong schwul ist«, fügt sie träumerisch hinzu.

»Lüttje«, antworte ich streng, »vergiss es«, und Lüttje zieht eine Schnute und sagt erst mal gar nichts mehr.

Ab siebzehn Uhr geht es in der »parallelwelt« zu wie in einem Taubenschlag. Bobo hat sein ganzes Auto bis unters Dach mit Elvis-Utensilien aus dem Kostümverleih vollgeladen, und mit vereinten Kräften schleppen wir eine große Tüte nach der anderen in den Laden. Alle sind gekommen: Lüttje und Susa, Eske und Behnke junior, Jan und Mags. Rocko, Thomas, Manni und Steueraddi hätten zwischendurch eigentlich gar nicht nach Hause zu gehen brauchen, und sogar Berit und Bernd haben den Hintern hochgekriegt.

»Vierzehn Leute?! Also für so viele hab ich aber keine Kostüme«, protestiert Bobo und stemmt die Arme in die Hüften, und wie auf Kommando beginnt ein heilloses Durcheinander.

»Ich bleib eh hier im Laden«, ruft einer. »Ich will aber unbedingt mit!« die Nächste. Dann stürzen sich die Ersten auf die Tüten, als gäbe es was umsonst, und schließlich schlagen sie sich fast um ihren Inhalt, während Bobo fassungslos zusieht, wie seine sorgfältig gepackten Tüten komplett auseinandergerupft werden und Kostümteile, Perücken, Gürtel und Stiefel durch die Luft fliegen. Bobo läuft mal wieder rot an.

»Moment!!!«, schreie ich schließlich laut, klatsche in die Hände und steige auf eine der Bänke, wie ehemals Eule. »So geht das nicht«, brülle ich. »Jetzt alle mal Ruhe, bitte. Und lasst die Tüten in Frieden!!!« Es wirkt: Ein paar Augenblicke später ist es ruhig, und alle schauen mich erwartungsvoll an. Geht doch.

»Also«, sage ich mit Nachdruck, »erst mal klären wir jetzt, wie wir uns überhaupt aufteilen wollen. Dass nicht alle mitkönnen, wissen wir ja schon. Also: Wer bleibt hier und macht die Notbesetzung in der Bar, damit Mona später einen Anlaufpunkt hat? Eule und Guido sind ja nicht da«, füge ich hinzu. »Wir brauchen also Ersatz.«

Der Einzige, der den Arm hebt, ist erst mal Manni, aber als er sieht, dass es ihm niemand anders gleichtut, bekommt er sofort Angst vor der eigenen Courage. »Aber nicht alleine«, jammert er. »Alleine bleibe ich nicht hier!«

›Auf gar keinen Fall‹, ergänze ich in Gedanken, da muss ich nämlich Schiss haben, dass die Bude im absoluten Chaos versinkt.

»Wie viele Kostüme haben wir denn überhaupt?«, ruft Lüttje. »Wie müssen wir uns aufteilen?«

»Sechs«, sagt Bobo. »Sechs Kostüme habe ich bekommen. Mehr war nicht zu wollen. Die waren schon ziemlich abgegrast da.«

Kein Wunder, denke ich, wenn am Abend mehrere hundert Elvis-Imitate auf der Party unterwegs sind, können wir wahrscheinlich froh sein, überhaupt noch so viele bekommen zu haben.

»Das ist nicht viel«, murmelt Rocko, und dann hebt er den Arm, während er gleichzeitig auch nach Steueraddis Hand greift und sie ebenfalls in die Luft hält. Thomas macht es ihnen daraufhin natürlich nach. »Ich wollte hier schon immer mal hinter den Tresen«, kichert er, und ich bekomme sofort noch mehr Angst um unsere Vorräte, aber sei's drum.

Ich zähle nochmal durch. »Fehlen uns immer noch vier, die hierbleiben«, resümiere ich. ›Und es wäre toll, wenn jemand Vernünftiges dabei wäre, der dafür sorgt, dass sich der Verlust in Grenzen hält‹, füge ich in Gedanken hinzu. Dabei muss ich unbewusst Mags angesehen haben, denn der seufzt jetzt und hebt ebenfalls den Arm. »Ist ja schon gut«, sagt er, während Berit und Bernd noch miteinander tuscheln.

»Wir bleiben auch hier«, sagt Bernd schließlich kurz und bündig, und Berit zuckt mit den Schultern und sieht mich an. »Klar, ohne

Marnie sind ja heute Abend die Getränke umsonst«, ruft Rocko, und alle lachen. Das sagt ja mal gerade der Richtige.

»Einer noch!«, ruft Susa, »jetzt fehlt noch einer!«, aber es will partout niemand mehr die Hand heben. Ich sehe Jan an.

»Neee«, protestiert der abwehrend. »Ich will dabei sein. Und überleg mal, jetzt bleiben nur noch du, Lüttje, Eske, Behnke junior und Bobo. Das macht einen Kerl auf fünf Mädchen! Da braucht ihr noch männliche Verstärkung«, erklärt er, während Bobo ihn mit seinen Blicken steinigt. Jan lässt es ungerührt über sich ergehen.

»Und wir waren ja wohl ganz vorn an dem ganzen Projekt beteiligt. Wir bleiben auf gar keinen Fall hier«, echoen die Mädels. Ich seufze ratlos. Dann fällt mir etwas ein.

»Gut«, sage ich, »dann teilt die Kostüme mal unter euch auf. Ich versuche mir was anderes zu organisieren«, und während sich die anderen mit Gebrüll wieder auf die Tüten stürzen, gehe ich nach hinten ins Personalklo und rufe Thilo an.

»Du musst uns helfen«, sage ich bittend zu ihm. »Ich brauche für heute Abend ein Elvis-Kostüm. Habt ihr bei den ›Tollen Tollen‹ nicht noch eines über?«

»Was habt ihr vor?«, fragt Thilo statt einer Antwort, und ich erkläre es ihm, so gut es geht.

»Cool«, sagt Thilo. »Klar. Wir bringen dir ein Kostüm vorbei. Unter einer Bedingung.«

»Die da wäre?«

»Ihr nehmt uns mit. Nicht alle«, beeilt sich Thilo noch zu sagen, »nur uns drei. Also Tim, Tom und mich. Die ›Luke‹ hat heute eh zu. Benita ist auf irgendeiner Familienfeier.«

»Tick, Trick und Track«, wiederhole ich, »schon klar.«

»Häää?«, macht Thilo.

»Nichts«, antworte ich, »wann könnt ihr hier sein?«

»Schon unterwegs!« Das ist das Letzte, was ich von Thilo höre, und dann hat er auch schon aufgelegt.

Eine knappe Stunde später stehen Tick, Trick und Track in voller Montur am Tresen und halten mir ein Bündel hin. Die Luft ist mittlerweile geschwängert von Haarspray. Dicke Schwaden ziehen durch den Laden und verbreiten einen Geruch, als wären wir nicht mehr in einer Bar, sondern in Hamburgs klimaschädlichstem Friseursalon. Man kann durch den ganzen Nebel kaum noch etwas sehen. Bobo macht und tut und rotiert. Er hat schon drei Tollen fertig; gerade hat er Jan in der Mache, der sich wegen des Haarsprays tierisch anstellt und demonstrativ hustet und röchelt. Als Kettenraucher, wohlgemerkt. Ich grinse. Wer ist hier wohl das Mädchen?!

»Jetzt halt schon still!«, schimpft Bobo, und Jan quengelt ungeduldig wie ein kleines Kind.

Ich gehe nach hinten ins Personalklo und zwänge mich in den Anzug. Er ist für weibliche Hüften nicht ausgelegt, so viel ist schon mal klar, und er geht auch nicht davon aus, dass es so etwas wie einen Busen gibt. Er hat einen Ausschnitt, der fast bis zu meinem Bauchnabel weit geöffnet ist und sich mangels Knöpfen oder Ösen auch gar nicht schließen lassen würde – selbst wenn ich es wollte. Der echte Elvis hätte diesen Ausschnitt mit Brusthaaren und schweren Ketten gefüllt. Ich habe zwar weder noch, aber ich werde definitiv den BH drunter anbehalten, weil ich sonst nämlich auch gleich nackt gehen könnte. Natürlich ist das Ding außerdem insgesamt viel zu lang, und ich stolpere erst mal ausgiebig über die Hosenbeine, die über den Boden schleifen, aber hier wird Bobo schon eine Lösung finden.

Davon abgesehen ist der Anzug der Kracher! Elfenbeinweiß ist er, mit dem elvistypischen hohen Stehkragen und vor allem mit total durchgeknallten, hochwertigen Ornamenten, die sich links und rechts vom Ausschnitt über die Vorderseite des Oberteils ziehen. Nieten und Pailletten, Lederschnüre, samtige Bordüren und feine Gliederketten – in den Ornamenten ist so ziemlich alles verarbeitet, was sich in Ornamenten eben so verarbeiten lässt.

Die Krönung ist der dazugehörige Gürtel. Er ist so breit, dass Lüttje ihn als Minirock tragen könnte, und so schwer, dass ich beim ersten Anlegeversuch ächzend in die Knie sinke. Er ist mit Kreisen, Quadraten und Dreiecken besetzt, auf denen sich die Ornamente des Oberteils wiederholen, und die Schließe ist ein massives Stück Metall, mit dem man auch jemanden erschlagen könnte und das sich kühl in meine Hand schmiegt.

Ehrfürchtig schließe ich die Schnalle, die bedächtig, aber energisch klickt, während sie einrastet. Dann wandere ich zurück in den Schankraum. Alle machen »aaah!« und »oooooh!«, denn mein Anzug ist natürlich von allen der schönste; nur Bobo mustert mich kritisch und beginnt dann sofort, die Hosensäume nach innen umzuschlagen und mit ein paar gekonnten Stichen festzuheften.

»So ist's besser. Tihi!«, sagt er zufrieden, als er wieder hochgekommen ist und mich erneut betrachtet. »Welche Stiefel ziehst du an?«

»Äh«, sage ich. »Stiefel. Äh. Ach ja.« Da war doch was!

»Hier«, sagt Eske und stellt ein paar große weiße Stiefel vor mich hin. »Die gehören zu meinem Kostüm, aber sie passen mir nicht. Ich muss leider meine anbehalten«, und siehe da, die Stiefel passen, jedenfalls wenn ich vorne und hinten ein paar Papierservietten reinstopfe, damit ich nicht bei jedem Schritt in ihnen herumrutsche.

Eine halbe Stunde später habe auch ich statt meines Kurzhaarschnittes eine beeindruckende schwarze Tolle auf dem Kopf, und die Koteletten sind so buschig, dass sie mich fast an der Nase kitzeln.

»Hey, Baby«, sage ich mit tiefer Stimme zu Lüttje und werfe mich in Pose, und wir lachen uns schlapp. Alle sehen zum Schießen aus. Aber ziemlich echt, das muss man mal sagen. Bobo hat Großes geleistet! Und beweist bei seiner eigenen Kostümwahl echtes Understatement, denn er trägt den Jailhouse-Rock-Look: eine schwarze Jeans mit schwarzer Jeansjacke, darunter ein schwarz-weiß gestreiftes T-Shirt. Und trotz dieses eher untypischen Aufzugs, den vermutlich nur wahre Fans mit Elvis Presley in Verbindung bringen, erkennt man ihn wegen seiner Frisur und des Make-ups sofort. Das muss ihm erst mal jemand nachmachen.

»Tja«, sagt Bobo vergnügt, als ich ihm ein Kompliment darüber mache, »gelernt ist gelernt. Tihi! Kiss me quick, Baby!«, sagt er dann, spitzt die Lippen, und ich bücke mich, so gut es der breite Gürtel zulässt, und drücke ihm zum Dank für seine Hilfe einen feuchten Kuss auf den Mund.

»Sag mal, wie können wir eigentlich gleichzeitig ›Land und Lust‹ sehen und die Übertragung von Hohenfelds Party auf Hamburg 1?«, fragt wenig später Lüttje, während wir versuchen, wieder ein bisschen Ordnung in das Durcheinander zu bringen. »Ich meine, wir können ja wohl schlecht immer zwischen den beiden Sendern hin- und herschalten ab neun. Da könnten wir ja das Wichtigste verpassen. Also die letzten Minuten auf dem Hof, meine ich.«

»Mist«, antworte ich erschrocken, »da hab ich auch noch nicht drüber nachgedacht.«

»Sollen wir einen zweiten Fernseher aufbauen?«, fragt Mags. »Eine Stunde haben wir noch, bis es losgeht. Das schaffen wir.«

Ich überlege. »Viel zu aufwendig«, sage ich, »und außerdem haben wir nur eine Kabelbuchse. Wartet mal, ich glaube, mir fällt was Besseres ein«, und ich schnappe mir das Telefon und wähle von dem Zettel am Kühlschrank Elisas Nummer.

»Elisa?«, frage ich, als sie rangeht. »Sagen Sie, können Sie Hamburg 1 empfangen? Das Lokalprogramm, meine ich?«

»Ich glaube schon«, sagt Elisa überrascht. »Moment, ich sehe mal nach.«

Ich höre sie im Hintergrund rödeln, dann ertönt der fürs Zappen typische Klangteppich aus Wort- und Musikfetzen, und schließlich ist Elisa wieder am Telefon und sagt trocken: »Live und in Farbe. Alles da.«

»Super«, sage ich erleichtert. »Könnten Sie heute Abend ab 21 Uhr die Übertragung von Hohenfelds Geburtstag gucken und uns sofort anrufen, wenn klar ist, wo die Party stattfindet?«

»Aber dann verpasse ich ja die letzte Folge von ›Land und Lust‹!«, protestiert Elisa.

»Maximal die letzte Viertelstunde von der Hofübertragung«, sage ich beschwörend. »Elisa, Sie müssen uns helfen. Das ist wichtig. Und sobald Sie wissen, wo das stattfindet, können Sie doch sofort zurückschalten. Zur Bekanntgabe des Zuschauervotings läuft bei Ihnen längst wieder TV3. Bitteeeee!«

Elisa lacht. »Na gut«, sagt sie, »dann will ich mal nicht so sein. Lassen Sie mich raten. Sie haben nicht vor, auf dieser Party höchstpersönlich aufzukreuzen, oder? Um an Hohenfeld ranzukommen?«

»Doch«, entgegne ich fest, »genau das ist der Plan.«

»Na«, sagt Elisa vergnügt, »vielleicht sollte ich dann doch lieber die Geburtstagsübertragung weitergucken als ›Land und Lust‹. Könnte ja auch sehr spannend werden.«

Ja, denke ich. Spannend bestimmt. Die Frage ist nur, ob das ganze Theater sich überhaupt lohnt. Oder ob der Schuss nicht einfach gehörig nach hinten losgeht.

»Faferfeehinie«, sagt Willi und kratzt sich am Kopf, und ich muss sagen: Ich verstehe es auch nicht. Niemand versteht es.

Wir drängen uns zu siebt im Kuhstall, vor Kumpels Verschlag: Steven, Patsy, Jacqueline, Willi, ein Kameramann samt Assistent, und ich. Ich bin total verheult und schluchze und rotze trotz der Kamera, die uns begleitet, vor mich hin, bevor ich mir jetzt überrascht die Augen reibe und »hä?!« mache. Und mit dieser Reaktion bin ich nicht allein.

Eigentlich sollten wir Kumpel abholen und ihn aufs Schafott führen. Aber Kumpel ist nicht da.

Stattdessen liegt da ein schön in transparente Folie eingewickeltes Stück Irgendwas im Stroh. Es ist ziemlich groß, ziemlich schwer und mit einer üppigen roten Schleife versehen.

»Eine Bombe!«, wispert Jacqueline und weicht ängstlich ein Stück zurück. Steven schnaubt abfällig. Dann öffnet er die Verschlagtür und hebt das Ding langsam hoch. Als er es im Stallgang vorsichtig auswickelt, stellen wir fest, dass es sich dabei zwar um ein Ferkel handelt, aber um eines, das längst tot ist. Es ist fix und fertig vorbereitet für den Grill. Sogar schon gewürzt. Ich schreie kurz auf und sehe weg.

»Was soll das denn?«, murmelt Patsy ratlos.

»Was wird hier gespielt?«, wundert sich Jacqueline.

»Das kapier ich nicht«, seufzt Steven.

»Scheißbild«, knurrt der Kameramann.

»Sprecht mal lauter«, motzt der Assistent.

»Wo ist Kumpel?«, frage ich. Ich habe das Schluchzen schlagartig eingestellt und versuche mich zu sortieren.

»Auf jeden Fall nicht hier«, stellt Steven überflüssigerweise fest. »Und vermutlich auch nicht tot. Wer immer das war, er hat Humor«, fügt er hinzu und reicht mir das rote Band mit der Schleife. Jemand hat mit schwarzem Stift darauf geschrieben: *Kumpel lebt. Lang lebe Kumpel!*

Im gleichen Moment hören wir über die Kopfhörer des Kameramanns und seines Assistenten eine schrille Stimme, rauschend zwar, aber eindeutig die von Kristin, und Kristin springt in ihrem Regie-

279

wagen offenbar im Dreieck. Jedenfalls soweit es der beengte Platz dort zulässt. Sie keift dermaßen, dass sogar wir im ersten Moment zusammenzucken. Der Kameramann stöhnt auf und nimmt die Kamera von der Schulter, sein Assistent lässt die Stange mit dem Mikrofonpuschel sinken.

»Und wer auch immer das war, die Produktion war es nicht«, er-gänzt Patsy grinsend.

»Die Tierschützer!«, entfährt es mir. »Ich hab's doch gewusst, dass die sich so was nicht gefallen lassen! Ha, haaaa, ich hab's gewusst, ich hab's gewusst!«, schreie ich und führe einen Freudentanz auf. Ich fasse Steven bei den Schultern und schiebe ihn durch den Stallgang, bis wir fast im Stroh landen. »Kumpel ist gerettet! Er ist gerettet!«, juchze ich, was sofort Brutus vom Burgbarg auf den Plan ruft.

Er springt kläffend um uns herum, jedenfalls bis er das tote Ferkel erschnuppert, über das er sich natürlich sofort hermachen will. Aber Patsy bringt es in Sicherheit, indem sie es aufhebt und schützend die Arme um es legt. »Nix da!«, sagt sie barsch zu Brutus, der daraufhin beleidigt aufwufft und sich von Willi, der ihn bereitwillig am Kopf krault, bedauern lässt.

Koksnase wiehert derweil freudig auf dem Vorhof vor sich hin, denn auch er scheint zu spüren, dass sein kleiner schweinischer Freund außer Gefahr ist. Und dann tue ich etwas, was ich noch vor ein paar Wochen nicht für möglich gehalten hätte: Ich drücke Willi einen dicken Kuss auf die Wange. Willi errötet und reibt sich er-staunt die linke Gesichtshälfte.

»Faferheehinie«, wiederholt er. Ginge mir an seiner Stelle nicht anders.

Gebannt rotten wir uns ab acht in unserem abenteuerlichen Aufzug vor der Beamerleinwand zusammen.

»Gibt's eigentlich was Neues von Eule und Guido?«, flüstert Lüttje mir ins Ohr, »ist die Ferkelmission geglückt?«, aber ich kann dazu leider nur mit den Schultern zucken. Eule hat sich noch nicht wieder gemeldet, was mich langsam, aber sicher in den Wahnsinn treibt. Außerdem beginnt es unter den Koteletten zu jucken. »Ruf du doch mal an!«, drängt Lüttje. »Hab ich schon versucht«, zische ich zurück. »Handy ist aus!«

»Das von Guido auch?«, fragt Lüttje zurück. Ich nicke. »Hui«, macht Lüttje, und ich rolle mit den Augen. »Kann's doch auch nicht ändern«, maule ich leise. »Glaubst du, ich finde das gut?!«, und Lüttje bleibt nichts anderes übrig, als mich erst mal in Ruhe zu lassen. Ich bin so nervös, dass ich schon anfange, auf meinen Fingernägeln zu kauen.

»Lass das!«, faucht Bobo mich an und schlägt mir auf die Finger, aber kaum guckt er weg, habe ich die Hand auch schon wieder am Mund. Die anderen trommeln wahlweise mit ihren Fingern auf irgendwelchen Körperteilen oder Gegenständen herum, oder sie nuckeln hektisch an ihren Getränken, die sie sich mittlerweile selbst holen müssen. Ich kann nicht, denn meine Beine wollen mich vor lauter Aufregung kaum noch tragen. Alle sind mit den Nerven ziemlich schlecht zu Fuß, und mit jeder Minute wird es schlimmer.

»Es geht los! Es geht los!«, kiekst Susa schließlich, als endlich die Erkennungsmusik von »Land und Lust« ertönt. Aber schon das erste Bild, das wir sehen, ist niederschmetternd. Es zeigt ein Feuer, das im Dunkeln munter vor sich hin fackelt, und darüber eine Stange, auf der sich ein Spanferkel dreht. Es ist mit Sicherheit bald gar, denn seine Haut schlägt schon Blasen, und das Fett tropft zischend in die Flammen.

Ein bedauerndes Seufzen geht durch den Raum. »Oh nein!«, rufen Susa und Eske, »armer Kumpel!«, und Lüttje und ich wechseln einen besorgten Blick. Lüttje sieht mich ratlos an. ›Ist das jetzt Kumpel oder nicht?‹, scheint sie zu fragen, aber ich weiß es doch auch nicht. Ich weiß es nicht, verdammt nochmal!

Dann sehen wir die im Vorhof unter dem Partyzelt aufgebaute Abschiedstafel, an der jetzt die Kandidaten und die Hofbewohner Platz nehmen. Und – Ferfried Bockelt.

»Waaaaaah!«, brüllt Lüttje. »Da ist Bockelt!!!!!«, und dann schreien alle tumultartig durcheinander.

»Das gibt's doch nicht!«, flucht Rocko, und Eske knallt ihren Drink dermaßen auf den kleinen Rolltisch mit den Mosaikfliesen, dass ich befürchte, er wird in der Mitte durchbrechen.

»Shit«, seufzt Lüttje, »das war's dann wohl. Eule und Guido haben nichts erreicht.«

»Wo sind sie denn?«, schreit Jan aufgebracht. »Warum tun die denn nix?!«

»Hoffentlich haben sie sie nicht erwischt«, murmelt Susa erschrocken.

Ich sage gar nichts. Ich bin vor Angst wie gelähmt. Ich habe Angst um Eule, und ich habe Angst um Mona. Und ich kriege alles nur langsam aufeinander, ganz langsam.

Also, eines ist schon mal klar: Dass Bockelt, getarnt als Futterlieferant, da jetzt ganz offiziell mit am Tisch sitzt, kann nur eines bedeuten – er und die »Boulevard« stecken mit der Produktion von »Land und Lust« unter einer Decke. Vermutlich sogar mit TV3 selbst.

Ich erinnere mich daran, was Susa gesagt hat: »Die ›Boulevard‹ hat pressemäßig das Exklusivrecht.« Das Exklusivrecht, ha, ha, ja klar.

Entschuldigung, aber was hier läuft, das geht ja wohl weit über das hinaus, was man so »Berichterstattung« nennt! Mit unserer ursprünglichen Vermutung, dass Bockelt sich ebenso heimlich eingeschlichen haben muss wie jetzt Eule und Guido, liegen wir also mit Sicherheit falsch. Denn welchen Grund hätte man, ausgerechnet den Futterlieferanten zum Abschiedsfest einzuladen?

Zähneknirschend lasse ich Bockelts Artikel vor meinem geistigen Auge Revue passieren. Das Feuer? Vermutlich nur inszeniert, um dem Ganzen ein bisschen mehr Pfeffer zu geben. Das Herumgehacke auf Mona? Abgesprochen, um sie loszuwerden. Damit TV3 in aller Seelenruhe eine massenkompatible Nullnummer wie Jacqueline Schnieder auf ihren Posten bei »Renovieren Um Vier« hieven kann. Und genau deshalb hat Bockelt die Schnieder wahrscheinlich auch immer so über den grünen Klee gelobt!

Ich bin dermaßen versunken in meine wilden Überlegungen, dass ich kaum noch mitbekomme, was auf der Leinwand geschieht. Erst als Lüttje mich aufgeregt am Arm fasst und schon wieder anfängt zu schreien, sehe ich wieder richtig hin. Und schlucke. Oh nein.

Eule und Guido stehen auf einmal mitten im Bild, neben der Tafel, und zwar in den viel zu kurzen Polizeiuniformen. Man kann sie gut erkennen, denn einer der Scheinwerfer unter dem Zeltdach leuchtet ihnen mitten ins Gesicht. Ganz am Rande nehme ich aus den Augenwinkeln wahr, wie Mona ihr Essen wieder ausspuckt. Ich gehe mal davon aus, dass es sich dabei hauptsächlich um Gemüse handelt.

Ich halte die Luft an. Die Gäste am Tisch heben verwundert die Köpfe. Guido und Eule nicken in die Runde. Sie tippen sich professionell an die Mützen, wünschen einen Guten Appetit, und dann sagt Eule in feinstem, gespreiztem Beamtendeutsch: »Entschuldigen Sie, dass wir Sie beim Essen stören. Aber wir haben Grund zu der Annahme, dass sich jemand unter falscher Identität hier aufhält. Wenn wir mal bitte Ihre Personalausweise sehen dürften?«

Hoffentlich haben Reinke und Bremer auf ihrem Revier keinen Fernseher.

Was wollen denn die Bullen hier?! Und warum hat der eine Bulle die Stimme von Eule?! Habe ich Halluzinationen? Das muss die Aufregung sein. Meine Güte, es wird Zeit, dass ich hier rauskomme.

Ich sehe noch einmal genauer hin, und daraufhin fällt mir sofort das Essen aus dem Gesicht. Der eine Polizist *ist* Eule. Und neben ihm steht Guido. Guido zwinkert mir zu. Ich verschlucke mich an einer Erbse, die nicht schnell genug den Weg zurück auf den Teller schafft. Bitte *was*?!

»Wenn wir mal bitte Ihre Personalausweise sehen dürften?«, wiederholt Eule, und im selben Moment bricht das größte Chaos aus. Ich kann gar nicht so schnell gucken, wie die Dinge passieren.

Fritz Behrens, der Futterlieferant, springt von seinem Platz auf und versucht zu fliehen. Guido sprintet ihm hinterher. Jacqueline Schnieder schlägt entsetzt die Hände vor dem Gesicht zusammen und fängt einfach nur an zu schreien. Einer der Kameramänner versucht, Eule zu fassen zu kriegen, der rund um den Tisch mit ihm Haschmich spielt und sich bei einer Vollbremsung am Stuhl von Clara Herzig festhält, die er mit sich nach hinten reißt. Clara Herzig kreischt wie am Spieß und fuchtelt wild mit den Armen in der Luft herum, bevor Eule ihren Stuhl loslässt und Clara wieder nach vorn kippt. »Dinner for One« lässt grüßen, nur mit dem Unterschied, dass Clara Herzig nicht so nervenstark ist wie Miss Sophie und jetzt ohnmächtig auf den Boden kippt. Opa Otto kniet neben ihr und fächelt ihr Luft zu.

Eule bleibt derweil an einem Kabel hängen. Einer der Scheinwerfer fällt um und kracht mitten auf den Tisch. Geschirr splittert, Getränke spritzen durch die Gegend. Steven, Patsy und ich springen schreiend zur Seite. Brutus vom Burgbarg nutzt die Gunst der Stunde und springt mitten in die Scherben, um sich über das Spanferkel herzumachen, das den Apfel in seinem Maul vor lauter Schreck quer durch das Zelt gespuckt hat. Er landet in einem weiteren Scheinwerfer, der klirrend zu Bruch geht. Guido hat den Futterlieferanten mittlerweile eingefangen und zerrt ihn am Kragen wieder zurück zum Zelt.

Gleichzeitig nähert sich Kristin im Laufschritt dem Zelt, gefolgt von mehreren Redakteuren und Produktionshelfern, die kaum mit ihr mithalten können. »Haaaaalt!«, brüllt sie und wedelt wild mit den Armen. Ihr Klemmbrett, das sie wie eine Waffe über dem Kopf schwingt, hinterlässt eine weiße Blätterspur. »Alles stehen bleiben! Das sind gar keine echten Polizisten!!! Alle auf Anfang!!!!!«, kreischt sie verzweifelt, aber natürlich hört niemand auf sie. Alles krakeelt weiterhin durcheinander. Willi hat schützend die Arme um Jacqueline Schnieder gelegt, die sich verzweifelt aus seinem Klammergriff zu befreien versucht und wie eine Irre um sich zu schlagen beginnt. Der Ortsvorsteher und der Tierarzt kriechen geduckt auf allen vieren in Richtung Scheune, um sich in Sicherheit zu bringen.

Während Kristin über den Vorhof sprintet, fällt eine kleine transparente Plastiktüte aus ihrer Jackentasche und landet auf dem Kopfsteinpflaster, das im Scheinwerferlicht seit unseren Arbeitseinsätzen sogar leicht glänzt. »Das ist dein Haarspray! Das Beweismittel!«, zischt Steven geistesgegenwärtig. Patsy joggt sofort los, um die kleine Tüte aufzuheben, und kommt dabei nur knapp Eule zuvor, der ebenfalls darauf zugerannt ist. Dann drückt Patsy mir die Tüte in die Hand. »Das ist deine Chance!«, flüstert sie. »Hau ab damit. Lass das Ding verschwinden!«

285

»Hau ab, Mona!«, brüllt jetzt auch Eule. »Sieh zu, dass du hier wegkommst! Nimm die Tüte, und dann ab dafür! Alles andere wird sich klären!«

Sehr witzig, denke ich. Zwei Produktionshelfer kommen von links, zwei von rechts. Panisch sehe ich mich um. Wie soll ich fliehen? Wohin? Und vor allen Dingen: Womit?!

Patsy springt erneut auf mich zu, reißt mir die Tüte wieder aus der Hand und stopft sie mir in meine Jackentasche. »Weg damit, verdammt«, knurrt sie ungeduldig. Im selben Moment stupst mich von hinten jemand an und pustet mir in den Nacken. Es ist Koksnase. Er schnaubt und scharrt mit dem Vorderhuf. Dann wiehert er auffordernd, dreht sich um und trabt erstaunlich flotten Hufes ein paar Meter nach hinten, zum großen Findling.

»Los jetzt!«, zischt Steven.

Die meinen das wirklich ernst, oder? Ich sehe mich hilflos um.

»Mona!!!!«, brüllt Eule erneut, und dann setze ich mich endlich in Bewegung, wie in Trance. Koksnase erwartet mich am Findling. Wat mutt, dat mutt. Ich seufze, immer noch ein wenig unentschieden, aber die Zeit drängt. »Bist du sicher, Koksnase?«, flüstere ich in seine langen Ohren, und Koksnase schnaubt erneut und wirft aufmunternd den Kopf zurück.

»Na, dann mal los, Dicker«, stoße ich hervor. »Aber mach sachte, ich hab seit Jahren nicht mehr auf einem Pferd gesessen.« Dann klettere ich mit wackeligen Beinen auf den Findling, greife tief in Koksnases Mähne, bis ich zwei feste Handvoll starker Haare zu fassen habe, und ziehe mich auf den Pferderücken.

Einen Moment später schaltet Koksnase seinen eingerosteten Turbogang ein und galoppiert vom Hof, während ich vor Schmerz und Überraschung aufschreie. Mein Steißbein. Das wird nie was!

»Scheiße, Mann!«, brüllen wir wie aus einem Mund, als nach Monas plötzlichem Abgang das Fernsehbild verschwindet. Stattdessen erscheint wieder die Tafel, die wir schon von dem Tag kennen, als auf dem Hof das Feuer ausgebrochen ist: *Kurze Unterbrechung. Wir bitten die Störung zu entschuldigen.*

»Verdammt!«, schreie ich, »das können die doch nicht machen!«

»Jetzt sind Eule und Guido geliefert«, mutmaßt Lüttje.

»Und Mona erst recht«, knurrt Susa. »Das war's dann mit ihrer Fernsehkarriere. Hoffentlich kommt sie heile wieder von diesem Gaul runter. Draußen ist es doch stockduster! Kann Mona überhaupt reiten?«

»Ich weiß jedenfalls, dass sie in ihrer Kindheit mal Reitstunden und ein Pflegepferd hatte«, schaltet sich Eske ein. »Wie so Mädchen so sind.«

»Dann gibt es wenigstens Hoffnung, dass sie's überlebt«, seufze ich und sehe auf die Uhr. Es ist Viertel vor neun.

Jetzt verschwindet die Tafel; stattdessen senden sie Werbung. Na großartig. Ich schätze mal, das wird der Werbeblock mit der besten Quote, die es je gab. Die Koteletten treiben mich in den Wahnsinn. Ich kratze mich an der Wange.

»Wir können nichts tun«, sagt Lüttje wie zu sich selbst. »Das ist der Super-GAU! Leute, da findet gerade der Oberhypersuper-GAU statt, und wir können nichts tun. Wie scheiße ist das denn bitte?!«

Wir schweigen betreten. Und schweigen. Und warten. Der Werbeblock ist endlos. Manche Spots laufen jetzt schon zum dritten Mal. Dann erscheint endlich wieder ein redaktionelles Bild.

Das Nachrichtenstudio von TV3 in Köln. Rudi Schlägel, der Anchorman der TV3-News, rückt gerade seine Krawatte zurecht und nickt derweil vor sich hin, einen Zettel in der Hand. »Ach, wir sind schon …«, murmelt er dann, räuspert sich, macht sich gerade und sieht mit dem für ihn typischen, verbindlichen Lächeln in die Kamera. Professionell wie immer. Rudi Schlägel könnte vermutlich auch das baldige Niedergehen einer Atombome verkünden, und die Leute würden sich immer noch sicher fühlen, weil ja nichts Schlimmes sein kann, solange nur Rudi Schlägel so entspannt in seinem Studio sitzt, wie er es nun mal immer tut.

»Sehr verehrte Zuschauer, Sie haben es gesehen, wir haben einige Probleme, die wir aber sicherlich bald in den Griff bekommen«, schnarrt er zuversichtlich.

»Ja klar. Schiebung!«, schreit Rocko. Der muss auch immer dazwischenquatschen. Rudi Schlägel kümmert das nicht.

»Wir zeigen Ihnen deshalb jetzt erst einmal die Zusammenfassung der vergangen Wochen auf dem ›Land und Lust‹-Hof und schalten dann direkt rüber in unser Hamburger Studio, wo wir in etwa einer Dreiviertelstunde hoffentlich alle Kandidaten begrüßen können. Wir arbeiten mit Hochdruck daran, die Situation aufzuklären und Ihnen all Ihre Fragen zu beantworten. Aber jetzt erst einmal – viel Vergnügen mit der Zusammenfassung«, und dann nickt er noch einmal und lächelt sein beruhigendes Rudi-Schlägel-Lächeln, bevor ihn die ersten Bilder der Einspielung überlappen. Alles, als wäre gar nichts passiert.

»Na prima«, maule ich. »Die schaffen es doch immer, sich aus der Affäre zu ziehen! So ein Mist!«

Das Festnetztelefon in der Bar klingelt. Ich sehe auf die Uhr. Kurz nach neun. Das muss Elisa sein! Pünktlich wie die Maurer. Wenigstens *eine*, auf die man sich verlassen kann. Abgesehen von Rudi Schlägel natürlich.

»Elisa?«, rufe ich in den Hörer.

»Sagen Sie mal, was ist denn *da* los?«, entrüstet sich Elisa. »Ihre Freundin hat ja ganz schön Pfeffer unterm Hintern, das muss ich mal sagen. Aber was wollten bitte schön diese Polizisten da? Da ist man ja als Zuschauer völlig durcheinander!«, plappert sie drauflos. Aaaargh.

»Elisa!«, quengele ich drängend. »Können wir uns darüber bitte später unterhalten? Haben die bei Hamburg 1 schon gesagt, wo die Party stattfindet?«

»Ach ja, sicher«, macht Elisa, als würde sie sich erst jetzt wieder an den eigentlichen Grund ihres Anrufes erinnern. »Gesagt nicht, Kindchen. Aber das mussten sie auch nicht. Erkennt man so. Die komische Frau, die da berichtet, steht am Fischmarkt. Vor der Fischauktionshalle.«

Fischauktionshalle! Wunderbar, denke ich. Die ist keine drei Kilometer von hier! Schwein gehabt. Und immerhin stand die Fischauktionshalle auch auf unserer Liste. Aber mir bleibt keine Zeit, mich darüber zu freuen, dass wir mit unseren Vermutungen gar nicht so falschlagen. Mein Handy klingelt.

»Danke, Elisa!«, rufe ich, »ich muss Schluss machen, melde mich später wieder!«, und dann knalle ich den Hörer des Festnetzapparates auf und sprinte an mein Mobiltelefon, das ungeduldig bimmelt und vibriert und dabei munter auf dem Tresen vor sich hin tanzt.

Es ist Eule!

»Eule?«, keuche ich.

»Marnie!«, ruft Eule. »Sind Mags und Eske da?«

»Häää?«, mache ich. »Natürlich sind Mags und Eske da! Aber warum ist das wichtig? Und wo seid ihr überhaupt? Was ist passiert? Geht es euch gut? Wo ist Mona?«

»Wo Mona ist, wissen wir leider nicht«, antwortet Eule. Im Hintergrund sind Fahrgeräusche zu hören. Und ganz entfernt ein paar menschliche Stöhner. Au Backe. Gibt es Verletzte? »Aber die kommt schon durch«, ergänzt Eule. »Uns geht es gut. Wir sind im Polizeiauto!«

Ich atme auf. »Das heißt, ihr konntet abhauen?«

»Nicht nur das«, ruft Eule mit unverkennbarem Stolz in der Stimme. »Wir haben sogar noch ein bisschen Gepäck dabei. Sagen Sie mal guten Tag, Bockelt«, höre ich Eule sagen, dann rauscht es im Hörer, und irgendjemand macht »grmpfffauauauau«. Ich reiße die Augen auf. »Ihr habt Bockelt entführt?!«

»War nicht schwer«, ruft Eule. »Der Hofhund hat uns dabei sehr geholfen. Bockelt hat eine schöne kleine Bisswunde am Hinterteil. Das tut mir soooo leid!«

»Uns auch!«, höre ich zwei weitere Stimmen im Hintergrund.

Ich stutze. »Wen habt ihr denn noch dabei?«, frage ich.

»Na, alle!«, brüllt Eule. »Steven und Patsy de Luxe. Und sogar Jacqueline Schnieder! Aber die liegt im Kofferraum. Passte hier nicht mehr rein. Beim besten Willen nicht.«

»Jacqueline Schnieder liegt im Kofferraum«, wiederhole ich fassungslos. »Sag mal, spinnt ihr?«

»Die *wollte* mit«, protestiert Eule. »Ganz ehrlich! Die hat es provoziert! Die ist total gaga, Mona! Hat sich an den Bockelt geklammert und nur noch geschrien wie am Spieß. Aber ist doch schön, dann haben wir sie alle beisammen. Kann ja nur helfen!«

Manchmal ist Eule mir unheimlich.

»Wie – helfen?«, frage ich perplex. »Wobei?! Was habt ihr vor?«

»Haaargh!«, stößt Eule hervor. »Mann, Marnie, das ist unsere Chance! Wir können das Ganze aufklären! Bockelt wird sicherlich gern zugeben, dass er mit der Produktion von TV3 unter einer Decke steckt. Und zwar vor laufender Kamera. Damit es auch alle mitkriegen. Nicht wahr, Bockelt?«

»Grmpffffffuuuump«, quengelt es wieder aus dem Hintergrund.

»Hast du gehört?«, ruft Eule zufrieden. »Er kann grad nicht richtig sprechen, ich hab ihm den Mund zugeklebt. Aber das kann man dann ja wieder ändern«, ergänzt er.

Ich glaube das alles nicht. »Und wie willst du das anstellen?!«, gebe ich zurück. Langsam wächst mir das hier alles irgendwie ein bisschen über den Kopf. Aber nur ein bisschen. Grrrr.

Die Fahrgeräusche im Hintergrund werden lauter. »Mags und Eske sollen ihre Kontakte spielen lassen!«, brüllt Eule. »Hier, Dingens, über diese Valerie oder wie die heißt. TV3 soll einen Ü-Wagen schicken! Wir verabreden einen Ort, und da machen wir dann Nägel mit Köpfen! Bockelt packt aus, TV3 ist geliefert, Mona ist rehabilitiert. Gut, oder?!«

Hm. »Warum sollen die von TV3 euch für die Aufklärung einen Ü-Wagen schicken, wenn sie sich dadurch selbst reinreiten?«, schreie ich verständnislos. »Das machen die doch nie!!!«

Eule macht daraufhin erst mal eine längere Pause. Hoppsala, denke ich überrascht. »Sag bloß, das hast du übersehen. Zur Abwechslung mal«, füge ich schließlich hinzu, und Eule lässt statt einer Antwort ein langgezogenes Knurren hören.

»Fuck«, sagt er dann laut und deutlich. »Fuck, fuck, fuck. Das habe ich nicht bedacht. Scheiße, Herrgott nochmal, ich kann doch auch nicht an alles denken!«

»Aber ich!«, trumpfe ich auf. »Ich hab eine Idee. Was, wenn ihr wo hinfahrt, wo schon ein Ü-Wagen *ist*?«

»Du meinst in das Studio an der Rothenbaumchaussee?«, fragt Eule zurück. »Vergiss es. Das ist doch das Gleiche in Grün. Die würden uns gar nicht erst reinlassen. Das ist Quatsch!«

»Nein, das meine ich nicht!«, rufe ich aufgeregt. »Fahrt zum Fischmarkt! Am Fischmarkt steht ein Ü-Wagen von Hamburg 1! Hohenfelds Geburtstag! Der findet in der Fischauktionshalle statt, und Hamburg 1 berichtet live!«

»Woher weißt du auf einmal, wo die Party stattfindet?«, fragt Eule verdutzt. »Die Info wollte ich gleich erst noch aus dem Bockelt rauspressen.«

291

Ich grinse. »Tja«, sage ich. »Ein blindes Huhn findet auch mal ein Korn.«

»Gut gemacht«, sagt Eule anerkennend. »Und überhaupt, das ist eine spitzenmäßige Idee! Auf zum Fischmarkt! Guido, wir fahren zum Fischmarkt! Gib Gas, Alter!«

»Fischmarkt?«, höre ich Guido brummeln. »Was soll *das* denn jetzt?«

»Nicht fragen!«, motzt Eule ihn ungeduldig an. »Nicht fragen, Alter! Fahren! Erklär ich dir gleich«, und dann fügt er hinzu, wieder zu mir gewandt: »Aber wir sollten trotzdem wenigstens *versuchen*, TV3 auch einen Wagen schicken zu lassen. Sonst sehen nur die Hamburger das Spektakel. Und das wäre doch schade drum, oder?«

Ich nicke. »Das wäre es«, bestätige ich. »Versuchen kann man's mal. Und vielleicht war Bockelt ja doch im Alleingang unterwegs.«

Eule schnaubt. »Das werden wir sehen. Ich knöpf ihn mir gleich mal in Ruhe vor. Wir haben ja noch ein paar Kilometer vor uns. Gell, Ferfried, alter Quertreiber?«, und obwohl ich es nicht wirklich sehe, kann ich mir genau vorstellen, wie Eule dem hilflosen Bockelt dabei einen Nasenstüber verpasst und ihn süffisant angrinst. Manchmal kann Eule echt fies sein. »Verletz ihn nicht!«, rufe ich für alle Fälle in den Hörer.

»Zu spät«, sagt Eule gespielt bedauernd, »aber das musst du mit Brutus vom Burgbarg klären. Also, wir treffen uns dann am Fischmarkt. Bis später!«

»Bis später«, murmele ich verdattert und lasse das Telefon sinken. Noch bevor ich den anderen auch nur *irgendwas* erklären kann, klingelt es erneut. Diesmal wieder am Festnetzapparat. Waaaaah.

Jesses, ist das dunkel! Ich habe nicht den blassesten Schimmer, wo wir sind. Aber Koksnase setzt zuversichtlich einen Huf vor den anderen und schnaubt ab und zu beruhigend. Zum Glück hat er mittlerweile zwei Gänge runtergeschaltet, und im Schritt ist es fast gemütlich auf seinem breitem Rücken. Jedenfalls kann ich mich ohne Probleme oben halten, was vor ein paar Minuten noch ganz anders ausgesehen hat. Ich habe mich dermaßen festklammern müssen, dass mir jetzt jeder Knochen wehtut. Aber Koksnases Wärme unter meinen Beinen beruhigt mich irgendwie. Er ist so stark und so warm, und ich seufze und lasse mich nach vorne fallen und schlinge meine Arme um seinen Hals.

»Du Guter«, flüstere ich in seine Mähne. »Tapferes Pferdchen. Aber weißt du denn überhaupt, wo wir hinwollen?«

Koksnase schnaubt erneut, und dann wiehert er leise und bleibt stehen.

»Nicht stehen bleiben«, raune ich. »Wir müssen irgendwohin, wo Menschen sind. Licht, verstehst du? Guck, da hinten ist Licht! Geh da hin!« Auffordernd presse ich meine Waden an Koksnases Bauch und schiebe meinen Hintern nach vorn, wie ich es als Kind in der Reitstunde gelernt habe, aber Koksnase bleibt immer noch stehen und wiehert erneut.

»Jetzt geh doch schon«, sage ich verzweifelt, aber Kosknase bewegt sich keinen Fatz. Stattdessen scharrt er mit dem linken Vorderhuf, und zwar so heftig und überraschend, dass ich jetzt doch fast zur Seite von ihm runterkippe.

»Manno«, maule ich. »Was ist denn los?«

Koksnase reagiert nicht, aber er hat beide Ohren aufmerksam nach vorn gerichtet. Dann nickt er mit dem Kopf. Hm. Ich lausche ebenfalls.

»Was hast du?«, flüstere ich, und dann höre ich es. Es quiekt und grunzt, ganz leise, irgendwo vor, hinter oder neben uns; es ist ein Quieken, das ich aus tausend anderen heraushören würde, denn es ist das einzige und wahre Kumpel-Quieken. Kumpel!!!

»Kumpel!!!«, schreie ich und rutsche von Koksnases Rücken herunter. Fast falle ich hintenüber, als ich auf meinen Puddingbeinen lande. »Kumpel, wo bist du?«, rufe ich erneut, lockend und immer wieder, und zentimeterweise arbeite ich mich auf dem Feldweg vorwärts, seitwärts und rückwärts, immer dem Quieken hinterher, bis es ganz dicht neben mir ertönt und ich einen warmen Körper an meinen Händen fühle.

»Kumpel!«, juchze ich und nehme das Ferkel hoch. Kumpel zittert, vor Angst oder vor Kälte, und ich schließe meine Arme um ihn, so gut es bei seiner Körperfülle eben noch geht. »Dass ich dich wiedergefunden habe«, flüstere ich glücklich und drücke meine Nase in seine noch flauschigen Borsten. Kumpel grunzt leise und versteckt seine Steckdose unter meiner Achsel, aber nur, bis ich ihn zu Koksnase gebracht habe. Die beiden Freunde beschnuppern sich glücklich, und nach der ersten Wiedersehensfreude setzt Koksnase sich wie von allein wieder in Bewegung. Mit Kumpel auf dem Arm laufe ich neben ihm her, und so trotten wir gemächlich auf das Licht zu, das uns vom Horizont her entgegenschimmert wie ein rettender Hafen.

»Mamaaaa! Vor unserer Haustür steht Mona Rittner mit einem Pferd und einem Schwein!!!«

Koksnase, Kumpel und ich sind beim Licht angekommen. Es gehört zu einem Gehöft, das fast genauso geschnitten ist wie der »Land und Lust«-Hof. Es ist lediglich um einiges gepflegter, was mich eigentlich glauben gemacht hat, dass ich hier Hilfe bekommen kann. Ich habe an der Haustür geklingelt, wie man das halt so macht, wenn man sich Unterstützung erhofft. Die Haustür hat sich geöffnet, und da stand – die Schülerpraktikantin aus Dr. Buchkrämers Zahnarztpraxis. Ausgerechnet.

Sie hat mich sekundenlang angestarrt wie eine Erscheinung, was ich ihr nicht verdenken kann, denn wer rechnet schon mit so was. Aber dann hat sie mir die Tür vor der Nase wieder zugeknallt, und jetzt höre ich durch das gekippte Fenster neben der Haustür, wie ihre Eltern sie für verrückt erklären.

»Kind, diese Frau verfolgt dich ja wohl«, höre ich ihre Mutter rufen. »Hubert, das Kind sieht zu viel fern. Jetzt steht angeblich Mona Rittner schon vor unserer Tür!«

»Aber wirklich, Mama!«, nölt das Mädchen laut. »Mit einem Pferd und einem Schwein! Guck doch nach, wenn du's nicht glaubst!«

»Ja, bitte«, rufe ich von draußen und drücke erneut auf die Klingel, »bitte gucken Sie nach! Ich brauche Hilfe!«, und dann ist es im Haus erst mal ruhig, bevor ich Schritte höre und schließlich die Haustür erneut aufgerissen wird. Vor mir steht die Mutter des Mädchens; das Mädchen versteckt sich hinter ihr und traut sich kaum mehr, mich anzusehen; und jetzt kommt auch noch Hubert dazu und beäugt mich wie das siebte Weltwunder. Er bekommt vor Schreck einen Schluckauf.

»Guten Abend«, sage ich und versuche ein harmloses Lächeln. »Entschuldigung, aber – aber wir brauchen Hilfe. Dürfte ich mal bitte telefonieren?«

Die Mutter seufzt ergeben. »Klar«, sagt sie, »kommen Sie rein. Aber das Pferd bleibt bitte draußen.«

»Mona!«, brülle ich in den Hörer. »*Wo* bist du?«

»Schrei doch nicht so«, mault Mona. »Ich bin auf einem Bauernhof. Irgendwo in – in – Moment mal«, sagt sie, und ich höre, wie sie im Hintergrund etwas nachfragt.

Ich fasse mir derweil nur noch an den Kopf. Meine Nerven. Die anderen sind zur Salzsäule erstarrt. Niemand bewegt sich. Alle sind ruhig.

»Also, die Adresse ist Haus Nr. 34 in Frohndorf«, sagt Mona. »Es kann nicht weit vom ›Land und Lust‹-Hof sein. Irgendwie erreiche ich Guido nicht. Ist er im Laden? Könnt ihr mich abholen? Ihr müsstet bitte einen Pferdetransporter mitbringen«, fügt sie hinzu. Nee, ist klar.

»Haus Nr. 34 in Frohndorf«, wiederhole ich. »Alles klar. Rühr dich nicht von der Stelle. Eule und Guido sind gleich da«, und dann lege ich auf, um mal wieder das Telefon zu wechseln und nur den Bruchteil einer Minute später erneut Eule am Handy zu haben.

»Ihr müsst einen Umweg machen«, sage ich erschöpft, »fahrt nach Frohndorf, wo auch immer das sein mag. Haus Nr. 34. Mona erwartet euch. Mehr weiß ich auch nicht.«

Zack, Gespräch beendet. Ich kann jetzt schon nicht mehr. Und der Abend hat gerade erst begonnen!

Es dauert eine gefühlte Ewigkeit, bis ich auf dem Hof endlich ein Motorengeräusch höre. In der Zwischenzeit hat mich das Mädchen dermaßen ausgequetscht, dass ich kaum noch sprechen mag. Sie heißt Jule, und sie, Mama und Hubert hängen an meinen Lippen.

Es ist verdammt anstrengend, zumal ich gar nicht weiß, wie viel von der Wahrheit ich erzählen darf, also laviere ich mich so durch das Gespräch und warte auf die Erlösung.

Zum Glück sorgt Kumpel für Abwechslung. Er hat Hunger und auf der Suche nach Fressbarem in der Küche ein bisschen aufgeräumt, während die Familie und ich im Wohnzimmer gesessen haben. Das Chaos ist immens, und Hubert bekommt mal wieder einen Schluckauf. Aber das alles lenkt ein bisschen von mir ab, und ich bin Kumpel sehr dankbar dafür.

Dann kommt endlich die Rettung, in Form eines Streifenwagens, aus dem Eule und Guido steigen, in ihren komischen Uniformen. »Da seid ihr ja!«, schreie ich erleichtert und werfe mich Guido an den Hals, der mich fest an sich drückt. Aber wir haben keine Zeit, unser Wiedersehen ausgiebiger zu feiern, denn jetzt quetschen sich auch noch Steven und Patsy aus dem Auto heraus. Patsy ächzt und schüttelt schwankend ihre Beine aus, während sie gleichzeitig an ihrer völlig plattgedrückten Turmfrisur herumfummelt. »Meine Fresse, ist das eng da drin«, brummt sie. Ich traue meinen Augen nicht.

»Was macht *ihr* denn hier?«, frage ich. Statt einer Antwort brüllt Steven »Und du bleibst da drin!«, während er die Autotür hinter sich ruckartig zuschlägt und dabei fast eine Hand einklemmt, die sich gerade aus der Tür heraustasten will. Als dann auch noch dumpfe Rufe aus dem Heck ertönen und jemand von innen wie von Sinnen gegen den Kofferraumdeckel schlägt, verstehe ich überhaupt nichts mehr. Auch Jule fällt fast in Ohnmacht.

»Erklären wir dir alles gleich«, drängt Eule ungeduldig. »Wir müssen weiter! Wir dürfen keine Zeit verlieren!«

»Ja, nur wie?«, fragt Patsy. »Ganz ehrlich, das Auto ist zu klein. Mona kriegen wir da nicht auch noch mit rein.«

»Und Kumpel und Koksnase«, füge ich hinzu.

»Die können auch erst mal hierbleiben«, bietet Hubert an, aber ich schüttele den Kopf. Das kommt gar nicht in Frage.

Eule rollt mit den Augen. »Wir müssen los«, wiederholt er. »Haben Sie nicht ein größeres Auto, das Sie uns vielleicht leihen könnten?«, fragt er Hubert. »Sie kriegen's unversehrt zurück, versprochen.«

»Das wäre gut«, ergänzt Steven. »In einem geklauten Polizeiauto fallen wir außerdem viel zu sehr auf«, überlegt er. »Wir sollten wirklich in was anderes umsteigen. Sonst ziehen die uns noch aus dem Verkehr, bevor wir überhaupt da sind.«

»Geklautes Polizeiauto?!«, fragt Hubert mit aufgerissenen Augen und hickst schon wieder. Der Schluckauf.

Eule klopft ihm beruhigend auf die Schulter. »Alles wird gut«, sagt er, »das ist schon in Ordnung.«

»Hmmm«, macht Hubert skeptisch, »unser Auto ist in der Werkstatt«, und zuerst halte ich das für eine faule Ausrede, aber jetzt zeigt Hubert auf die leere Garage. Das Tor steht offen, und von einem Auto ist weit und breit keine Spur. »Aber einen Trecker könnt ihr haben. Leider nur ohne Hänger. Oder einen Planwagen«, fügt Hubert hinzu und deutet auf die Scheune.

»Was ist schneller?«, fragt Eule.

Hubert zuckt mit den Schultern und deutet auf Koksnase, der seine Schnauze in einem von Jules Mutter gestifteten Eimer mit Äpfeln versenkt hat. »Das hängt von dem da ab«, sagt er. »Aber im Planwagen hättet ihr wenigstens alle Platz. Das kann man vom Trecker nicht behaupten.«

»Planwagen«, sagen Eule, Steven und Guido wie aus einem Mund, und dann folgen wir Hubert in seine Scheune.

Wenig später steht das geklaute Polizeiauto bei Hubert in der geschlossenen Garage, und Koksnase ist vor eine altertümliche, knarrende Kutsche gespannt, deren Ladefläche ein rundes, leicht flatterndes Dach aus grüner Plastikplane hat. Lediglich die Führerbank ist unbedacht, und auf ihr sitzen Guido und Eule. Auf der Ladefläche haben wir mit Hilfe eines Seiles Ferfried Bockelt und Jacqueline Schnieder Rücken an Rücken aneinandergebunden, und rundherum hocken Steven, Patsy, Kumpel und ich, ebenfalls eng aneinandergedrängt, denn es ist kalt geworden.

Koksnase hingegen läuft sich gerade mal warm. Nach anfänglichen Schwierigkeiten trabt er jetzt tapfer und rhythmisch über den harten Asphalt.

»Laut Navi in meinem Handy brauchen wir bei *der* Geschwindigkeit noch mindestens zwei Stunden!«, brüllt Guido nach hinten.

»Willst du etwa meckern?«, rufe ich zurück. »Koksnase tut, was er kann. Oder, Koksnase? Halt durch, Dicker. Das gibt eine Riesenbelohnung! Träum schon mal von ganzen Containern voller Hafer!«

Koksnase wiehert und wirft herausfordernd den Kopf zurück, und dann zieht er nochmal kräftig an.

In der »parallelwelt« bricht ein Riesentumult aus, als ich den Stand der Dinge zusammenfasse. Alle jubeln und liegen sich in den Armen, aber das halte ich doch für ein wenig verfrüht.

»Heeee!«, brülle ich und fuchtele mit den Armen, so gut es mein knapper Elvis-Anzug zulässt. »Noch ist nichts gewonnen! Überhaupt nichts!«

»Was soll jetzt noch schiefgehen?«, quietscht Eske. »Bockelt kriegt das, was er verdient!«

»Jawoll!«, brüllen Rocko, Thomas und Steueraddi, ballen ihre Fäuste und strecken sie in die Luft.

»Also, erstens«, sage ich und verschränke die Arme vor der Brust,

»erstens sollten wir jetzt mal dafür sorgen, dass das auch jemand mitbekommt.«

»Schon unterwegs. Ich ruf Valerie an«, ruft Eske. »Die kann versuchen, TV3 den Ü-Wagen aus den Rippen zu leiern!«

»Genau. Und zweitens müssen wir jetzt endlich mal los. Höchste Eisenbahn.« Und ich habe keine Lust, am Ende überhaupt nichts in Sachen Hohenfeld und Elvis rauszufinden, nur weil uns Mona und »Land und Lust« mal wieder dazwischenfunken, füge ich in Gedanken hinzu. Es geht jetzt auch mal darum, dass wir uns um das kümmern, was für heute *eigentlich* auf der Agenda steht.

»Also ich bin *hot*«, ruft Thilo und kreist mit den Hüften, und alle lachen.

Ich krame in meiner Tasche, die in der Küche am Haken hängt, und hole den Zweitschlüssel zum Laden heraus. »Zu treuen Händen«, sage ich streng zu Mags. Er nickt pflichtbewusst, während er den Schlüssel entgegennimmt. »Und halt die anderen bitte davon ab, sich hier einfach nur besinnungslos zu betrinken«, füge ich hinzu und deute mit dem Kopf auf Rocko, Thomas, Steueraddi und Manni, die schon geifernd am Tresen sitzen und sich erwartungsfroh die Hände reiben.

»Valerie tut ihr Bestes«, informiert uns im nächsten Moment Eske, die durch den Windfang wieder hereingestürmt kommt. Ihre Tolle wippt. »Aber versprechen kann sie natürlich nichts.«

»Immerhin«, sage ich.

»Übrigens, als ich draußen stand, ist da gerade ein Polizeiwagen vorbeigefahren. Ziemlich langsam«, fügt Eske hinzu. »Und die haben mich ganz schön angeglotzt.«

»Wundert dich das?«, kichert Susa. »In *dem* Aufzug?«, aber ich habe schon begriffen, wie Eske das meint. Oha. Wenn da mal nicht jemand den verschollenen Streifenwagen sucht.

Ich sag's ja, es wird Zeit, dass wir hier wegkommen. Prüfend taste ich unter dem Gürtel nach dem gestohlenen Flyer mit der Einladung. Alles da. Dann werfe ich einen letzten Blick auf die Leinwand. Sie strecken die Zusammenfassung ordentlich, durch massenhaft Werbung und Programmtrailer. Die beste Gelegenheit, sich vom Acker zu machen. Auf geht's!

Die S-Bahn vom Bahnhof Altona zu den Landungsbrücken ist so gut wie leer. Anscheinend hängt die komplette Nation vor den Fernsehern; auch die Bahnhöfe sind wie ausgestorben. Aufgeregt schnatternd fahren wir die beiden Stationen und machen uns dann zu Fuß auf den kurzen Weg zum Fischmarkt.

Hohenfeld und sein Gefolge haben ganze Arbeit geleistet. Vor der Halle ist es hell erleuchtet. Es gibt sogar einen Roten Teppich, und den säumen Dutzende von Fotografen, die wahllos alles ablichten, was ihnen vor die Linse kommt. Sie haben keine andere Möglichkeit, denn fast jeder Gast ist tatsächlich als Elvis verkleidet. Deshalb haben sie vermutlich keine Ahnung, wen sie überhaupt fotografieren, und machen ihr Unwissen durch Quantität wieder wett. Es könnte ihnen ja jemand Wichtiges durch die Lappen gehen.

Etwas weiter hinten steht der Ü-Wagen von Hamburg 1. Ich tippe Susa an, und sie grinst. Aufgeregt reihen wir uns in die Schlange der Gäste ein. Der Andrang ist groß; anscheinend kommen wir genau im richtigen Moment. Die vier Türsteher, die die Einladungen prüfen, sind heillos überfordert. Sie werfen nur einen kurzen Blick auf meinen Flyer, und dann winken sie uns auch schon durch. Zu zehnt! Ich kann unser Glück kaum fassen.

»Das war ja einfach«, raune ich Lüttje zu. »Muss an Bobos Maske liegen«, wispert Lüttje zurück. »Wir sehen echt super aus im Vergleich!«, und da hat sie recht. Die Anzüge der anderen können zwar teilweise durchaus mit unseren mithalten, aber so schöne Tollen und Koteletten hat niemand hingekriegt. Sie sind einfach perfekt. Scheiß aufs Jucken. Ich drehe mich um zu Bobo und hebe den Daumen, und Bobo freut sich und macht dreimal nacheinander »tihi«.

Die Fischauktionshalle ist beeindruckend. Sie ist riesig, und sie ist vor allen Dingen wahnsinnig hoch. »Holla!«, flüstere ich. Die Kulisse ist irre. Nicht nur wegen der ganzen verkleideten Leute, sondern auch wegen der Dekoration.

Überall hat Hohenfeld alte Musikboxen aufstellen lassen. Aus ihnen kommt zwar keine Musik; der DJ steht vorn auf der Bühne und legt stilecht alte, kratzige Vinylplatten auf. Aber die altmodischen Geräte blinken trotzdem auffordernd und tauchen das Geschehen in ein unwirkliches, buntes Licht, das ein bisschen was von einem nächtlichen Vergnügungspark für Erwachsene hat. Die bedienenden Hostessen sind allesamt im Pin-up-Look der Fünfziger gekleidet, mit gerade geschnittenen Ponys, wippenden, hoch angesetzten Pferdeschwänzen, sehr rotem Lippenstift und gepunkteten kurzärmeligen Blusen zu knappen Röcken, die die perfekte Sanduhrform zaubern.

Die nackten Steinwände der Halle hat Hohenfeld mit bunten Tüchern verkleiden lassen, auf denen Elvis' Konterfei abgebildet ist, Standfotos aus seinen vielen Filmen, und sogar die runden Bierdeckel auf den Stehtischen sind dem Motto der Party angepasst. Auf ihnen prangt keine Bierwerbung, sondern auf Vorder- und Rückseite jeweils eine tiefschwarze Schallplatte; eine Single, auf deren rotem Etikett man in der Mitte den jeweiligen Titel eines Elvis-Songs ablesen kann. Auf einigen wenigen Bierdeckeln sind sogar Goldene Schallplatten abgebildet!

»Wow!«, mache ich, als ich einen solchen entdecke und bewundernd in der Hand drehe. »Steck ein«, fordert Eske mich auf. »Die Goldenen, das sind Lose für die Tombola!«, erklärt sie mir auf meinen fragenden Blick hin und weist auf ein Faltblatt, in dem das Programm des Abends steht und für zwei Uhr morgens eine Verlosung angekündigt wird.

Ich stecke den Bierdeckel eifrig hinter meinen Gürtel und nutze den Moment, um einen Blick auf mein Handy zu werfen. Eine SMS von Eule. *Sind mit Mann und Maus auf dem Weg. Vielmehr mit Mona, Pferd und Schwein. Kann noch ein bisschen dauern, aber wir kommen alle zusammen. Geduld.* Mit Pferd und Schwein?! Das sind ja erst mal gute Neuigkeiten, denke ich. Das Ferkel lebt! Die »Operation Spanferkel« ist geglückt!

»Super«, strahlt Lüttje, als ich sie darüber informiere. »Immerhin etwas!«

Ich nicke; dann winke ich die anderen zusammen, und wir steuern den erstbesten Tresen an, um uns zu sammeln und dann einen Schlachtplan zu entwerfen.

Wir werden uns trennen müssen, um in diesem Gewühl den Gastgeber auszumachen. Es ist mittlerweile so voll, dass man sich vorsichtig einen Weg durch die Menge bahnen muss. Hoffentlich erkennen wir Hohenfeld überhaupt. Denn oberflächlich betrachtet sieht hier ein Elvis aus wie der andere, und das letzte Foto von Hohenfeld, das ich gesehen habe, ist etwa fünf Jahre alt.

»Zur Not müssen wir uns halt durchfragen«, sagt Eske seufzend.

»Ob das so gut kommt?«, frage ich zweifelnd, »auf einer Party zu fragen, wer denn überhaupt der Gastgeber ist? Ich weiß ja nicht.« Angestrengt lasse ich meinen Blick durch den Raum schweifen. Dann bleibt er plötzlich an jemandem hängen, der mir bekannt vorkommt, weil er nämlich aussieht wie immer.

Es ist Igor der Schreckliche. Er ist nicht verkleidet, sondern ganz normal angezogen, mit einer Lederjacke über den breiten Schultern, und er steht mit verschränkten Armen hinten an einem anderen Tresen und beobachtet das Treiben um sich herum mehr gelangweilt denn erfreut. »Ha!«, knurre ich. »Dann muss der uns halt helfen«, sage ich zu Lüttje, und dann ziehe ich sie bestimmt in Igors Richtung. Wir schaffen das schon.

303

Hinten auf dem Planwagen wird es immer kälter. Schon bald krabbele ich nach vorn, um mich an Guido zu wärmen und vor allen Dingen auch, um zu erfragen, was in der Zeit meiner Abwesenheit alles passiert ist. Holprig versuchen Guido und Eule mir die Ereignisse der vergangenen Wochen zu erklären, und ich steige irgendwann überhaupt nicht mehr durch.

»Moment, Moment«, sage ich verwirrt. Das klingt mir doch alles ziemlich wild. »Ich fasse mal zusammen. Also, der marmorne Elvis ist immer noch weg, und vermutlich hat ausgerechnet Kiezkönig Hasso Hohenfeld mit seinem Verschwinden zu tun. Die ›parallelwelt‹ war mal ein Puff, in dem vielleicht Elvis Presley höchstpersönlich schon mal zu Gast war. Und heute Abend sprengen Marnie und Co. mal kurz eben Hohenfelds Geburtstagsparty in der Fischauktionshalle, um an Informationen zu kommen. Ist das so weit richtig?«

Eule und Guido nicken, ohne ein Wort zu sagen. Ja klar, denke ich, warum nicht. Klingt doch alles ganz logisch. Ich schnaube ungläubig und rolle mit den Augen.

»Gut«, seufze ich dann, »weiter im Text. Man hat versucht, mir eine Affäre mit Steven Dong anzuhängen und mich überhaupt so schlecht wie möglich darzustellen. Der Futterlieferant ist gar kein Futterlieferant, sondern ein Reporter von der ›Boulevard‹, und er heißt auch nicht Fritz Behrens, sondern Ferfried Bockelt. Bockelt ist auf dieser Welle mitgeritten und hat alles dafür getan, dass ich nach außen hin dastehe wie die letzte Tröte. Er steckt vermutlich mit der Produktion von ›Land und Lust‹ unter einer Decke und kann sich nichts Schöneres vorstellen, als mich der Brandstiftung zu überführen. TV3 unterstützt all das, weil sie mich möglichst schnell

304

als Moderatorin von ›Renovieren Um Vier‹ loswerden wollen. Jacqueline Schnieder hingegen wurde die ganze Zeit bevorzugt behandelt, weil sie die neue Wunschkandidatin für den Job ist. Auch richtig?«

Eule und Guido nicken wieder.

So weit, so gut, denke ich. Das mit Jacqueline Schnieder ist mir ja genaugenommen so neu nicht. Jedenfalls von der groben Richtung her. Aber dass TV3 dafür zu so unlauteren Mitteln greift, das scheint mir doch etwas übertrieben.

Ich meine, ich habe einen ganz normalen *Vertrag* mit denen. Den verlängert man eben nicht, oder man kündigt ihn gleich, und dann hat sich das Problem erledigt. Warum also sollte der Sender ein solches Risiko eingehen und dermaßen schummeln? Und mit einer so skandalträchtigen Kamikaze-Aktion Gefahr laufen, seinen Ruf für immer und ewig zu ruinieren?!

Skeptisch sehe ich Eule und Guido an und lächele milde. Wenigstens haben sie Phantasie, die zwei. Auch was wert.

»Na gut. Dann kommen wir also jetzt zum Höhepunkt«, fahre ich trocken fort. »Ihr wollt Bockelt und TV3 jetzt dieser Vergehen überführen und habt mal kurz eben einen Ü-Wagen zum Fischmarkt bestellt, damit wir da gleich alles auf einen Abwasch erledigen können. Hinterher kann man ja auf Hohenfelds Party noch schön einen zusammen trinken. Und gleichzeitig sucht die Polizei schon nach euch, weil ihr nämlich die Uniformen und den Streifenwagen schlichtweg geklaut habt. Korrekt?«

»Korrekt«, sagt Eule zufrieden.

»Bis auf eine Kleinigkeit«, berichtet Guido, »selbst wenn TV3 keinen Ü-Wagen schicken sollte, am Fischmarkt steht schon einer. Von Hamburg 1.«

»Halleluja. Ihr spinnt doch«, stelle ich fest. »Ganz ehrlich, ihr habt einen Knall.«

»Na, wenn du meinst«, sagt Eule gelassen und zuckt mit den Schultern. »Aber frag doch einfach Bockelt, wenn du's nicht glaubst. Los! Frag ihn schon!«

Knurrend klettere ich wieder nach hinten. Bockelt quengelt eh schon die ganze Zeit ohne Unterlass, so gut es der Klebestreifen auf seinem Mund zulässt, während Jacqueline Schnieder alles bis auf das Atmen eingestellt hat. Sie rührt sich nicht mehr und schluchzt lediglich von Zeit zu Zeit vor sich hin.

Ich baue mich vor Bockelt auf und reiße ihm ruckartig das Klebeband vom Mund. »So, Herr Behrens oder Bockelt oder wie auch immer Sie heißen«, sage ich zu ihm, »jetzt unterhalten wir uns mal.«

»Na endlich«, sagt Bockelt. »Ich dachte schon, Sie wollen nie wissen, was Sie für feine Freunde haben.«

»Wie meinen Sie das?«, fauche ich.

Bockelt grinst mich an. »Machen Sie mich los, dann zeig ich's Ihnen.«

Böse funkele ich ihn an. »Das kommt gar nicht in Frage«, sage ich. »Das ist ja wohl der billigste Trick überhaupt.«

Bockelt seufzt. »Wie Sie meinen«, sagt er. »Aber geht auch so. Dann fassen Sie doch mal in meine linke Jackettasche.«

Ich zögere. »Na los, machen Sie schon«, drängt Bockelt. »Keine Angst, da ist nur ein Telefon drin. So ein Gerät kennen Sie ja wohl. Oder glauben Sie, ich hätte eine Mausefalle da drin? Haha!«

Haha, sehr witzig.

Entschlossen fasse ich in Bockelts Tasche und bekomme tatsächlich ein Handy zu fassen.

»Telefonbuch«, diktiert Bockelt gelangweilt, und ich drücke die entsprechende Taste. »Mailbox«, fährt Bockelt fort, und ich drücke auf »Mailbox«.

»Und jetzt: zuhören«, befiehlt Bockelt barsch, also hebe ich das Telefon an mein Ohr und höre zu.

»Sie haben *eine* gespeicherte Sprachnachricht«, schnarrt die automatische Frau, die in der Mailbox sitzt, und dann höre ich Marnies Stimme.

»Hallo, Herr Bockelt«, sagt Marnie. »Marnie Hilchenbach hier. Mona Rittners Partnerin aus der ›parallelwelt‹. Ich habe da ein paar Infos für Sie über Mona, die Sie interessieren dürften. Intime Infos, falls Sie wissen, was ich meine. Rufen Sie mich doch mal zurück«, und dann nennt Marnie noch ihre Handynummer.

Fassungslos lasse ich das Handy sinken.

»Na?«, sagt Bockelt süffisant, »habe ich zu viel versprochen?«

Ich fixiere ihn aus zusammengekniffenen Augen.

Ich glaube das nicht. Das kann nicht sein, oder? Würde Marnie mich so verraten? Nur, weil wir uns im Streit getrennt haben? Nein, das kann nicht sein. Habe ich mich so in ihr getäuscht? Kann man sich wirklich so in jemandem täuschen? Ich schlucke.

»Lass dich doch von dem nicht verarschen«, ruft Patsy. »Das ist 'ne ganz fiese Socke!«

»Ich glaube, Frau Rittner kann sich ihre Meinung selbst bilden«, sagt Ferfried Bockelt genüsslich. »Nicht wahr, Frau Rittner? Das können Sie doch.«

Jacqueline Schnieder starrt mich aus aufgerissenen Augen an und macht durch ihr Klebeband komische Geräusche. Die hat mir jetzt gerade noch gefehlt. Ich ignoriere sie.

»Frau Rittner«, sagt Bockelt, »jetzt gehen wir doch mal mit Verstand an die Sache ran.«

Mit Verstand, nee, ist richtig. Ich glaube, so etwas wie Verstand habe ich gerade gar nicht mehr. In mir drin schlägt es Purzelbäume.

»Ich schlage Ihnen einen Deal vor«, fährt Bockelt ruhig fort. »Sie vergessen das hier alles und lassen mich laufen. Setzen Sie mich einfach an der nächsten Ecke ab. Wir tun so, als wäre gar nichts passiert.

Oder wir denken uns etwas Lustiges aus. Und dafür rücke ich in der ›Boulevard‹ Ihr angekratztes Image wieder zurecht.«

Ich starre Bockelt weiter an. Patsy hat recht, er ist eine fiese Socke. Und feige noch dazu.

»In einer ganzen Serie, wenn Sie wollen«, beeilt er sich hinzuzufügen. »Sie kriegen so fette Promo, danach nimmt Sie jeder Sender mit Kusshand. Geben Sie sich doch nicht mehr mit den Nieten von TV3 ab. Sie sehen ja, wie die ihre Leute behandeln. Fangen Sie neu an! Ich helfe Ihnen dabei.«

Bockelt sieht mich auffordernd an. »Und wenn Sie wollen«, ergänzt er dann noch, »wenn Sie wollen, dann können wir auch Ihre Teilhaberin unschädlich machen. Das geht ganz schnell, glauben Sie mir. Dann sind Sie sie los, die treulose Tomate. Ich habe die Kontakte. Vertrauen Sie mir!«

»Mpfpfpfffmmmmm!«, macht Jacqueline Schnieder und ruckelt unruhig hin und her. »Schschsch«, herrsche ich sie an. Dann sehe ich Bockelt so verächtlich an, wie ich nur kann, und pfeffere sein Handy in hohem Bogen vom Planwagen. So. Weg damit. Es landet irgendwo in den Büschen am Wegesrand. Bockelts Gesicht friert ein. Er verzieht keine Miene mehr und sitzt da wie versteinert.

»Wissen Sie was, Bockelt?«, sage ich dann zu ihm. »Sie können mich mal. Einen Teufel werde ich tun. Wir werden das alles schön vor Ort klären. Und zwar gemeinsam mit TV3.« Und mit Marnie, ergänze ich in Gedanken. Vor allen Dingen mit Marnie. »Merken Sie sich das. Und jetzt tschüs«, pflaume ich ihn an und pappe ihm seinen Klebestreifen wieder auf das elende Schandmaul.

»Bravo!«, ruft Steven, und Patsy applaudiert. Hoffentlich sind wir bald da. Kann man's schon sehen?

»Hallo, Igor«, rufe ich und winke Igor entgegen. Er blickt mich überrascht an. »Ich bin's«, sage ich, »Marnie. Wir haben uns neulich in der ›Luke‹ getroffen, weißt du noch? Die Freundin von Mona. Und von Patsy«, fällt mir noch ein, und Igor verzieht nach dem ersten Schreckmoment den Mund zu einem breiten Grinsen. Du liebe Güte, sogar die Zähne sind an diesem Typen eine Nummer größer als bei anderen. Erst recht, wenn sie von der Seite auch noch mit gelbrotem Licht angestrahlt werden.

»Aaaah! Du auch hierrrr!«, schnarrt Igor. »Du auch Frrreundin von Hohenfeld! Hättest du sagen können!«

»Äh ja«, murmele ich. »Das hier ist meine Freundin Lüttje«, lenke ich dann schnell ab. »Lüttje, das ist Igor!«

»Hallo«, sagt Lüttje schüchtern und sieht Igor von unten nach oben an. Sie geht ihm etwa bis zum Bauchnabel, und Igor lacht schallend.

»Lütja!«, ruft er, und dann bückt er sich leicht und hebt Lüttje einfach hoch, bis sie sich mit Igor auf Augenhöhe befindet. »Hallo, Lütja!«, wiederholt Igor, wobei er das »H« im »Hallo« mehr so als ein »Ch« tief unten aus dem Rachen herausrollen lässt, und Lüttje lächelt verwirrt, bevor Igor sie wieder runterlässt und sie auf den Boden aufsetzt.

»Herrje«, murmelt Lüttje und reibt sich die Hüfte, »was ist das denn für ein Tier?!«

»Der ist harmlos«, flüstere ich zurück, »jedenfalls wenn man ihn nicht reizt. Er arbeitet für Hohenfeld.«

»So sieht er auch aus«, gibt Lüttje zurück und grinst im selben Moment Igor an, als wäre nichts gewesen.

»Und?«, frage ich Igor, »feierst du heute auch ein bisschen mit?«

»Haaa!«, sagt Igor, »nix feiern. Paasse ich aaauf!« Er deutet hinter sich, auf den Tresen, an dem als einzigem in der ganzen Halle noch nicht ausgeschenkt wird. Er ist verwaist und noch dunkel, lediglich an ein paar Kartons auf der Bar kann man erkennen, dass er wohl später noch in Betrieb genommen werden soll, und er ist mit einem großen Tuch verhangen.

»Was gibt's da später, dass man das bewachen muss?«, frage ich amüsiert, »Hummer und Schampus?«

»Nix Chuuummmär«, schüttelt Igor den Kopf. »Kuuunst. Ist Träsen Kunstwärk. Guckst du hier, aber verrate nicht«, sagt er und hebt das Tuch leicht an, nachdem er sich vergewissert hat, dass uns gerade niemand beobachtet.

Kunst? Der Tresen ist aus massivem grauen Stein, ja, und es war sicher nicht leicht, ihn hier reinzuschleppen; aber ist er deshalb Kunst?!

»Aha«, murmele ich, »ja, schön.«

»Ganz schön groß, das Ding«, plappert Lüttje, die in der Zwischenzeit um Igor herumgegangen ist. »Darf ich auch mal?«, fragt sie und hebt, ohne eine Antwort abzuwarten, ebenfalls das Tuch an. Im selben Moment entfährt ihr ein kleiner spitzer Schrei. Ich beuge mich um Igor herum, um zu sehen, was sie so erschreckt hat, aber Igor ist eindeutig zu breit. Ich kann nichts sehen, zumal Lüttje das Tuch auch schon wieder losgelassen hat und jetzt neben Igor steht.

»Was ist?«, frage ich erstaunt. Lüttje schüttelt nur abwehrend den Kopf und vertröstet mich mit einer Handbewegung auf später, aber ihr Gesicht spricht Bände. Was ist denn los? Hat sie ein Gespenst gesehen?

»Also ich b-brauche dringend was zu trinken«, sagt Lüttje mit leicht zitternder Stimme. »Komm, Marnie, wir holen uns was.«

»Gute Idee«, beeile ich mich zu sagen. »Igor, sollen wir dir was mitbringen?«

»Gärne«, nickt Igor. »Ein Collla, aberrr laiiit.«

»Cola light?«, pruste ich, und Igor sieht mich strafend an und auch ein bisschen unglücklich.

»Soll's nicht doch lieber ein Bier sein?«, frage ich vorsichtig.

»Trrinke ich kein Alkohol«, erklärt Igor finster. »Außerrr mit Chhaselnuss. Aberrrr gibt hier nicht, und muss ich aufpassen.«

»Ist schon recht«, griene ich, »Cola light, wird gemacht«, aber das hört Igor wohl kaum noch, denn Lüttje zieht mich schon zum nächsten belebten Tresen. Kurz vorher stoppt sie abrupt ab, dreht sich zu mir um und fasst mich an beiden Händen.

»Marnie«, sagt sie mit Grabesstimme, »du musst jetzt ganz stark sein.«

»Ja, ja«, erwidere ich amüsiert. »Bin ich doch immer. Weißt du doch. Sag an. Was ist denn los?«

Lüttje holt Luft. »Unter dem Tuch bei Igor ist der marmorne Elvis«, sagt sie dann knapp. »Er ist in den Steintresen eingelassen.«

Ich höre zwar, was sie sagt, aber ich verstehe es nicht. Das Blut rauscht in meinen Ohren. »Hä?!«, antworte ich also nur.

»Nochmal«, sagt Lüttje geduldig. »Also: Unter dem Tuch ist der marmorne Elvis eingemauert«, wiederholt sie, sehr langsam und sehr deutlich.

Ich bin mir trotzdem noch immer nicht im Klaren darüber, ob die Message bei mir angekommen ist. Ich schüttele den Kopf, als könnte ich dadurch in meinem Hirn die Dinge wieder an ihren Platz rücken.

»Hast du gehört, Marnie?«, flüstert Lüttje. »Euer-Elvis-ist-da-drüben-eingemauert!«

»B-bist du sicher?«, stottere ich, und Lüttje nickt. »Ich bin doch nicht bescheuert. Den Unterschied zwischen beleuchtetem Marmor und grauem Stein kriege ich gerade noch so hin«, murmelt sie. »Sieht übrigens richtig scheiße aus, das Ding in grauem Stein. Das geht *gar* nicht.«

Ich stehe einfach nur da und lasse die Arme hängen. Ich verstehe nicht ganz.

»Wenn du genau hinguckst«, fährt Lüttje fort, »dann kannst du den leichten Lichtschimmer durch das Tuch sogar sehen. Dreh dich mal um. Dreh dich um!«

Ich tue wie geheißen und kneife die Augen zusammen. Lüttje hat recht.

Auf den ersten Blick sieht es so aus, als käme der Lichtschein auf dem hinteren Tuchteil über dem Steintresen von einem der vielen in den Boden eingelassenen Strahler. Aber wenn man genau hinsieht, dann kann man erkennen, dass das Licht falsch fällt. Und die falsche Farbe hat. Es ist orange statt weiß, und es kommt von *unter dem Tuch*. Nicht vom Boden.

»Aber das kann doch nicht sein«, flüstere ich. »Das würde ja bedeuten, dass Hohenfeld selbst –«

»Das würde es wohl«, nickt Lüttje. »Und das bedeutet auch, dass wir uns hier ganz schön weit aus dem Fenster gelehnt haben. Wenn der spitzkriegt, dass ausgerechnet *wir* hier auf der Party sind ... ein Hieb von Igor, und das war's für uns. Wir sollten abhauen, Marnie, und zur Polizei gehen«, sagt Lüttje beschwörend. Sie sieht sich nervös um.

»Kommt gar nicht in Frage«, sage ich schnell. »Lüttje, das kommt nicht in die Tüte. Ich werde diese Party nicht verlassen, ohne das geklärt zu haben.«

»Aber wie willst du das denn klären?!«, kiekst Lüttje verzweifelt. »Willst du einfach auf den Hohenfeld zugehen und sagen, hey, sorry, Mann, aber ich glaube, Sie haben was, was mir gehört, können Sie's mir bitte einpacken, und dann bin ich auch schon wieder weg?«

Ich überlege. Nein, das ist nicht wirklich eine realistische Variante, das stimmt. Aber ich glaube, realistische Varianten scheiden sowieso aus. Jetzt muss man zu anderen Mitteln greifen.

»Besondere Situationen erfordern besondere Maßnahmen«, knurre ich, und dann bin ich es, die Lüttje bei der Hand nimmt und wegzieht. Wo ist hier das nächste Klo? Wir brauchen Ruhe. Ich muss telefonieren. Mal wieder.

Als Erstes rufe ich in der »parallelwelt« an. »Mags«, sage ich, »frag jetzt nicht, warum, aber bitte schick Berit und Bernd los zu uns, zum Fischmarkt. Sie sollen eine Flasche mitbringen. Sie steht hinten im Regal, und sie hat eine Kordel um den Bauch. Es ist ein Haselnusslikör. Wir brauchen sie hier, und zwar dalli.«

»Was ist los«, sagt Mags, »braucht ihr noch schnell ein Gastgeschenk?« Er kichert. »Wie läuft's denn? Gibt's was Neues?«

»Mags, für Erklärungen ist jetzt keine Zeit«, rufe ich genervt. »Bitte guck nach, ob die Flasche da ist, ja? Mach schon!«

»Jawoll, Chefin«, murmelt Mags, und ich trommele ungeduldig mit den Fingern auf dem Papierspender herum. Papier ist schon aus. Es ist wirklich voll hier. Die Party ist in vollem Gange.

»Gerade noch rechtzeitig«, vermeldet Mags. »Hab die Flasche gesichert. Rocko wollte gerade probetrinken.«

Ich verdrehe die Augen. »Gut«, sage ich. »Ich treffe Berit und Bernd gleich draußen. Sie sollen kurz durchrufen, wenn sie da sind, ja?«

»Aye, aye, Ma'am«, sagt Mags, und ich drücke ihn weg. Nächster Anruf. Jetzt müssen starke Handwerker her.

»Seppl?«, brülle ich. »Wo bist du?«

»Wo soll ich wohl sein?«, brummt er zurück. »Vor'm Fernseher natürlich! Wo steckt Mona, verdammt? Habt ihr was von ihr gehört? Die bei TV3 drehen auch langsam am Rad! Im Studio sitzen nur die drei Deppen vom Hof und sonst gar niemand, und sie labern alle nur belanglose Scheiße. Wo sind die anderen denn alle?!«

Die drei Deppen vom Hof?! Ach so, Clara Herzig vermutlich und ihr Otto. Und Willi.

»Seppl«, rufe ich, »lass bitte den Fernseher Fernseher sein. Trommel die anderen Handwerkerjungs zusammen und packt eure Steinsägen ein. Aber hopplahopp. Dann kommt zur Fischauktionshalle und ruft mich an, wenn ihr dort seid.«

»Aber dann verpassen wir hier doch das Beste!«, protestiert Seppl.

Ich stöhne auf. »Seppl!!!!!«, kreische ich. »Seppl, ihr werdet gebraucht. Mona kommt gleich auch hierher. Sie ist schon auf dem Weg, mit den anderen. Und ich verspreche euch, wenn ihr euch nicht sofort auf die Socken macht, dann werdet ihr endgültig gefeuert, von Mona höchstpersönlich. Verstanden?!«

Seppl grummelt verständnislos vor sich hin. Ich schlage einen versöhnlicheren Ton ein. »Und ich verspreche euch«, gurre ich, »ihr kriegt das Finale hier auch mit. Vor Ort, live und in Farbe. Großes Indianerehrenwort. Ihr kapiert das vielleicht jetzt nicht, aber es ist so. Ehrlich. Und ›Renovieren Um Vier‹ rettet ihr damit vielleicht auch.«

Seppl sagt nichts. Jetzt flippe ich aber gleich aus. »Jetzt bewegt schon euren Arsch hierher!!!!!«, brülle ich, und die Klofrau, die gerade das Papier nachfüllen will, zuckt erschrocken zusammen.

»Een Umjangston is det heutzutaje«, murmelt sie und schüttelt den Kopf.

»Ist nicht ihr Tag heute«, sagt Lüttje, die mich mit offenem Mund beobachtet hat, entschuldigend zur Klofrau und legt ihr für alle Fälle ein 2-Euro-Stück auf den Teller.

»Ich werde sehen, was sich machen lässt«, sagt Seppl am anderen Ende endlich, und ich antworte nur knapp »und zieht euch eure Blaumänner an!« und drücke den roten Knopf.

Weiter im Text. Ich stürze vom Waschraum in den Gang mit den Toilettenkabinen und grase eine nach der anderen ab; erst die freien, dann die, die nach und nach frei werden, bis ich gefunden habe, was ich suche: eine Kabine mit einem Fenster. Es ist die ganz hinten links. Dann schnappe ich mir die Klofrau und fasse sie an den Schultern.

»Instruktion vom Gastgeber«, sage ich streng zu ihr, »für die Überraschung um Mitternacht, Sie wissen schon. Irgendwann innerhalb der nächsten Stunde werden in der Kabine da hinten von außen ein Haufen Leute ans Fenster klopfen. Als Handwerker verkleidet. Sie werden schweres Gerät dabeihaben, und Sie lassen sie rein. Verstanden?«

Die Klofrau mustert mich, ohne ein Wort zu sagen.

»Bitte«, ergänzt Lüttje. Die Klofrau seufzt.

»Bitte, bitte«, sagt Lüttje.

Keine Reaktion.

»Bitte, bitte, bitte«, sagt Lüttje und legt einen Zwanzig-Euro-Schein auf ihren Teller.

»Meinetwejen«, macht die Klofrau und steckt den Schein in ihren Kittel.

Ich kann es mir nicht verkneifen. »Een Jeschäftsjebaren is det heutzutage«, stichele ich, und dann ziehe ich Lüttje wieder ins Partygewühl.

Wir machen uns auf die Suche nach den anderen, aber die Einzigen, denen wir auf unserem ersten Rundgang begegnen, sind Tick, Trick und Track, und die sind bereits schwer angetrunken. Thilo hat sogar schon eine Kotelette verloren. Beziehungsweise fast; sie baumelt ihm neben dem Ohr und tropft vor sich hin, weil sie soeben beim Trinken in seinem Bier gelandet ist.

»Nee, Hohenfeld haben wir nicht gesehen. Aber wenn ich's nicht besser wüsste«, sagt Tim schwerfällig, »wenn ich's nicht besser wüsste und nicht so angeschickert wäre, dann würde ich ja glatt behaupten, dass da hinten eben Benita gestanden hätte.«

»Ich auch«, bestätigt Tom und nickt.

»Benita?!«, wiederholen Lüttje und ich und tauschen einen schnellen Blick. Lüttje sieht genauso verwirrt aus, wie ich mich fühle. Das wird ja immer bunter hier.

Mein Handy klingelt. Berit und Bernd.

»Wir treffen uns vorm roten Teppich!«, rufe ich ins Telefon, und fünf Minuten später habe ich die Flasche mit dem Haselnusslikör in der Hand und versuche, sie im Ausschnitt des Elvis-Anzugs zu verstecken.

»Das geht nicht, Marnie«, raunt Berit. »Das fällt zu sehr auf. Mit der Flasche lassen die dich da nicht wieder rein. Was willst du überhaupt damit?«

Ich stöhne auf und sehe ratlos an mir herunter. Wohin zum Teufel mit der Flasche, wohin damit? Ha! Ideen muss der Mensch haben.

»Gebt mir mal bitte Deckung«, sage ich, und Berit und Bernd sind auf Zack und stellen sich Arm in Arm vor mich, sodass die Türsteher mich nicht sehen können. Ich bücke mich und schiebe die Flasche unter dem viel zu weiten Hosenbein in den Stiefelschaft. Super. Eng zwar, aber passt.

»Danke«, ächze ich, als ich wieder hochkomme, »und jetzt: Ablenkungsmanöver«, verkünde ich und ziehe die beiden an der Hand zur Eingangstür. Die Schlange hat sich aufgelöst, und die Türsteher haben jetzt mehr Zeit. Ich wedele erneut mit der Einladung. »Dürfen meine beiden Freunde auch mit rein?«, frage ich, aber der Türsteher schüttelt den Kopf. »Ohne Kostüm nicht«, sagt er bedauernd. »Tut mir leid.«

Ich drehe mich zu Berit und Bernd um und zucke mit den Schultern. »Sorry, ihr zwei«, murmele ich, und dann winke ich einmal kurz und schlüpfe kurzerhand wieder zurück in die Halle, während Berit und Bernd mir fassungslos hinterherstarren. Sie werden es schon verstehen, wenn ich es ihnen später erkläre.

Ich greife mir drei leere Bierbecher von einem der Stehtische und mache mich direkt auf den Weg zu Igor, wo Lüttje schon auf mich wartet. Igor macht große Augen, als ich so unauffällig wie möglich die Flasche aus dem Stiefel ziehe und einschenke.

»Sollst auch nicht leben wie'n Hund«, grinse ich Igor verschwörerisch an, und er lacht und haut mir auf die Schulter, bevor er den Becher ansetzt.

»Übrigens«, sage ich zu ihm, »ich habe gehört, dass die Kandidaten von ›Land und Lust‹ nach dem Finale noch hierherkommen. Mona und Patsy«, spiele ich meinen größten Trumpf aus.

Igor verschluckt sich an seinem Likör. »Patsy!«, wiederholt er ehrfürchtig. »Patsy hieerrrher?!« Ich nicke stolz. »Ja«, sage ich, »ich habe ihr schon von dir erzählt. Sie freut sich sehr darauf, dich kennenzulernen!«, und Igor geht vor Aufregung fast in die Knie. »Prost, Igor«, sage ich, lächele ihm zu und stoße mit ihm an. Igor trinkt seinen vollen Becher in einem Rutsch leer. So ist es recht. Und gleich nochmal nachgeschenkt.

Ich sehe auf die Uhr. Verdammt, schon kurz nach halb zwölf. Langsam wird es Zeit, dass die anderen hier anrollen. Wo bleiben die bloß?!

»Marnie?«, brüllt Eule in sein Handy. »Ja, wir sind unterwegs! Ja, halbe Stunde etwa. Wir sind gleich beim Alten Elbtunnel. – Entschuldige mal, aber schneller geht's nun mal nicht mit nur einer Pferdestärke!«

Eule stöhnt und lässt sein Telefon sinken. »Wir können doch nicht fliegen«, brummelt er, und ich seufze. Koksnase ist mittlerweile müde geworden. Sehr müde. An Traben ist nicht mehr zu denken; im langsamen Schritt und mit gesenktem Kopf zieht er uns mühsam durch das dunkle Gelände des Freihafens. Ich klettere vom Wagen, was bei unserer Geschwindigkeit nicht weiter schwer ist, und laufe zu ihm nach vorn.

»Komm schon, Süßer«, rede ich ihm gut zu und klopfe ihm aufmunternd den Hals, »du schaffst das. Noch ein paar Kilometer, dann sind wir da, hörst du?«

Koksnase schnaubt erschöpft. Oje, der Arme ist völlig im Eimer. Irre ich mich, oder lahmt er?

»Halt durch«, flüstere ich ihm ins lange Ohr, »halt durch. Guck, da vorne ist schon der Alte Elbtunnel! Und da wirst *du* gleich gefahren. Das wird toll!«

Leider teilt Koksnase diese Meinung nicht.

Es kostet uns einiges an Überzeugungskraft, den wachhabenden Beamten dazu zu bringen, unsere ungewöhnliche Reisegruppe überhaupt in den Aufzug zu lassen. Er findet in seiner Gebührenordnung einfach keinen Posten für »Kutsche« oder »Planwagen«, und so zahlen wir nach einigem Hin und Her schließlich für einen Lkw. Leider weigert sich Koksnase, die Kabine zu betreten. Er hat Angst. Er hat Angst und stemmt alle vier Hufe fest auf den Boden, egal, wie gut ich ihm zurede oder an ihm ziehe.

»Pferdchen«, jammere ich verzweifelt, »großes kleines tapferes Pferdchen, das kannst du uns doch jetzt nicht antun. Guck, das ist doch gar nicht schlimm. Das ist wie so ein Aufzug, der bringt uns unter die Elbe, da laufen wir dann durch, das ist auch schön sauber da im Tunnel und schön erleuchtet, ganz hell ist es da, und am anderen Ende geht es einfach wieder hoch. Das haben schon Hunderttausende von Pferden vor dir auch gemacht. Früher. Lass uns bitte nicht im Stich!«

Aber Koksnase versteht nicht, oder er will nicht verstehen. Er ist kaputt, und er bockt. Was jetzt?

»Er will nicht«, sage ich verzweifelt und gehe hinten zur Ladefläche. »Kennt jemand von euch noch einen Trick?«

Steven und Patsy schütteln ratlos den Kopf, und auch Eule und Guido fällt nichts Besseres ein als ein resigniertes »schieben, vielleicht?«. Nur Kumpel erhebt sich, schüttelt sich kräftig und legt den Kopf schief. Dann trappselt er auf mich zu, sieht mich herausfordernd an und quiekt laut. Ich brauche einen Moment, bis ich begreife, aber dann schnappe ich mir das Schweinchen und trage ihn an Koksnase vorbei in die Liftkabine, wo ich ihn auf dem Boden absetze.

Kumpel dreht sich um und grunzt laut, und dann läuft er ein paar Schritte in die Kabine hinein, bevor er sich wieder umdreht. Und noch einmal. Und noch einmal. Ich bleibe vorne stehen und unterstütze Kumpel nach Leibeskräften.

»Komm, Koksnase«, rufe ich schmeichelnd, immer wieder, »na los, es ist nichts Schlimmes«, und siehe da, nach ein paar endlosen Minuten zieht Koksnase ächzend endlich wieder an, der Planwagen setzt sich in Bewegung, und einige Minuten später sinken wir in der Kabine gemeinsam nach unten, während Koksnase verwirrt und ein bisschen ängstlich seinen großen Kopf schüttelt. Ich streichele ihm beruhigend die weiche Pferdenase. Jetzt ist es bald geschafft.

Verdammt, sie werden zu spät kommen. Sie werden alle zu spät kommen. Es ist zehn vor zwölf. In zehn Minuten wird die Enthüllung stattfinden, und ich sehe meinen Plan den Bach runtergehen. Ich könnte heulen. Schon haben drei Pin-up-Hostessen den bislang verwaisten Tresen in Beschlag genommen und bereiten ihn vor für den großen Moment. Im Grunde ist es jetzt schon zu spät. Es ist vorbei. Die Zeit ist zu knapp. Selbst wenn sie in diesem Moment alle auftauchen sollten, wir werden es nicht mehr schaffen. Es ist unmöglich geworden.

319

Verzweifelt trete ich von einem Bein aufs andere, während sich die Wut in meinem Bauch zu einem großen Klumpen zusammenzieht. Ja, mein Plan war super. Eigentlich war er *echt* super. Und er war auch sehr durchdacht. Aber der Plan wird nichts, denn bislang ist niemand da, den ich dafür brauche. Niemand.

Ich brauche Mona und Patsy dafür, um den angeschickerten Igor von seinem Wachposten wegzulocken. Ich brauche das Schwein und das Pferd dafür, um sie durch die Halle zu jagen und für ordentlich Chaos zu sorgen, und ich brauche die Handwerker dafür, damit sie in dem ganzen Durcheinander heimlich den marmornen Elvis aus seinem steinernen Grab sägen und in Sicherheit bringen.

Nur zwei Punkte des Plans haben sich bisher durchsetzen lassen: Igor ist nicht nur angetrunken, sondern vor lauter Aufregung über Patsys anstehenden Besuch richtiggehend aus dem Häuschen und hat seinen Wachposten längst leichtsinnig verlassen, um eine halbe Flasche Haselnusslikör zur Klofrau zu tragen. Und der DJ hat eingewilligt, dass er noch vor Mitternacht für mich »Marmor, Stein und Eisen bricht« spielt. Ich habe es mir gewünscht, als geheimen Soundtrack für unsere große Aktion im Verborgenen. Da hatte ich noch Hoffnung. Und wollte noch einen draufsetzen. Aber aus dieser Aktion wird wohl nichts.

Schon sammeln sich die Gäste um den verhüllten Tresen. Drafi Deutscher hebt bereits zum Refrain an. Lüttje nimmt meine Hand. ›Es ist zu spät, zu spät, zu spät‹, hämmert es in mir. »Marmor, Stein und Eisen bricht«, grölen die Leute. Ein besonders echt aussehender Elvis klettert auf den Steintresen. Es muss Hohenfeld sein. Ich schlucke. Lüttje drückt meine Hand. Mir rollt die erste Träne über das Gesicht. Ich sehe auf die Uhr. Zwei Minuten vor zwölf. Zu spät, zu spät.

Die letzten Töne von »Marmor, Stein und Eisen bricht« ertönen. Jetzt legt der DJ »Only you« auf, von Elvis. Hohenfeld hebt die

Arme, die Leute jubeln ihm zu. Ich schließe die Augen. Sie brennen. Ich will das alles gar nicht sehen.

»Liebe Gäste«, ruft Hohenfeld, »liebe Gäste, bitte seid doch mal ein bisschen leise«, und Hohenfelds Wort hat Gewicht. Die Leute verstummen.

»Erst einmal«, sagt Hohenfeld, »erst einmal danke ich euch allen, dass ihr gekommen seid, um mit mir meinen Geburtstag zu feiern. Siebzig Jahre, das ist schon was. Und es ist Grund genug, zurückzublicken. Sogar ein alter Mann wie ich leistet sich ab und zu etwas Sentimentalität.«

Hohenfeld räuspert sich. »Und deshalb möchte ich heute etwas mit euch teilen, das in meinem Leben sehr wichtig war, wenn nicht gar wegweisend. Auf den ersten Blick ist dieses Etwas nicht besonders aufregend, vielleicht sogar unscheinbar. Aber wie so vieles im Leben entfaltet es seinen Zauber auf den zweiten Blick, und es ist mir sehr wichtig, dieses gewisse Etwas nun, im vermutlich letzten Abschnitt meines Lebens, wieder um mich zu haben.« Hohenfeld macht eine Pause. »Aber was soll ich viele Worte machen«, fügt er dann hinzu und sagt schlicht und einfach »bitte sehr!«, und dann ziehen die drei Hostessen das Tuch vom Tresen, in dessen Mitte der marmorne Elvis prangt und inmitten des grauen Steins warm leuchtet.

Die Gäste machen »aaaaah!« und »oooooh«, jedenfalls diejenigen, die weit genug vorn stehen, um überhaupt etwas sehen zu können. Und dieses »aaaah!« und »ooooh!« wird nur umso lauter und schwillt an, je mehr der Gäste begreifen, dass es sich hierbei nicht nur um ein schnödes, beleuchtetes Stück Marmor handelt. Einer nach dem anderen entdeckt das rein durch die Natur des Steins sorgfältig gezeichnete Profil von Elvis Presley in der Oberfläche, und sie jubeln und klatschen und bestaunen diese ganz spezielle Art der Marienerscheinung.

Was für ein Hohn. Was für eine verlogene Scheiße. Ich ertrage es nicht mehr. »Das Ding ist geklaut!«, brülle ich, so laut ich kann, »Hohenfeld hat das Ding geklaut, und es gehört eigentlich mir! Der marmorne Elvis gehört eigentlich *mir*! Und er gehört zu *uns*! In die ›parallelwelt‹!«

Alle drehen sich zu mir um, und es wird mucksmäuschenstill. Hohenfeld hebt den Arm, um seine Augen gegen das Scheinwerferlicht abzuschirmen, und scannt den Raum überrascht nach dem Störenfried. Unsere Blicke treffen sich. Lüttje kiekst entsetzt auf.

»Nein«, ruft plötzlich jemand aus einer anderen Ecke des Raumes. »Nein, das stimmt auch nicht. Jedenfalls nicht ganz. Eigentlich gehört er mir! Der marmorne Elvis gehört *mir*!«

Es ist eine tiefe Männerstimme. Eine tiefe, dröhnende, respekteinflößende Männerstimme, und ich kenne sie. Ich kenne diese Stimme, denn sie gehört – Kurt von Schlasse. Unserem Vermieter. Unser Vermieter, der Verschwundene, der angeblich Verreiste, da steht er, einfach so!, auf einem der anderen Tresen, in einem Elvis-Anzug, wie sich das gehört. Aber ohne Tolle. Stattdessen wippt sein langer Schnurrbart aufgeregt vor sich hin.

Sämtliche Köpfe haben sich in seine Richtung gedreht. Die Musik verstummt. Lüttje kriegt vor Überraschung den Mund nicht mehr zu, und ich mache einfach nur noch »hä?!« und peile gar nichts mehr.

Dann mischt sich noch jemand ein. Eine weitere Person klettert neben Kurt von Schlasse ebenfalls auf den Tresen, und diesmal ist es eine Frau. Ich stelle mich auf die Zehenspitzen. »Es tut mir leid, wenn ich euch allen widersprechen muss!«, ruft die Frau scharf. Ich reibe mir die Augen.

Es ist Benita. Es ist Benita, die Wirtin aus der »Luke«! Sie steht jetzt direkt neben Kurt von Schlasse, und ihre Augen funkeln ihn wütend an, bevor sie auch Hohenfeld herausfordernd fixiert.

Es ist so still, dass man eine Stecknadel fallen hören könnte. Ich schnappe nach Luft. Sind hier eigentlich alle völlig durchgeknallt?

»Es tut mir leid, wenn ich euch widersprechen muss«, wiederholt Benita deutlich. »Aber du weißt es, Hasso; ich weiß es; und du, Kurt, weißt es auch. Und es ist an der Zeit, das Ganze endlich zu bereinigen. Ich will, dass das ein Ende hat. Und zwar für immer und ewig. Es reicht!«

Hohenfeld sagt gar nichts. Er steht auf seinem Tresen wie ein kleiner Junge und lässt die Arme sinken. Kurt von Schlasse tritt nervös von einem Bein aufs andere. Ich hyperventiliere.

»Der wahre Ursprungsort deines ›gewissen Etwas‹, Hasso Hohenfeld«, fährt Benita mit fester Stimme fort, »der wirkliche Ursprungsort ist die ›Luke‹. *Meine* ›Luke‹, und da gehört der marmorne Elvis auch heute noch hin. Zu mir.«

Ein leises Raunen geht durch die Halle.

»Aber seit Jahren, ach, was sage ich, seit Jahrzehnten«, Benita wendet sich jetzt an die Gäste, die atemlos an ihren Lippen hängen; genau wie ich, ich traue mich kaum mehr, überhaupt noch zu blinzeln; »seit Jahrzehnten jagen sich diese beiden feinen Herren, diese sentimentalen, alten, traurigen Gestalten –«, sie seufzt einmal kurz, als sie das sagt, »seit Jahrzehnten jagen sie sich dieses Stück Marmor immer wieder gegenseitig ab. Von einem zum anderen geht es, alle paar Jahre wieder, man kann die Uhr danach stellen, und gerade, wenn man denkt, jetzt ist es aber gut, dann geht es von vorn los.«

Jetzt senkt auch von Schlasse den Blick. Sein Schnurrbart vibriert ohne Unterlass.

»Und wissen Sie auch, warum?«, ruft Benita jetzt.

»Warum?«, brüllen die ersten Gäste.

Benita legt eine wirkungsvolle Pause ein. Sie sieht von Hohenfeld zu von Schlasse und wieder zurück, dann verschränkt sie die Arme vor der beeindruckenden Brust.

»Warum?«, ertönt es schließlich ungeduldig aus vielen hundert Kehlen.

»Warum, wollt ihr wissen?«, vergewissert sich Benita, und sie lächelt dabei. Sie kostet es aus, schießt es mir durch den Kopf. Sie kostet die Situation aus. Es muss hier um etwas sehr Wichtiges gehen, denke ich. Um etwas sehr Existenzielles, und es muss etwas sein, das auch sie, Benita, schon sehr, sehr lange beschäftigt.

»Weil«, setzt Benita an, und dann seufzt sie erneut, bevor sie weiterspricht, »weil – es diesen beiden störrischen alten Eseln einfach nicht in den Kopf will, dass ich sie nicht heiraten wollte. Und zwar keinen von ihnen. So einfach ist das. So einfach, und so lächerlich.«

Von irgendwo ertönt ein bleiernes Lachen. Keiner beachtet es, niemand fällt ein.

»Ja, beide wollten«, hebt Benita wieder an. »Beide wollten, und beide haben gekämpft. Damals. Lange haben sie gekämpft, mit allen Mitteln. Auch, und vor allem, gegeneinander. Aber ihr Kampf«, fügt Benita bitter hinzu, »ihr Kampf war von Anfang an verloren. Ihr *beider* Kampf. Denn ich habe keinen von beiden geliebt. Niemals, in keiner Situation. *Keinen* von euch, versteht ihr? Und es ging um *mich*. Nicht um euch. Aber das habt ihr ja nie begriffen. Nie. Bis heute nicht.«

Hohenfeld und von Schlasse stehen da wie begossene Pudel.

»Elende Kindsköpfe seid ihr, alle beide«, fährt Benita fort. »Elende Kindsköpfe, die nur eines begriffen haben: dass dieses kleine, unscheinbare Stück Marmor mehr ist als das, was es zu sein scheint. Ja, es kann Wünsche erfüllen, das weiß niemand besser als ich. Man muss nur daran glauben, mit der ganzen Kraft seines Herzens.«

Die Leute beginnen zu tuscheln. Es raschelt und summt in der Halle. Unruhe macht sich breit. Benita lässt es zu. Sie lässt es geduldig vorübergehen. Dann spricht sie ungerührt weiter.

»Aber«, fügt sie hinzu und zeigt nacheinander mit dem Finger auf Hohenfeld und auf Kurt von Schlasse, »euch beiden hat der marmorne Elvis euren größten Wunsch nie erfüllt. Und er wird dies auch nicht mehr tun, egal, wie sehr ihr es versucht. Egal, wie oft ihr ihn euch noch gegenseitig abjagt. Egal, wie oft ihr weiterhin versucht, mich damit zu beeindrucken, dass ihr nicht aufgebt. Denn diese Magie, die funktioniert nicht auf Biegen und Brechen. Und sie funktioniert erst recht nicht, wenn man sie sich unberechtigt zunutze machen will. Es ist wie in der Liebe. Genau wie in der Liebe.«

Benita hebt stolz den Kopf.

»Es ist an der Zeit, dass ihr das begreift, ihr zwei Hohlköpfe. Gebt es auf. Lasst es. Begrabt diesen elenden Kampf, und lasst den marmornen Elvis für andere seinen Dienst tun. Ihr habt es eh vergeigt.«

Benita sucht durch die Menge hindurch meinen Blick. Ein Lächeln umspielt ihre Lippen, und sie nickt mir freundlich zu. Ich senke verwirrt den Kopf.

»Mehr habe ich nicht zu sagen«, stößt Benita danach erschöpft hervor, und dann bückt sie sich und ergreift elegant die Hände, die sich ihr helfend entgegenstrecken, um sie sicher wieder auf den Boden zu geleiten.

Puh. Was war das denn?! Ich sehe Lüttje an, und Lüttje sieht mich an, aber noch bevor wir etwas sagen können, rüttelt mich jemand an der Schulter. Es ist Seppl.

»Ihr müsst rauskommen«, keucht er. »Das Finale! Es geht los! Los, los, raus mit euch!«

Auf dem Fischmarkt ist die Hölle los. Je näher wir kommen, desto größer wird das Durcheinander auf dem Platz, der taghell erleuchtet ist. Und da stehen tatsächlich *zwei* Ü-Wagen, einer von Hamburg 1

und einer von TV3. Ihre Antennen ragen in den nächtlichen Himmel, als wollten sie uns den Weg weisen. »Sieh an, sieh an«, murmelt Eule.

Um die Wagen herum haben sich Hunderte Schaulustiger gesammelt. Als sie uns kommen sehen, fangen sie an zu schreien und zu kreischen. Koksnase wiehert ungnädig. Er ist körperlich am Ende. Uns geht es nicht viel anders.

»Bist du bereit für den letzten Kampf?«, raunt Steven mir zu. Ich sehe ihn an. »Bist *du* bereit für das, was jetzt kommt?«, frage ich zurück. Steven lächelt und drückt meine Hand, bevor er die von Patsy ergreift. Beide sehen sich an, und dann nicken sie. Wir klatschen uns ab.

»Packen wir den Stier bei den Hörnern!«, ruft Guido. »Yiiihaaaaa!«, schreit Eule, und dann setzt Koksnase den ersten Huf auf das Kopfsteinpflaster des Fischmarktes.

Die Menge teilt sich respektvoll, und schließlich kommen wir genau vor der Fischauktionshalle zum Stehen, links und rechts flankiert von Menschen, die den Mund nicht mehr zukriegen. Das Jubeln verstummt langsam. Die Szene ist jetzt fast gespenstisch.

Ich sehe hoch zu den Wohnhäusern am gegenüberliegenden Ende des Platzes. In fast jedem Fenster sind die Silhouetten von Menschen zu erkennen, die auf den Platz hinausblicken, während in den Zimmern die Fernseher laufen, ich erkenne es am bläulichen Flackern im Hintergrund. Klar, doppelt hält besser.

»Sie haben uns sogar den roten Teppich ausgerollt«, bemerkt Eule süffisant.

Er hat es kaum zu Ende gesprochen, da löst sich jemand aus der Menge. Es ist Andreas König, der Unterhaltungschef von TV3. Vom Regen in die Traufe, denke ich erschöpft, ausgerechnet. Und Andreas König ist nicht allein. Er wird begleitet von einem Kameramann.

Und von zwei böse dreinschauenden Polizisten.

»Sind das die Männer?«, fragt Andreas König. Die Polizisten nicken. Sie wollen auf Eule und Guido zustürzen, aber Andreas König
hebt den Arm und hält sie zurück.

»Moment«, sagt er scharf. »Wenn ich dann erst mal was klären
dürfte, ja?«, und die beiden Uniformierten weichen respektvoll zurück.

»Frau Rittner!«, begrüßt mich Andreas König. Es soll freundlich
klingen, aber ich höre seine Zähne dabei knirschen, und sein Lächeln ist gequält. »Können Sie mir *bitte* mal sagen, was hier los ist?«,
faucht er gleich darauf. »Was fällt Ihnen ein, die ganze Produktion zu
sprengen? Können Sie mir das vielleicht erklären, ja?«

Ich öffne den Mund, um etwas zu sagen, aber Guido kommt mir
zuvor. Er und Eule sind vom Planwagen heruntergesprungen, und
beide bauen sich jetzt so nah neben König auf, wie die Polizisten es
eben noch zulassen, während auch Steven und Patsy langsam von
unserem Gefährt herunterklettern. Steven reicht Patsy galant die
Hand; trotzdem bricht sie sich beim Abstieg einen Absatz ab. Es
knackt laut, und Patsy flucht lauthals.

Ich bleibe unschlüssig auf der Ladefläche sitzen. Das Kopflicht
der Kamera blendet mich. Ich hebe schützend die Arme.

»Was hier los ist?!«, ruft Guido und schnaubt laut auf.

»Guido, bitte!«, schreie ich. »Ich glaube nicht, dass ihr mit eurer
Theorie recht habt. Sollen wir das nicht in aller Ruhe klären?!«

»Du hältst jetzt mal den Mund«, fährt Guido mich an, und ich
zucke zusammen. Du liebe Güte. So kenne ich ihn ja gar nicht. Ich
ziehe die Schultern ein.

»Das kann ich Ihnen genau sagen, was hier los ist!«, poltert Guido
los. »Sie!«, und dabei presst er seinen Zeigefinger auf Königs Brust,
der überrascht ein paar Zentimeter zurückweicht, bevor die Polizisten wiederum Guido ein Stück zurückziehen, »Sie! stecken mit dem!«
– mit der anderen Hand weist Guido auf Bockelt, der weiterhin an

Jacqueline angebunden auf der Ladefläche kauert und angsterfüllt die Augen aufreißt –, »mit *dem* stecken Sie unter einer Decke!«

»Das ist ja wohl die Höhe«, mokiert sich Andreas König. »Mit *dem* da? Wer soll denn das überhaupt sein?«, ruft er und geht einen Schritt auf Bockelt zu, um ihn genauer in Augenschein zu nehmen.

»Wer das ist?!«, schreit Guido. »Darf ich vorstellen: Ferfried Bockelt von der ›Boulevard‹! Als wenn Sie das nicht wüssten. Haaa! Verarschen Sie mich doch nicht! Wie nennen *Sie* ihn denn? Ach ja, stimmt ja: Fritz Behrens, Futterlieferant. Wie konnte ich das vergessen!« Guido schlägt sich theatralisch an die Stirn und starrt Andreas König hasserfüllt an. Der ignoriert das. Eule nimmt Guido beruhigend am Arm. »Lass mich jetzt mal«, raunt er ihm zu.

»Ferfried Bockelt von der ›Boulevard‹«, murmelt Andreas König, kratzt sich unsicher am Kopf und betrachtet Bockelt nachdenklich, der unruhig hin und her rutscht. Jacqueline Schnieder quengelt heftigst hinter ihrem Klebeband. »Das ist interessant.«

»Ja«, bekräftigt Eule, »das finden wir auch sehr interessant. Ich sage Ihnen jetzt mal was, und hören Sie mir gut zu«, sagt er dann und fokussiert dabei statt Andreas König die Kamera, sehr professionell, »*dieser* Mann hier, Ferfried Bockelt, getarnter Schmierenjournalist von der ›Boulevard‹, und TV3, Deutschlands größter Privatsender, repräsentiert von *diesem* Mann hier, Andreas König, haben gemeinsame Sache gemacht.«

Eule holt noch einmal tief Luft, während die Nation vor den Fernsehern vermutlich den Atem anhält. So wie ich.

»Sie haben Mona Rittner zu demontieren versucht, indem sie ihr eine Affäre mit Steven Dong angedichtet haben, und sie haben vor allem versucht, ihr den Brand auf dem Hof in die Schuhe zu schieben. Und warum das Ganze?« Eule macht erneut eine Pause. »Auch das kann ich Ihnen sagen«, fährt er dann ruhig fort, aber dabei ist seine Stimme scharf und klar wie ein Rasiermesser.

»Weil man Mona Rittner nämlich loswerden will, möglichst schnell, möglichst schmerzfrei, um Platz zu machen für *diese* Frau hier.« Eule deutet mit dem Kopf auf Jacqueline Schnieder, und die Kamera schwenkt für einen Moment in die andere Richtung. Geduldig wartet Eule, bis die Linse wieder auf ihn gerichtet ist. Der Junge hat Talent.

»Die meisten von Ihnen kennen sie nur von ›Land und Lust‹, und Sie werden sich sicherlich fragen, wo diese Dame so plötzlich herkommt, was sie überhaupt macht und was sie überhaupt kann, da geht es Ihnen genau wie mir, und ich kann es Ihnen nicht beantworten. Das Einzige, was ich sagen kann, ist allerdings: Bitte sehr, dort sitzt vermutlich die nächste Moderatorin von ›Renovieren Um Vier‹. Ich wünsche Ihnen allen viel Spaß mit den neuen Folgen. Und jetzt noch einen schönen Abend!«, und mit diesen Worten nickt Eule einmal kurz und bestimmt in die Kamera und klopft dann Andreas König auf die Schulter, der seinem Monolog mit offenem Mund gefolgt ist.

»Bravo!«, ruft Steven, »genauso ist es!«, ergänzt Patsy, und dann zieht Steven Patsy vor die Kamera, stellt sich auf die Zehenspitzen, drückt Patsy einen Kuss auf die Lippen und schreit zum guten Schluss noch hinterher: »Das mit der Affäre von Mona Rittner und mir ist übrigens erstunken und erlogen. Denn ich bin schwul. Und das ist auch gut so!«

Danach kommt erst mal gar nichts mehr. Wir starren Andreas König an, Andreas König starrt uns an, die Polizisten starren sich gegenseitig an, und die Schaulustigen starren uns alle zusammen an. Die Stille ist wie elektrisch aufgeladen. Nur Jacqueline Schnieder kann einfach nicht die Klappe halten.

»Hmmmgrmpfaurrrrgrrr!«, stößt sie wieder und wieder hervor und wehrt sich heftig gegen das Seil, das sie noch immer an Bockelt bindet. Irgendwann dreht Andreas König sich langsam zu ihr um.

Dann winkt er entschlossen den Kameramann zu sich, macht einen schnellen Schritt auf die Ladefläche zu, beugt sich zu Jacqueline herüber und reißt ihr das Klebeband vom Mund.

Jacqueline Schnieder schreit laut auf. Die Wunde an ihrer Lippe sieht übel aus. Kumpel grunzt zufrieden. Ich hebe ihn von der Ladefläche hoch und nehme ihn auf den Arm, nur für alle Fälle. Auch freundliche kleine Schweinchen können manchmal Blut lecken.

»Frau Schnieder«, sagt Andreas König unwirsch zu Jacqueline. »Ich bin hier ja nur der Unterhaltungschef, und ich bin offensichtlich der Einzige, der nicht weiß, was hier gespielt wird, im Gegensatz zu allen anderen, aber ich werde die Vermutung nicht los, dass Sie vielleicht zur Aufklärung beitragen können. Kann das sein?«

Jacqueline Schnieder senkt die Augen. Jetzt fängt Ferfried Bockelt an zu quengeln, aber Jacqueline Schnieder stößt ihm plötzlich mit überraschender Kraft einmal knackig den Ellbogen in den Rücken, und Ferfried Bockelt verstummt schlagartig.

»Du gibst jetzt Ruhe, du hinterhältiges Arschloch!«, kreischt Jacqueline Schnieder. Patsy zieht überrascht eine Augenbraue hoch. Andreas König nickt geduldig.

»Jetzt rede ich!«, keift Jacqueline weiter, und dann gibt sie richtig Gas. Ihre schrille Stimme gellt über den gesamten Fischmarkt. Manche Leute halten sich die Ohren zu, und der Kameraassistent hebt hilflos die Hand, um den Tonpegel herunterzudrehen, aber das wird ihm nicht viel nützen. Jacquelines Stimme überschlägt sich.

»Ich hab von Anfang an gesagt, dass das eine total bescheuerte Idee ist! Aber nein! ›Das geht schon alles glatt‹, hast du gesagt, und ›Baby, ich bring dich ganz groß raus! Wir machen dich berühmt, und wir machen das ganz große Geld! Aber das ganz große! Und gehen weg, irgendwohin, für ein faules Leben zu zweit!‹ Ha! Dass ich nicht lache! Und dann? Dann geht alles schief, und du willst dich aus der Affäre ziehen, indem du dich einfach irgendwo in der Pampa aussetzen lässt. Ohne mich! *Natürlich* ohne mich! Ich bin dir ja völlig egal! Du hinterhältiges, widerliches, egoistisches Schwein!«, brüllt Jacqueline, und dann stößt sie mit ihren Ellbogen erneut zu. Danach bricht sie in Tränen aus. Jacqueline Schnieder heult, dass sich die Balken biegen.

Kumpel quiekt beleidigt auf.

»Das hat sie nicht so gemeint«, flüstere ich ihm leise in sein Schweineohr.

»Sagen Sie, Frau Schnieder«, sagt Andreas König ganz ruhig und besonnen, und mit einem Mal beginne ich zu verstehen, warum ausgerechnet *er* bei TV3 Chef geworden ist, »gehe ich recht in der Annahme, dass Sie mir bestätigen können, dass weder der Sender TV3 noch ich persönlich etwas mit dieser Angelegenheit zu tun haben? Hm?«

Jacqueline sieht hinter einem Schleier von Tränen und Schnodder hervor und zieht einmal kurz geräuschvoll den Rotz hoch.

»Ja«, antwortet sie schluchzend. »Beziehungsweise nein. Ach, was weiß ich. Er hat Kristin und Opa Otto bestochen, damit sie mitmachen. Damit Kristin Mona das Feuer anhängt und Opa Otto ihn als angeblichen Futterlieferanten akzeptiert. Das hast du gut gemacht, du bekloppter, egozentrisches, schleimiges Stück Scheiße! Ich war doch die ganze Zeit nur deine Handlangerin!« Jacqueline fängt erneut an zu weinen.

Guck mal einer an. Kristin Maier, die olle Bratze, und Opa Otto, der alte Haudegen! Heidewitzka. Geschickt eingefädelt, denke ich. Aber offensichtlich nicht geschickt genug. Ich werfe einen Blick auf Guido und Eule. Die beiden zucken mit den Schultern.

»Aber *fast*«, murmelt Eule. »Fast hatten wir recht.«

Der größere von den beiden Polizisten kratzt sich am Kopf. »Sollen wir uns vielleicht erst mal um die beiden da kümmern?«, fragt er König schüchtern und deutet mit dem Kopf auf Bockelt und Jacqueline.

»Gute Idee«, sagt König sarkastisch. »Dass ich da nicht selbst drauf gekommen bin! Los los, packen Sie sie schon ein. Ich kann sie nicht mehr sehen. Das wird ein Nachspiel haben, Bockelt! Und nicht nur für Sie, sondern für Ihren ganzen verdammten Schreiberstall!«, brüllt er noch, und dabei bekommt er einen hochroten Kopf. Ich grinse. So kenne ich ihn.

»Und Ihnen« – König dreht sich zu Eule und Guido – »und Ihnen beiden – nun ja. Ich danke Ihnen. Auch wenn Sie nicht ganz richtig lagen. Aber ohne Sie …« König vollendet den Satz nicht. Stattdessen macht er eine indifferente Handbewegung und sieht auf den Boden. »Chapeau«, fügt er nach kurzem Zögern hinzu und klopft Eule sacht auf die Schulter. »Und Sie, Frau Rittner«, er dreht sich zu mir und seufzt, »ich denke, wir haben einiges zu klären. Sind Sie bereit, weiterhin mit uns zu sprechen?«

Ich zögere und sehe Guido an, und Guido sieht mich an. Guido zögert ebenfalls, aber nur für einen kurzen Moment. Dann lächelt er mich auffordernd an. ›Na mach schon‹, sagen seine Hände, ›sag ja. Ich stehe hinter dir. Los!‹ Ich lächele zurück.

»Na ja, warum nicht«, sage ich.

»Hand drauf?«, fragt König.

»Hand drauf«, bestätige ich und reiche ihm meine Rechte, so gut es eben geht mit dem Schweinchen auf dem Arm. König ergreift meine Hand und schüttelt sie kräftig. Kumpel hüpft auf meinem Arm auf und ab.

Das ist das Zeichen für die Fotografen und Reporter, die sich längst zwischen den Schaulustigen hindurchgezwängt haben und mittlerweile zu Dutzenden in den ersten Reihen stehen. Sie stürzen sich auf uns, und wir ertrinken von einer Sekunde auf die andere in einem Blitzlichtgewitter. Kumpel quiekt erschrocken auf und versucht sich wieder in meiner Achsel zu verstecken. Ich lege schützend meine freie Hand auf sein Köpfchen. Gleichzeitig werden wir mit

332

Fragen bombardiert, ich sehe nur noch Gesichter, Mikrofone und Lichter; die Leute fangen wieder an zu jubeln und zu schreien, es ist ein Gedrängel wie vor dem Stand von Aale-Dieter kurz vor Ende des sonntäglichen Fischmarktes, und ich kriege das alles plötzlich nur noch wie durch eine dicke Wattewand mit.

Mit einem Mal fällt alles von mir ab, und ich muss mich zusammenreißen, um nicht sofort in Tränen auszubrechen. Außerdem bin ich so müde, dass ich sogar schon Erscheinungen habe. Manche der schreienden Leute erscheinen mir als Elvis Presley, und zwar gleich dutzendfach. Es ist wie in einem Film. Oder in einem Albtraum. Hilfe! Ich habe keine Lust mehr. Ich bin durch. Ich will weg hier.

König, der professionell in die vielen Kameras grinst und auf alle Fragen immer nur beschwichtigend mit »Liebe Kollegen, bitte warten Sie doch bis zur Pressekonferenz!« antwortet, scheint das zu spüren. »Hauen Sie schon ab«, raunt er mir zu und lässt meine Hand los. »Hopp, hopp, Frau Rittner, ab durch die Mitte. Ich mach das hier schon.« Ich sehe ihn unsicher an. »Na los«, bekräftigt er leise. »Sie haben jetzt sicherlich was anderes zu tun. Machen Sie sich vom Acker!«

»Kümmern Sie sich um das Pferd?«, frage ich besorgt. »Das Pferd. Es braucht was zu trinken und was zu fressen. Und was zum Ausruhen!«

Koksnase steht ganz erschöpft da. Er zittert. Ich strecke die Hand nach ihm aus und streichele ihn. »Danke«, flüstere ich ihm ins Ohr. Koksnase schnaubt kraftlos, und dann stupst er mich mit seiner weichen Schnauze an, als wolle auch er mir sagen, dass ich endlich abhauen soll.

König nickt. »Wird natürlich gemacht, Frau Rittner. Heee!«, ruft er und winkt einen der Aufnahmeleiter vom Ü-Wagen herbei, »können Sie sich bitte mal darum kümmern, dass das Pferd in Sicherheit gebracht wird?«, und der Aufnahmeleiter nickt und hebt die Hand, um zu erkennen zu geben, dass er verstanden hat. Er greift zu seinem Telefon. »Und jetzt weg mit Ihnen«, zischt König mir erneut zu, und noch einmal lasse ich mir das nicht sagen.

Ich stürze mit Kumpel auf dem Arm auf Eule und Guido zu, und die beiden nehmen mich in ihre Mitte und bugsieren mich irgendwie durch die Menge hindurch. Wo es nötig ist, boxen sie sich den Weg einfach frei. Sie dürfen das. Sie tragen schließlich immer noch ihre Polizeiuniformen. Und deshalb lassen uns die Leute durch, allerdings nicht ohne ständig zu versuchen, Kumpel anzufassen, der auf meinem Arm immer kleiner wird.

»Ganz ruhig, mein kleiner Freund«, flüstere ich ihm ins Schweineohr. »Gleich haben wir's.«

Endlich wird es um uns herum ruhiger. Wir steuern auf die Fischauktionshalle zu, auf den Roten Teppich. Die Türsteher winken uns zu sich, und wir marschieren erleichtert auf sie zu.

»Der hat aber keine Einladung«, sagt einer der Türsteher und deutet auf Kumpel. Ich sehe ihn verzweifelt an. »War ein Scherz«, lacht der Türsteher. »Los, rein mit euch. Nehmen Sie's als Promibonus, Frau Rittner. Willkommen.«

»Aber passen Sie auf, dass ihn keiner aufisst«, giggelt der zweite Türsteher, »das Buffet war nicht besonders gut.«

»Da machen Sie sich mal gar keine Sorgen«, blafft Guido, und ich sehe ihn erstaunt von der Seite an. Guido wirft sich für *mich* in die Bresche? In aller Öffentlichkeit? Vor anderen Leuten? Ist es nur die Uniform?

Nein, ich glaube nicht. Denn jetzt legt Guido mir fürsorglich den Arm in den Rücken und lässt mir dann beim Eintreten in die Halle den Vortritt. Wie ein richtiger Mann, mit Anstand und Benehmen und dieser gewissen Selbstverständlichkeit, die einen Mann eben für eine Frau zum Mann macht. Ich staune Bauklötze.

»Schönes Gefühl«, murmele ich.

»Was denn?«, fragt Guido.

»Na, so von dir beschützt zu werden. Und überhaupt. Wieder bei dir zu sein«, sage ich, und Guido drückt meinen Arm. Für seine Verhältnisse sagt das mehr als tausend Worte.

In diesem Moment gehen meine Nerven mit mir durch, und ich fange an zu schniefen. Gleich kommt der Sturm. Drinnen angekommen, drücke ich Guido Kumpel auf den Arm und verschwinde erst mal. Ich brauche jetzt einen Moment ganz für mich.

»Mona!«, brülle ich und renne mit fuchtelnden Armen und schlackernden Hosenbeinen hinter ihr her, aber sie hört mich nicht, oder sie will mich nicht hören. Was mich nicht wundert, denn ich bin nicht die Einzige, die hinter ihr herläuft und ihren Namen schreit. Sie verschwindet mit Eule und Guido in der Fischauktionshalle, und ich folge den dreien, so schnell ich kann.

Drinnen ist es jetzt leerer; die meisten Leute sind noch draußen, und der DJ versucht verzweifelt, die Partystimmung von vor Mitternacht zurückzuholen. Die Atmosphäre hat jetzt mehr was von einem bedrückten Stehempfang als von einer ausgelassenen Geburtstagsparty.

Guido und Eule stehen gleich vorn am ersten Tresen. Guido hat das Schwein im Arm. »Wo ist Mona?«, rufe ich schon von weitem.

»Klo!«, antwortet Eule und zeigt in Richtung Treppe. Ich drücke ihm einen schnellen Kuss auf. »Das habt ihr gut gemacht«, sage ich.

Eule grinst. »Ja, ja«, antwortet er. »Bedank dich später. Na los, lauf schon zu deiner Mona!« Ich nicke dankbar und pese los. Eule ist super. Ich muss ihm das später unbedingt nochmal sagen.

»Haben Sie Mona Rittner gesehen?«, frage ich die Klofrau atemlos. Sie sitzt gelangweilt an ihrem Tischchen und spielt mit einer Münze. »Ist sie hier?«

»Letzte Kabine links«, grummelt die Klofrau, und ich stürze an ihr vorbei durch den Waschraum in den Kabinengang.

»Mona?«, rufe ich. »Mona, bist du hier? Ich bin's, Marnie!«

Schweigen im Walde.

»Mona? Sag doch was!«, quengele ich. »Komm raus!«

In der Kabine geht die Klospülung. Ansonsten immer noch keine Reaktion.

»Mensch, Mona«, schimpfe ich. »Was ist denn? Du bist ja wohl nicht immer noch sauer auf mich, oder? Komm schon. Es ist vorbei, Mona! Und es wird doch jetzt alles wieder gut!«

Aus der Kabine kommt kein Mucks.

»Monaaaaa«, flehe ich. »Geht's dir gut? Sei nicht albern. Sag doch was!«

»Albern?«, bellt Mona endlich aus der Kabine. »Albern?! Du wolltest mich dem Bockelt ans Messer liefern, und dann nennst du mich albern?!«

Hä? »Wovon redest du, Mona?«, rufe ich zurück. »Ich habe keine Ahnung, was du meinst!«

»Keine Ahnung, was ich meine, ja?!«, wiederholt Mona, und dann fliegt plötzlich die Tür auf und sie steht da, müde und erschöpft und dreckig und mit hängenden Armen. Sie hat geweint.

»Was ist denn?!«, frage ich erschrocken. Unser Wiedersehen hatte ich mir anders vorgestellt. Es soll doch alles werden wie früher.

Mona fährt sich mit dem Ärmel durchs Gesicht. »Jetzt willst du's auch noch leugnen, oder was?«, seufzt sie kraftlos. »Dass du Bockelt angerufen und ihm Informationen über mich angeboten hast. Ich hab's doch selbst gehört, Marnie. Er hat's mir auf seiner Mailbox vorgespielt. Also red dich nicht raus.«

Ich starre sie mit offenem Mund an. Dann, ganz langsam, beginne ich zu verstehen. Ich mache einen Schritt auf sie zu. Mona weicht zurück. Dabei stößt sie mit den Kniekehlen an die Kloschüssel, verliert für einen Moment das Gleichgewicht und kippt hintenüber auf den Toilettendeckel, wo sie einfach sitzen bleibt. Ich lege ihr die Hände auf die Schultern und sehe sie an. Mona weicht meinem Blick aus und starrt finster auf den Boden.

»Mona«, sage ich streng. »Jetzt hör mir bitte zu. Das war ein Trick. Ich hätte das nie gemacht. Aber wir wollten Bockelt reinlegen. Ihn dazu kriegen, mich zurückzurufen. Wir wollten ihn zur Rede stellen. Und rausfinden, wo die Party hier stattfindet.«

Mona schnaubt.

»Und das ist die Wahrheit«, ergänze ich. »So was würde ich nie machen, Mona. *Nie*. Egal, wie sehr wir uns streiten. Dass du so was auch nur denken kannst! Und außerdem«, fällt mir dann ein, »was gibt es über dich schon zu erzählen?«

Mona stutzt und hebt den Kopf. Endlich sieht sie mich an.

»Du bist doch eine furchtbar langweilige Kuh«, fahre ich fort. »Wer sollte sich überhaupt für intime Details aus deinem stinklangweiligen normalen Leben interessieren? Es gibt doch gar keine! Dass du gerne mal feierst, wissen ja schon alle.«

Der Anflug eines Lächelns zieht über Monas Gesicht.

»Und sonst hast du leider überhaupt keine Leichen im Keller«, ergänze ich. »Außer dass du mich in der letzten Zeit manchmal ganz schön hast hängenlassen. Aber das geht niemanden was an. Und sonst ... du nimmst ja noch nicht mal *Drogen*. Außer Schnaps und Zigaretten, meine ich.«

Mona starrt mich an, als hätte ich einen Witz gemacht, den sie nicht versteht. Ich stupse sie an.

»Wenn du's nicht glaubst«, füge ich noch hinzu, »wenn du's nicht

337

glaubst, frag Eule. Es war *seine* Idee, und er war dabei, als ich Bockelt angerufen habe. Ehrlich.«

»Ja«, sagt Mona dann, »ja, das mache ich jetzt auch«, und dann steht sie auf und stapft an mir vorbei, aber ich meine gesehen zu haben, dass sie dabei gegrinst hat.

Ich folge ihr. »Danke!«, rufe ich der Klofrau noch zu, die uns kopfschüttelnd hinterhersieht.

»Na bitte. Jeht doch«, höre ich sie noch brummeln.

»Stimmt das?«, frage ich Eule ohne Vorwarnung und pikse ihm mit dem Finger auf die Brust.

»Was?«, erwidert Eule verdattert.

»Na, dass es *deine* Idee war, Bockelt anzurufen und ihm pikante Details aus meinem Privatleben anzubieten.«

»Jo«, sagt Eule und zuckt mit den Schultern. »Es war einen Versuch wert. Wieso? Schlimm?«

Ich seufze. Dann sehe ich zu Marnie, die erwartungsvoll und auch ein wenig unsicher neben uns steht. Ich mache einen Schritt auf sie zu.

»Du blöde Ziege«, sage ich zu ihr, aber ich lache dabei, während ich gleichzeitig schon wieder weinen muss. Und dann, endlich, nehmen wir uns in den Arm und schluchzen und jauchzen gleichzeitig und wiegen uns hin und her. Ich bin froh. Ich bin so froh, dass ich nur noch vor mich hin zucke, und Marnie sagt laufend »ist ja gut, ist ja gut«, weil ihr für den Moment auch nichts Besseres einfällt.

»Haben wir uns jetzt wieder?«, fragt sie schließlich leise und drückt mich noch einmal ganz besonders fest an sich. »Wird jetzt alles wieder wie früher?«

Ich nicke, und dann schüttele ich den Kopf.

338

»Wie früher? Ich glaube, das willst du gar nicht«, flüstere ich. »Ein paar Sachen müssen wir wohl anders machen.«

»Ja«, sagt Marnie, »aber nur ein paar«, und dann gibt sie mir einen dicken Schmatz auf die Wange. Eule und Guido beobachten uns amüsiert.

»Mädchen«, sagt Eule abfällig. »Gut, dass Bockelt dingfest ist. Sonst hätte er euch jetzt gleich eine lesbische Beziehung angedichtet«, fügt er trocken hinzu.

Marnie und ich lösen uns voneinander und wischen uns die Tränen aus dem Gesicht.

»Also ich hätte nichts dagegen«, sage ich, und Marnie grinst. »Ich auch nicht«, bestätigt sie.

»Wir auch nicht«, echoen Patsy und Steven, die in der Zwischenzeit zu uns getreten sind. Sie halten sich an den Händen, seufzend beobachtet von Lüttje, die Steven Dong trotz allem noch immer anhimmelt. Ich grinse. Manche Dinge ändern sich nie.

»Pah«, macht Eule und stößt Guido an. »Na, dann ja wohl wir zwei, oder?«

Guido zeigt Eule einen Vogel, und wir lachen. Kumpel strampelt vergnügt mit den Beinchen.

»Dann haben wir ja wieder alle zusammen«, stelle ich fest.

Jan, Susa, Lüttje, Eske und Behnke junior, Bobo, Tim, Tom und Thilo, Seppl, Torben und Didi – einer nach dem anderen sammmeln sie sich am Tresen, und das Geschrei ist groß. Wir sind mit Abstand die Lautesten in der ganzen Halle, und alle beäugen uns misstrauisch. Nur der DJ freut sich, dass endlich wieder Stimmung in der Bude ist.

Von weitem sehe ich Benita auf uns zukommen.

»Moment mal«, sage ich und löse mich von der Gruppe. Ich gehe ihr entgegen. Sie wird begleitet von einem der Elvisse von den »Tollen Tollen«. Dem Dicken, dem »King«.

Benita lächelt mich an. »Na, das war eine Aufregung, oder?«, sagt sie.

Ich lächele unsicher zurück. »Wir wussten ja nicht ...«, hebe ich an, aber Benita hebt den Arm und legt sich den Finger an die Lippen.

»Es ist alles gut so, wie es ist«, sagt sie dann.

»Und der Elvis?«, frage ich. »Bekommen Sie ihn zurück?«

Benita lächelt erneut. »Abwarten«, erwidert sie. »Auch das wird sich klären.« Ich nicke.

»Ach ja«, sagt Benita noch, »es stimmt übrigens, was ich Tim, Tom und Thilo erzählt habe.«

»Was stimmt?«, frage ich verwirrt.

»Na, dass er mal bei Ihnen im Laden war. Der wahre Elvis, meine ich.«

»Wirklich?«, flüstere ich ungläubig.

Benita nickt. »Und er hat sich verdammt wohlgefühlt«, sagt sie. »Komm, Aron, wir gehen. Es ist spät«, und mit diesen Worten hakt sie sich bei ihrem Begleiter ein, und die beiden machen sich auf dem Weg zum Ausgang. Ich sehe ihnen nachdenklich nach.

Kaum ist Benita durch die Tür, legt mir von hinten jemand die Hand auf die Schulter. Es ist Kurt von Schlasse. »Herr von Schlasse«, stottere ich. »Wir – äh – wie war Ihre Reise?«

»Lang«, sagt von Schlasse bedächtig. »Ziemlich lang. Aber ich glaube, jetzt bin ich endlich angekommen. Zwar nicht genau da, wo ich hinwollte, aber so ist es auch ganz schön.« Er seufzt.

Wow. Ich senke den Blick. Von Schlasse zwirbelt sich seinen Schnurrbart und betrachtet die lärmende Truppe hinter mir. Er hat einen zufriedenen Ausdruck auf dem Gesicht. Ja, er wirkt zufrieden. Trotz allem.

»Haben Sie sich mit Ihrer Teilhaberin wieder versöhnt?«, fragt er mich dann.

»Woher wissen Sie?«, stottere ich.

»Elisa«, sagt von Schlasse. »Elisa hat mir alles erzählt.«

»Aber warum haben Sie nicht –«, hebe ich an, aber von Schlasses Blick gibt mir zu verstehen, dass alles weitere Reden müßig ist, und ich komme mir fast dumm vor. Ich verstumme. Er hat recht. Es gibt dazu nichts mehr zu sagen. Es ist alles gut, wie es ist.

Von Schlasse wird gewusst haben, warum er sich nicht eingemischt hat. Um seinetwillen – und vermutlich auch um unseretwillen. Von Schlasse ist weise. Na ja, nicht immer. Aber manchmal doch.

»Nur eines noch«, sagt von Schlasse, als hätte er meine Gedanken erraten. »Sehen Sie zu, dass es zwischen Ihnen und Ihrer Teilhaberin jetzt so bleibt. Machen Sie es nicht wie mein alter Freund Hohenfeld und ich. Machen Sie nicht die gleichen Fehler«, fügt er nachdrücklich hinzu und klopft mir erneut auf die Schulter.

Dann schlurft auch er zur Tür hinaus, und ich kehre zu Mona zurück und ziehe sie an der Hand aus der schnatternden Gruppe heraus.

»Komm«, sage ich zu ihr, »wir müssen uns noch verabschieden«, und dann gehen wir gemeinsam hinüber zum Steintresen, in den der marmorne Elvis eingelassen ist.

Andächtig streichen wir mit unseren Händen über den glatten, warmen Marmor. Das Profil von Elvis scheint deutlicher zu leuchten als jemals zuvor.

»Wilde Geschichte«, sagt Mona. »Lüttje hat mir gerade erzählt, was hier vorhin abgegangen ist. Wahnsinn, oder? Dass man sich über Jahrzehnte so an eine fixe Idee klammern kann?«

Ich zucke mit den Schultern. »Ich glaube, das nennt man Liebe«, sage ich.

»Große Sache«, erwidert Mona, und für einen Moment schweigen wir.

»Das war es dann wohl«, seufze ich, und Mona nickt.

»Aber wir schaffen das«, sagt sie. »Nach alldem hier schaffen wir alles. Ich hätte mir nie träumen lassen, dass in vier Wochen so viel passieren kann.« Mona sieht mich an.

»Ich hätte mir nie träumen lassen, dass an einem *Abend* so viel passieren kann«, antworte ich, und dann lachen wir.

»Du siehst vielleicht aus«, prustet Mona mich an. »Du hast lauter schwarze Schlieren im Gesicht von der Haarfarbe.«

»Das sagt die Richtige«, antworte ich. »Du stinkst ganz schön«, füge ich grinsend hinzu.

»Das ist die gute Landluft«, sagt Mona und schnuppert an ihrer Jacke. »Uäh. Aber du hast recht. Eine Dusche wär jetzt was Feines.«

»Geduscht wird später«, wiegele ich ab. »Jetzt gibt's erst mal ein Schnäpschen. In aller Ruhe. Und zwar an *unserem* Tresen. Bist du dabei?«

»Klar«, strahlt Mona. Sie sieht zu Guido und Kumpel hinüber. »Glaubst du, dass der Katze sich mit einem Schwein anfreunden kann?«, fragt sie nachdenklich.

Ich stutze. »Du spinnst«, sage ich, aber Mona meint es ernst, das erkenne ich sofort. »Na ja«, füge ich also hinzu und zucke mit den Schultern, »probier es halt aus.«

Eule hebt die Arme und winkt uns zu. »Hee, ihr zwei«, brüllt er quer durch die Halle. »Kommt ihr? Wir wär'n dann so weit!«

»Und wir erst mal!«, brüllen Mona und ich zurück, und dann geben wir Hackengas. Aber ordentlich.

»It's now or never«, singt Elvis, während wir uns auf den Weg machen. Und damit hat er verdammt recht. Wie immer.

Wie es in der »parallelwelt« in dieser Freitagnacht noch weitergeht, ist nicht genau überliefert. Fest steht aber, dass die kleine Bar am darauffolgenden Samstag leider geschlossen bleibt. Die Getränke sind aus, und überhaupt muss man auch mal Pause machen. Benita vermacht den marmornen Elvis jedenfalls auf immer und ewig Marnie und Mona und der »parallelwelt«, das haben die beiden sogar schriftlich. Zum Glück, denn man weiß ja nie.

Kurt von Schlasse und Hasso Hohenfeld legen ihren jahrelangen Zwist bei und schließen Frieden – was auch daran zu erkennen ist, dass sie ab und zu in der »parallelwelt« oder sogar bei Benita gemeinsam einen trinken gehen.

Die letzte Folge von »Land und Lust« sowie die anschließende Liveschaltung vom Fischmarkt gehen als Quotensensation in die Fernsehgeschichte ein. Mona darf weiterhin »Renovieren Um Vier« moderieren sowie den Produktionsplan künftig mitbestimmen, um mehr Zeit für ihre Freunde und ihre kleine Bar zu haben.

Clara Herzig setzt durch, dass Opa Otto das Bestechungsgeld von Ferfried Bockelt in neue Zähne für Willi investiert. Kristin verliert ihren Fernsehjob und bleibt auf dem Bauernhof. Sie und Willi heiraten ein Jahr später.

Koksnase kommt auf einem idyllischen Hof in der Nähe Hamburgs unter und erhält sein Gnadenbrot auf Kosten von TV3, denn so viel Wiedergutmachung für die ganze Aufregung muss sein. Mona besucht das tapfere Pferdchen regelmäßig.

Der Katze verteidigt seine älteren Rechte in Monas Wohnung mit Nachdruck. Kumpel zieht deshalb nach einigem Hin und Her zu seinem Freund Koksnase in den Pferdestall. Die beiden sind unzertrennlich.

Steven Dong und Patsy de Luxe steigen aus dem Showgeschäft aus. Sie gehen nach Ibiza und eröffnen dort die erste Filiale der »parallelwelt«. Lüttje ist weiterhin Single, aber sie beachtet jetzt auch Männer, die größer sind als sie.

Berit und Bernd haben noch immer nicht geheiratet, weil sie sich jetzt zur Abwechslung doch mal streiten, und zwar über die Partylocation. Berit besteht auf der Fischauktionshalle, und die ist Bernd eindeutig zu teuer.

Eule bekommt nach seinem Auftritt das Angebot, für die TV3-Nachrichten als Außenreporter zu arbeiten. Eule lehnt ab. Seine Begründung: Es sei schon bekloppt genug, wenn einer »aus der Familie« beim Fernsehen ist.

Guido kauft sich endlich einen Smoking, damit er Mona demnächst auch auf Galas begleiten kann, wo man so was tragen muss.

Jacqueline Schnieder setzt sich in die USA ab. Sie lässt als Erstes ihre Lippen reparieren und bei der Gelegenheit gleich noch ein bisschen aufplustern. Danach heuert sie bei einem amerikanischen Partyzauberer an, von dem sie sich vermutlich heute noch zersägen lässt.

Bockelt erhält bei der »Boulevard« die fristlose Kündigung. Er wird Stammgast in der »Luke« bei Benita, die ihn duldet, weil sie ihn gut zum Gläserabräumen gebrauchen kann. Noch ein einziges Mal

gräbt er eine gute Geschichte aus, die er aber nirgendwo veröffent-
lichen wird, weil Benita ihm für diesen Fall mit Hausverbot droht,
und wir wissen ja, wie resolut sie ist.

Dabei ist die Geschichte echt toll, vor allem, weil sie ausnahmsweise
mal wahr ist: Elvis Presley lebt. Er ist nicht nur Stammgast bei Benita
und Mitglied des Elvis-Fanclubs »Die Tollen Tollen«, sondern auch
seit etwa dreißig Jahren mit Benita verheiratet. In der »Luke« nennt
man ihn den »King«. Nur Benita ruft ihn liebevoll bei seinem richtigen Namen: Aron.

Den wahren Elvis zu heiraten – das war übrigens das Einzige, was
Benita sich, tanzend auf seinem marmornen Konterfei, jemals gewünscht hat.

Und Mona und Marnie? Ihnen stehen schon bald neue Abenteuer
bevor. Aber das ist eine andere Geschichte ...

Dank an ...
... Elvis Aron Presley.
Elvis lebt. Lang lebe Elvis!

Tine Wittler
Irgendwas is immer
Roman
Band 16737

Die eine gründet das »Institut Für Alles«, die andere macht
Karriere mit der Einrichtungsshow »Renovieren Um Vier«.
Was die beiden Hamburger Singlefrauen Marnie und Mona
nicht wissen: Sie kämpfen um dasselbe Objekt der Begierde.
Nein, nicht um einen knorken Typen, sondern um eine sze-
nige Bar ...

»Federleichte Unterhaltung
nicht nur für den Sommer auf dem Balkon.
Wittler schreibt frech, flott, flapsig.«
Neue Westfälische Zeitung

Fischer Taschenbuch Verlag

Martina Brandl
Glatte runde Dinger
Roman
Broschur. 208 Seiten

Von einer, die auszog, um sich alles einzuverleiben

Als sie sich weigert, sich auch nur einen Millimeter fortzube-
wegen, kommt ihr Leben in Fahrt: Eigentlich ist Sabine
Rosenbrot nur auf dem Weg von Kassel nach Berlin. Doch in
Wolfsburg fliegt sie wegen Schaffnerbeleidigung aus dem
ICE. Kurz entschlossen marschiert sie los. Raus aus ihrem
alten Leben, rein ins Ungeplante. Ein kantiger Aufbruchs-
Roman voller glatter runder Dinger.

»Brandls Stärke liegt in ihrer Vielseitigkeit
und ihrem besonderen Humor. Sie versteht es,
Alltagsmacken genauestens zu spiegeln, ohne zu verletzen.
Sie tut es auf Augenhöhe mit ihrer Leserschaft.«
Frankfurter Neue Presse

Scherz